De reis van Ruth

www.boekerij.nl

Donald McCaig

De reis van Ruth

ISBN 978-90-225-7229-0
ISBN 978-94-023-0285-1 (e-boek)
NUR 302

Oorspronkelijke titel: *Ruth's Journey*
Oorspronkelijke uitgever: Atria Books
Vertaling: Jeannet Dekker
Omslagontwerp: DPS Design&prepress services, Amsterdam
Omslagbeeld: © Getty Images
Zetwerk: Mat-Zet bv, Soest

Voor Hattie McDaniel

'Mijn eigen leven verbaast zelfs mij.'

'Een grote oude vrouw met de kleine slimme oogjes van een olifant. Ze glansde zwart als een echte Afrikaanse, en ze was tot aan haar laatste druppel bloed de O'Hara's toegewijd. Ze was Ellens steun, de wanhoop van haar drie dochters en de schrik van de andere huisbedienden.'

  – Margaret Mitchell, *Gejaagd door de wind*

'Waar u gaat, zal ik gaan, waar u slaapt, zal ik slapen; uw volk is mijn volk en uw God is mijn God. Waar u sterft, zal ook ik sterven, en daar zal ik begraven worden.'

  – *Het boek Ruth*

DEEL EEN

Saint-Domingue

*H*aar verhaal begon met een wonder. Het was geen opvallend wonder; er werd geen Rode Zee gescheiden en Lazarus herrees niet uit de dood. Het hare was een van die alledaagse wonderen die de levenden scheiden van de doden.

Het wonder geschiedde op een klein eiland dat een erg rijk klein eiland was geweest. De plantagehouders van het eiland noemden het de Parel van de Antillen. Drie weken nadat *Le Nozze di Figaro* in Parijs in première was gegaan werd de opera opgevoerd in Cap-Français, de hoofdstad van het kleine eiland. De plantagehouders, opzichters en tweede zonen van het eiland heersten over suiker- en koffieplantages die rijke Fransen nog rijker maakten en onbeduidende kooplieden tot de gegoede burgerij verhieven. Elk jaar bracht het eiland meer op dan alle Britse koloniën in Noord-Amerika bij elkaar.

Maar dat waren de dagen van weleer. Tegenwoordig lagen vruchtbare suikerrietvelden braak onder een dikke laag zwarte as en waren de kapotte hoekstenen van ooit grootse landhuizen nog net zichtbaar onder woeste doornstruiken.

Als ze voorzichtig waren en op de wegen bleven, konden de soldaten van Napoleon nog altijd tot aan Villeneauve over de Plaine-du-Nord patrouilleren. Hun kring van forten was veilig genoeg.

Maar wanneer de avond viel, sloegen ze hun bivak op in die forten of keerden ze terug naar Cap-Français. Dag of nacht, de bergen behoorden toe aan de wilde varkens, geiten, opstandelingen en marrons.

Op de middag van het wonder zat de vrouw die de eigenares en de bijnamoeder van het kind zou worden voor haar raam en keek over de kapotte daken van de hoofdstad en de masttoppen van de geblokkeerde Franse vloot naar het oosten, naar de lieflijke azuurblauwe baai, omdat elk ander uitzicht een ontkenning van hoop betekende. En Solange Escarlette Fornier klampte zich vast aan hoop zoals de fleur-de-lys geneigd is hardnekkig in de richting van de zon te klimmen.

Solange was jong, maar niet mooi. Twee jaar eerder, op haar trouwdag, gekleed in haar grootmoeders japon van Vlaams kant en getooid met haar grootmoeders sieraden, had ze er onopvallend uitgezien. Maar degenen die Solange een tweede blik waardig keurden, maakten ook vaak tijd voor een derde, die dan bleef rusten op haar hoge jukbeenderen, haar kille, grijsgroene ogen, haar arrogante, Gallische neus en haar mond, die veel beloofde maar weinig prijsgaf.

Die tweede blik onthulde dat de eenzaamheid van deze jonge vrouw haar onkwetsbaar maakte.

Solange Escarlette Fornier was opgegroeid in Saint-Malo, de drukke havenstad aan de Bretonse kust. Ze kende haar thuis, en wanneer ze sprak, maakten haar handen de subtiele gebaren van de inboorling. Solange wist welke handen de strengen van Saint-Malo hadden gewikkeld, en van welke wol.

Hier, op dit kleine eiland, stelde Solange Escarlette Fornier niets voor. Ze was een bruid uit de provincie, zonder invloedrijke familieleden in Parijs, gehuwd met een onopvallende kapitein in een leger dat op zijn laatste benen liep. Solange begreep niet waarom deze verschrikkelijke dingen gebeurden, en hoewel ze haar echtgenoot Augustin de schuld gaf, maakte ze zichzelf nog meer verwijten: hoe had ze zo stom kunnen zijn?

Onder de gegoede burgerij van Saint-Malo golden de Forniers als 'aanzienlijk' en de Escarlettes als 'geducht'. Henri-Paul Fornier en Solanges vader Charles hoopten hun families door een huwelijk aan elkaar te verbinden. De schoeners van Henri-Paul zouden de waren van Escarlette vervoeren, en de invloed van Escarlette kon inhalige havenmeesters in toom houden. Elk schip heeft twee ankers nodig.

De vaders namen beleefd en openhartig de aanstaande bruid en bruidegom onder de loep omdat, zoals een ander Bretons spreekwoord zegt, 'liefde en armoede tot een rommelig huishouden leiden'.

Liefde? In aanwezigheid van Charles Escarlettes oudste dochter liep de jonge Augustin Fornier rood aan en kon hij geen woord uitbrengen. Of de huwelijkskandidaat Solange koud liet, deed er niet toe. Zoals talloze meisjes vóór haar zou Solange ongetwijfeld bijdraaien.

Armoede? Tijdens de gesprekken die de vaders over de bruidsschat voerden, werden de vooruitzichten van de zoon zorgvuldig afgewogen tegen de aanzienlijke som die de dochter zou meebrengen.

Augustin zou het volgende in het huwelijk inbrengen: een belang van negentig procent (Henri-Paul behield een deel) in een verre plantage, de Sucarie du Jardin, honderdvijftig hectare groot met ook nog eens een groot huis ('een Versailles!'), een moderne suikermolen ('hoe witter de suiker, hoe hoger de prijs, nietwaar?') en drieënveertig ('kalme, trouwe') veldslaven die niet jonger dan vijftien en niet ouder dan dertig waren, om nog maar te zwijgen over twaalf slavinnen in de vruchtbare leeftijd en talrijke kinderen van wie sommigen lang genoeg zouden blijven leven om op de plantage te kunnen werken.

Henri-Paul liet zien welke bedragen er elk kwartaal bij de Banque de France waren gestort.

'Honderdtwintig écu,' zei Charles. 'Prijzenswaardig.' Hij bladerde neuriënd door de papieren en hield even op om een aantekening te maken. 'Bijzonder fraai. Hebt u ook een boekhouding van recenter datum? Van de laatste drie jaar wellicht?'

Henri-Paul haalde zijn pijp uit zijn zak, dacht na en stopte hem weer weg. 'Gebeurtenissen.'

'Inderdaad. Gebeurtenissen...'

Charles Escarlette wist dat er geen boekhouding van recenter datum kon zijn, maar hij had zich laten gaan, heel even.

Twintig jaar eerder, toen Henri-Paul twee kustschoeners had verpand om een suikerplantage te kunnen kopen op een Caraïbisch eiland waarvan maar weinig inwoners van Saint-Malo hadden gehoord, was Charles Escarlette niet een van die mannen geweest die hem het hardst hadden uitgelachen, maar hij had wel een wenkbrauw opgetrokken.

Henri-Pauls 'overhaaste' beslissing was 'doordacht' gebleken toen de Europese vraag naar suiker verdubbelde, verdrievoudigde en verviervoudigde. Zelfs het armste huishouden wilde jam en taart. Geen bodem was beter geschikt voor suikerriet dan die van het kleine eiland, en geen plantage zorgde voor wittere suiker dan de Sucarie du Jardin. Tijdens het eerste jaar dat Henri-Paul eigenaar was, zorgde zijn opzichter voor winsten waarmee de aankoopprijs werd terugverdiend. Daarna gebruikte Henri-Paul de winst uit zijn onderneming om zijn vloot uit te breiden tot acht zeewaardige schepen (die het erfdeel van zijn oudste zoon Leo werden) en werden de Forniers uitgenodigd lid te worden van la Société des Expéditeurs et des Marchands. Tijdens het jaarlijkse bal van die vereniging sloeg Henri-Paul (die een glas te veel op had) Charles Escarlette op de schouder en sprak hem aan met het informele '*tu*'.

Dat onfortuinlijke 'tu' was de reden waarom Charles naar een boekhouding vroeg die onmogelijk konden worden overhandigd.

De ondankbare slaven op dat rijke, kleine eiland waren namelijk in opstand gekomen tegen hun rechtmatige eigenaren. Terwijl de slavenopstand zich verder uitbreidde, waren de Fransen in het moederland onafhankelijk hiervan in opstand gekomen en hadden hun koning terechtgesteld. Het revolutionaire bewind, bestaande uit niet bepaald zakelijke jakobijnen (die in Parijs woonden en waarschijnlijk nog geen el van een *sucarie* bezaten!), had in een uitbarsting van '*Liberté! Égalité! Fraternité!*' iedere Franse slaaf vrijgelaten!

Een aantal jaren later, toen Napoleon Bonaparte de scepter over de Fransen zwaaide, was de toestand op het kleine eiland nog steeds wanordelijk, gevaarlijk en uitermate verliesgevend. Een zelfbenoemde zwarte gouverneur-generaal streefde ernaar de banden met Frankrijk te behouden (en verdeelde ondertussen de beste plantages onder zijn aanhangers), terwijl andere opstandelingen zijn heerschappij betwistten en de plantages voor zichzelf inpikten.

Charles Escarlette wist dat Henri-Paul nooit negentig procent van de Sucarie du Jardin aan zijn zoon Augustus zou hebben overgedragen als winst gegarandeerd was geweest, maar hij glimlachte uiterst vriendelijk en trok een fles armagnac open die was verzegeld in hetzelfde jaar dat wijlen Louis de troon had bestegen. Henri-Paul kon dat wel waarderen.

Tijdens het tweede glas merkte Henri-Paul op dat Solanges heupen en borsten sterke kleinzonen konden baren en voeden, maar hij voegde eraan toe: 'In dat gezin zal mijn Augustin niet de broek aan hebben.'

Charles liet de armagnac ronddraaien in zijn glas om van het aroma te kunnen genieten. 'Augustin zal altijd sturing nodig hebben.'

Somber: 'Hij was een goede priester geweest.'

Gesnuif. 'Hij kijkt niet als een priester naar mijn dochter!'

'Misschien zoals sommige priesters doen.'

Onmiddellijke jovialiteit. De twee, die in hun jeugd tegen de clerus waren geweest, grinnikten. Charles Escarlette deed de kurk terug op de fles en stak zijn hand uit. 'Morgen weer?'

'Als het schikt.'

Augustin Fornier was niet geheel ongeschikt als toekomstige schoonzoon, maar zonder die verafgelegen sucarie en de tussenkomst van Napoleon zelf zou de keuze nooit op hem zijn gevallen.

Charles en Henri-Paul wilden dat de Sucarie du Jardin weer in handen van Franse eigenaren kwam en Napoleon wilde dat de rijkdom van het kleine eiland werd overgedragen aan Frankrijk in plaats van een stel kijvende negers rijker te maken die vóór die domme fout van de jakobijnen zelf Frans eigendom waren geweest. Verder snuffelden opdringerige Amerikanen aan New Orleans, het knooppunt van het enorme territorium Louisiana, en een sterke Franse legermacht op het kleine eiland zou Amerikaanse ambities in toom houden. Tussen Frankrijk en Groot-Brittannië heerste op dat moment vrede, de zeeën lagen open, en Napoleons uitmuntende leger had bijzonder weinig omhanden. De eerste consul gaf het bevel over een groot expeditieleger aan zijn eigen zwager, generaal Charles-Victor-Emmanuel Leclerc.

Na zijn gesprek met Fornier sprak Charles Escarlette met Ricard d'Ageau, die bij Austerlitz een arm had verloren en zodoende Saint-Malo's autoriteit op het gebied van militaire zaken was geworden. Ricard aanvaardde dankbaar het aanbod van Escarlettes op een na beste cognac alvorens een oordeelkundige vinger naast zijn neus te leggen en te verklaren dat er nadat Leclercs expeditie aan land was gegaan en had gehergroepeerd wellicht drie tot vier schermutselingen zouden volgen, dat Leclerc tot stichting van het volk een aantal lieden zou ophangen, en dat het leven binnen een paar weken, en niet maanden, weer normaal zou zijn. Bij het zien van Franse kanonnen bemand door Napoleons veteranen zouden 'les nègres er als Toulouse-ganzen vandoor gaan'.

'En dan.'

'Ha ha. De buit gaat naar de overwinnaar!'

Die laatste voorspelling kwam overeen met wat Charles Escarlette al vermoedde, en na een slapeloze nacht verscheen hij humeurig aan de ontbijttafel. Toen Solange haar 'dierbare papa' vroeg of er iets mis was, antwoordde hij op zo'n scherpe toon dat ze hem aanstaarde alsof hij een krankzinnige was die ze op straat tegenkwam.

Kort daarop werd zijn geest echter weer helder en zijn opdracht duidelijk. Hij hoefde er alleen maar voor te zorgen dat Henri-Paul (inderdaad, 'tu'!) begreep hoe de zaken ervoor stonden en welke mogelijkheden deze situatie bood.

Augustin Fornier had onder toezicht twee middagen met zijn aanstaande jonge bruid doorgebracht. Hoewel Augustin onbekend was met zowel het schone geslacht als het leven buiten de ommuurde binnenplaats van huize Fornier aan Rue des Pêcheurs 24 wist zelfs hij – toen zijn liefdesdelirium wat was afgenomen – dat zijn geliefde Solange Escarlette provinciaals, hooghartig, onverschillig en egocentrisch was. Maar wat dan nog? De liefde is geen boekhouder.

Hij verlangde hevig naar haar. Het moedervlekje naast haar linkerwenkbrauw zat precies op de plek waar het volmaakte moedervlekje hoorde te zitten, Le Bon Dieu had haar borsten geschapen met de gedachte dat ze in Augustins handen zouden rusten en haar mollige billen waren zo gevormd dat hij haar tegen zich aan kon drukken. De gedachte aan dat moment van triomf waarop hij bezit zou nemen van Solange bedierf Augustins nachtrust en zorgde ervoor dat hij verstrikt raakte in zijn bezwete lakens. Kan begeerte het fundament van een huwelijk zijn? Dat wist Augustin niet en dat kon hem niet schelen.

Solange dacht dat een huwelijk inhield dat ze een week lang de baas kon spelen over haar ongetrouwde zusters en de eentonige plichten van het huwelijksbed moest vervullen met een man die ze niet echt onaardig vond. Plichten waren immers plichten, nietwaar? Haar vader had haar doop, haar onderwijs tot aan haar twaalfde jaar en nu haar huwelijk geregeld. Zo ging dat in Saint-Malo.

De overeenkomst werd gesloten en het paar trad in het huwelijk. Met een lening waarvan de rente twee punten boven de basisrente lag en waarvoor de sucarie als onderpand diende, kocht Charles Escarlette voor zijn schoonzoon een positie als kornet in het Vijfde Légère.

Als jongen was Augustin vredelievend geweest. Andere jongens zwaaiden met houten sabels, maar Augustin was bang dat iemand hem een oog zou uitsteken. Toen die jongens mannen werden en hun speelgoedzwaarden in echte sabels veranderden, huiverde Augustin bij de aanblik van het glanzende staal. Maar zijn schoonvader legde uit: 'De Sucarie du Jardin vormt je gehele inkomen, nietwaar? Wanneer generaal Leclerc deze opstand heeft neergeslagen en onze negers weer aan het werk gaan, komt de

Sucarie du Jardin dan weer in handen van haar rechtmatige eigenaren of gaat ze naar een van Leclercs favoriete officieren?'

Charles klopte Augustin op zijn rug. 'Maak je geen zorgen, mijn jongen. Het zal voorbij zijn voordat je het weet en...' Hij kuchte. '... ik heb vernomen dat negervrouwen... primitief zijn.'

Augustin, voor wie het bezitten van zijn bruid minder opwindend was gebleken dat hij had gehoopt, bedacht dat 'primitief' misschien helemaal niet zo erg was.

Henri-Paul weet het *'régime de la séparation de biens'* dat zijn zoon gedwongen moest aanvaarden aan diens 'indiscrete bezieling'. De aanzienlijke bruidsschat van Solange Fornier was bij de Banque de France gestort – op naam van Solange.

'Mijn waarde vriend,' stak Charles zijn nieuwe familielid een hart onder de riem, 'ze zullen dat geld nodig hebben om de sucarie te herstellen. Voordat het jaar voorbij is, zal jouw tien procent weer iets opleveren.'

Solange dacht dat de positie van meesteres van een Grand Plantation haar wel zou bevallen, en haar zusters ergerden zich behoorlijk aan haar veronderstellingen. Ze zou hoffelijk en vriendelijk zijn, en weliswaar niet beeldschoon (Solange was een realist) maar toch zeker zeer, zeer goed gekleed.

Op zondag zou ze na de mis de echtgenotes van andere plantagehouders ontvangen en thee serveren uit haar grootmoeders kobaltblauw met gouden Sèvres-theeservies. Ze zou haar grootmoeders collier dragen, en achter elke stoel zou een bediende staan die haar vriendinnen met een waaier koelte toewuifde.

Het pasgetrouwde stel scheepte in Brest in en voer tweeënveertig dagen lang westwaarts over een woelige zee. Augustins rang als kornet was goed voor een kooi in een piepkleine hut die het kersverse paar moest delen met twee ongehuwde officieren die niet belangrijker waren dan zij. Enig decorum kon worden behouden door te veinzen dat ze niet zagen of hoorden wat ze onvermijdelijk zagen en hoorden. Omdat er niet genoeg ruimte was om ruzie te maken hield Solange het bij blikken.

Op de ochtend van 29 januari leek een prachtig moment lang alles mogelijk. Terwijl het kleine eiland steeds groter werd, liet Solange op het volle dek haar hand in die van haar man glijden. Misschien was het haar lieftallige afhankelijkheid die tranen deed opwellen in de ogen van kornet Fornier, of misschien was het de bries van het eiland, kruidig, zacht en zwoel. Dit was echt! De officier-plantagehouder en zijn bruid ademden de belofte in van de Parel van de Antillen.

Omdat de opstandelingen de boeien uit de haven van Cap-Français hadden weggehaald voer de expeditie van generaal Leclerc, met inbegrip van de Vijfde Brigade en de kersverse kornet, de kust af om verderop aan land te gaan en had Solange de piepkleine hut voor zichzelf.

Terwijl de Franse vloot wachtte totdat Leclerc zou toeslaan, staken de opstandelingen de hoofdstad in brand en werd de aromatische bries door een bittere stank gemaskeerd. Wat zouden die verdomde boeien ook! De admiraal zeilde de haven binnen en meerde af aan de kade. De Franse landingsdivisie bestond uit zeelieden, mariniers en burgers zoals Solange, die met een allerminst damesachtige dolk zwaaide en werd begroet door een paar honderd zwarte kinderen die 'Papa Blan! Papa Blan!' (witte vader) riepen. Terwijl de landingsdivisie aan het plunderen sloeg, gaf Solange een paar kinderen de opdracht de bagage van de Forniers naar een buurt te dragen die voor de vlammen gespaard was gebleven.

Tot aan de avond, toen de troepen van generaal Leclerc zich bij de plunderaars voegden, bleef Solange op het stenen stoepje van een klein stenen huis met één verdieping zitten, met haar dolk dwars op haar knieën. Twee dagen later liet een officier met een trotse grenadierssnor Solange weten dat er niet genoeg huizen de brand hadden overleefd en dat haar huis nodig was om de hogere officieren te huisvesten.

'*Non.*'

'*Madame*?'

'*Non*. Dit huis is klein en vies en alles is stuk, maar ik moet het ermee doen.'

'Madame!'

'Wilt u de echtgenote van een Franse plantagehouder soms met geweld uit haar huis zetten?'

Even later maakte Augustin dat hij wegkwam toen andere officieren vergeefse pogingen deden om zijn vrouw te verwijderen.

Een tijdlang was Napoleons plan succesvol. Veel eilanders waren blij met de Franse hulp die een einde moest maken aan de opstand, en een deel van de zwarte regimenten van de gouverneur-generaal sloot zich aan bij de Fransen. Huizen werden hersteld en van nieuwe daken voorzien, en Cap-Français herrees uit de as. Leclerc stuurde het grootste deel van de Franse vloot naar huis. Veel rebellenleiders beloofden trouw aan Frankrijk en de eerste consul. De zelfbenoemde gouverneur-generaal werd naar een vredesbespreking gelokt, alwaar hij werd gearresteerd.

De Forniers reden naar hun sucarie voor een inspectie. Het was een koele nevelige morgen op de Plaine-du-Nord, en Solange droeg een wollen omslagdoek. De vlakte werd overheerst door de bult van de Morne Jean, waaruit grote en kleine rivieren ontsproten die hun doortocht hinderden.

In gehuchten gluurden zwijgende, uitgemergelde kinderen naar hen en kropen wilde honden weg. Sommige suikerrietvelden waren overwoekerd door struikgewas, andere waren verdeeld in kleine tuintjes en primitieve hutjes voor de nieuw vrijgemaakte slaven, en op een paar velden wuifde het nog niet geoogste suikerriet. Ze waadden door kolkende beekjes en namen het veer over de troebele Grande-Rivière-du-Nord, waarvan de oevers bezaaid lagen met geknakte takken en boomstammen die door winterse overstromingen waren meegevoerd.

Ten zuiden van de kruising bij Ségur betraden ze de bron van hun toekomstige geluk: de Sucarie du Jardin.

Ze hadden de verslagen van de opzichter, de aktes en de plattegronden van een afgelegen, geheimzinnige Caraïbische plantage gelezen; vandaag lieten ze echte wielsporen achter op een ongebruikt weggetje in de koele schaduw tussen muren van suikerriet dat wuifde boven hun hoofden. 'Vanille,' fluisterde Solange. 'Het ruikt naar vanille.'

Suikerriet ruiste. Er kon wel van alles tussen dat riet verstopt zitten, en ze waren opgelucht toen ze het gewas verruilden voor een zonovergoten oprijlaan van kasseien voor een plantershuis dat zelfs voordat het in brand was gestoken nooit zo voornaam was geweest als in hun verbeelding. Door de ramen van de bovenverdieping was een blauwgrijze hemel te zien, onderbroken door zwartgeblakerde dakbalken. Waar ooit de voordeur was geweest lag een berg puin.

'O,' zei Solange.

Het zachte geruis waren vast de negers van de sucarie die wegvluchtten door het ongekapte riet. 'We gaan het opnieuw opbouwen,' zei Augustin.

Solange vroeg: 'Denk je dat we dat kunnen?' en legde haar hand op zijn knie.

Van hén. Het verwoeste huis, de afgebrande suikermolen met zijn verbogen en gebroken spillen, assen en raderen – van hén. Ideeën prikkelden hun geest. Ze verkenden het ongeschonden negergehucht – van hén. De *reszide* van iedere veldslaaf werd afgeschut door een felgroene wand van door elkaar gevlochten cactussen die op koorden leken – toen Augustin nieuwsgierig zijn hand uitstak, trok hij die prompt terug en zoog op zijn vinger terwijl Solange giechelde. Het erf van elke reszide was aangestampt totdat het hard was als cement en schoongeveegd. Augustin bukte zich en stapte het donker in. Solange hoestte. Het hoofd van haar man raakte bijna het rookgat, en dat vond ze grappig. Versleten matten lagen opgerold naast een grote mand bestemd voor het verzamelen van maniok. Op de bodem van de ketel in de haard waren witte etensresten aangekoekt. Augustin stelde zich voor dat hij negerkindertjes onderwees in de heerlijkheden van de Franse beschaving. Hij verwachtte dat ze dankbaar en verheugd zouden zijn. Solange raapte een vakkundig gemaakte porseleinen kom op, maar gooide die opzij toen ze de schilfers langs de rand zag.

De plantersverslagen hadden haar gewaarschuwd voor tuinen zoals het goed onderhouden exemplaar achter deze hut. Veldslaven staken hun energie liever in hun eigen tuinen dan in het werk voor hun meester. Augustin nam het besluit van een eigenaar. 'Ónze negers zullen eerst hun suikerwerk afmaken voordat ze verdergaan met deze… frivoliteit!'

Solange vroeg zich even af of ze ook een huis in de stad zouden hebben.

De zon keek vanaf nu voor altijd glimlachend op hun leven neer. Zij – met hun tweetjes, meer niet – konden hier iets van maken. Het was van hén. Augustins hart zwol op van trots. Hij zou de weggelopen veldslaven vangen en terugbrengen naar de Sucarie du Jardin. Dit was toch ook hun thuis? Dit was toch net zozeer hun leven als dat van hem? Het riet ratelde toen er een briesje doorheen speelde. Wat een heerlijk geluid!

'Het huis…' zei hij. 'Ik ben blij dat het huis is afgebrand. Het was te klein. Onbevredigend.'

Ze zei: 'We gaan een beter huis bouwen.'

In de verwaarloosde bloementuin van het landhuis spreidde Augustin zijn mantel uit naast een rozenstruik waarvan de bottels fluisterden over mogelijkheden. Ze zouden rijk zijn. Ze zouden het goed hebben. Ze zouden bemind worden. Ze zouden doen wat ze maar wilden. Solange opende zich voor Augustin in het heerlijke delirium van de liefde.

Maar helaas, nadat de zwarte gouverneur-generaal naar Frankrijk was gedeporteerd namen de gevechten toe, werd het platteland onveilig en brachten de Forniers nooit meer een bezoek aan de suikerplantage die zo veel hoop in zich had meegedragen. Solanges echtgenoot sprak niet langer over zijn bezigheden als soldaat. Hij kreeg een hogere rang. Daarna kreeg hij nogmaals een hogere rang, maar hij was er niet trots op. Augustin genoot niet langer van bals of het theater, en zelfs het vriendelijkste snedige gesprek verveelde hem. Kapitein Fornier vertoonde zich niet langer in de gegoede kringen.

Met de zomer kwam de gele koorts.

Onder goedgelovige Franse officieren deed een vreemde theorie de ronde, namelijk dat hun verliezen te wijten waren aan onnatuurlijke krachten. Talloze jaren geleden, nog voordat de jakobijnen de slaven vrijlieten en lang voordat Napoleon Leclerc stuurde om hen opnieuw tot slaaf te maken, was er op het plein in Cap-Français een voodoopriester verbrand. Bijgelovige negers geloofden dat deze priester zichzelf in een dier of een insect kon veranderen en dus niet kon worden gedood. Maar ha ha, monsieur, zijn vet borrelt net als dat van iedereen! Hoewel de as van de voodoopriester van de kasseien was geschrobd was er die zomer sprake van een muggenplaag en de eerste epidemie van gele koorts.

De koorts brandde. De patiënt snakte naar water. Vervolgens werden zijn hersenen uitgewrongen zoals een sterke man het sap uit een vrucht perst. De gedoemde zieke bleef helder van geest, zodat zijn dierbaarste illusies werden ontmaskerd als de leugens die ze altijd al waren geweest.

Dan respijt. Rust. Kalmte. De koorts verdween en het hoofd bonsde niet langer. Men dronk koel water en ging liggen. Een goede ziel waste het vieze zweet van het lichaam van de patiënt. Veel slachtoffers durfden te hopen.

Sommigen van de meest vromen verloren hun geloof toen de koorts terugkeerde en er zwart bloed uit neus en mond vloeide en het braaksel zwart werd en een stroom van vuiligheid volgde.

Om een ongetwijfeld goede reden spaarde Le Bon Dieu Augustin en Solange, maar de meeste soldaten uit Napoleons expeditieleger stierven sneller dan ze konden worden begraven. Hoewel hij met meer vertoon en waardigheid ter aarde werd besteld dan tienduizenden van zijn medesoldaten was generaal Charles-Victor-Emmanuel Leclerc net zo dood.

De echtgenote van de generaal vertrok met een van de laatste Franse schepen die het kleine eiland verlieten, want een jaar nadat het Frans-

Britse vredesverdrag was ondertekend werd het ongeldig verklaard en blokkeerde een Brits eskader het eiland.

Met de Britten kwam het nieuws dat Napoleon het territorium Louisiana aan de Amerikanen had verkocht. De Franse overlevenden op het kleine eiland wisten dat Napoleon hen ook had verkocht.

Nadat generaal Rochambeau het bevel over de belegerde Franse troepen had overgenomen, daalde er een koortsachtige vreugde over de hoofdstad neer. Door hun natie en hun keizer in de steek gelaten officieren, plantagehouders, echtgenotes en creoolse maîtresses maakten 's avonds plezier tijdens bals. *Le Nozze di Figaro* was slechts een herinnering, maar het theater met het kapotte dak, open onder de avondhemel, werd het toneel voor populair vermaak. Vrouwen in het publiek schrokken van de vleermuizen die tussen de dakbalken door doken.

Solange was van nature geen gezelschapsmens, maar ze wist dat eenieder die onder deze omstandigheden geen contacten onderhield gedoemd was te sterven. Hoewel ze liever alleen over het strand had gewandeld, onderdrukte ze die neiging en bezocht ze de avondbals of het theater. Toen Augustin haar niet langer vergezelde, werd majoor Alexandre Brissot, een bijzonder knappe officier die ongeveer een jaar ouder was dan zij, haar trouwe begeleider. Omdat majoor Brissot een neef van generaal Rochambeau was, bood hij meer bescherming dan zijn rang deed vermoeden, en hoewel Solange hem misschien bepaalde vrijheden wel zou hebben toegestaan, vroeg hij er nooit om.

Solange was een realist. Wat Brissot ook was, ze was hem dankbaar voor zijn bescherming. Thuis had Solange verwachtingen gehad die voor iedere Escarlette werkelijkheid werden: een redelijk succesvolle, doorgaans trouwe echtgenoot met voldoende inkomsten en een respectabele positie. Niets in Saint-Malo had haar kunnen voorbereiden op onbegraven koortsslachtoffers die op straat van gedaante veranderden of op de vettige scherpte die opwelde in haar keel. In haar verbeelding was geen plaats geweest voor verstikkende rook die door de straten van een belegerde stad kronkelde, noch voor een plantage die hun bezit was maar die ze nooit durfden te bezoeken. De ogen van haar echtgenoot stonden zo vreemd! Haar eigen man, naast wie ze ging liggen!

Na achtentwintig maanden, zes dagen en twaalf uur in de hel had kapitein Fornier ergere dingen gezien en gedaan dan in zijn nachtmerries.

Augustin had te veel genade versmaad en zijn oren voor te veel zielige smeekbeden gesloten. Zijn doodgewone Franse wijsvinger had de trekker overgehaald en zijn eigen onbeholpen handen hadden stroppen omgedaan.

Zijn eigen vrouw zei:'Wanneer we die rebellen hebben verslagen, moeten ze alles in de oude toestand terugbrengen. Precies zoals het was!'

Hij stemde ermee in, hoewel hij wist dat niets kon worden teruggebracht, dat niets was zoals het was geweest.

Zoals zijn vader al had beweerd: Augustin zou een goede priester zijn geweest. Tegenwoordig wist hij niet meer door welke van zijn doodzonden hij verdoemd zou worden.

De patrouille van vandaag was een missie voor dwazen: de jacht op een ontsnapte slaaf, ene Joli, lijfknecht van generaal Rochambeaus neef Alexandre Brissot. Deze jacht was zinloos. Slaven ontsnapten elke dag, met tientallen, honderden, duizenden tegelijk.

Misschien was het omdat Joli een paard had gestolen. Misschien was het paard waardevol. Augustin volgde bevelen op. Wat gepast was voor een soldaat en wat gepast was voor een beul was niet langer een onderscheid van betekenis.

Om de een of andere reden wenste de generaal het hoofd van Joli. Hoewel menselijke nekken slank zijn, is het verwijderen van een hoofd geen eenvoudige kwestie. Tenzij de sabel precies de goede plek raakt, daar waar twee wervels bij elkaar komen, blijft de kling steken in bot en spuit het bloed uit doorgesneden aders over de witte kniebroek.

Joli's hoefafdrukken zigzagden door verlaten koffieplantages op de berg boven de Plaine-du-Nord.

Augustin en zijn sergeant reden op muilezels. De gewone soldaten grepen elke gelegenheid aan om op adem te komen. In het ver weg gelegen Saint-Malo zou het nu herfst zijn. Een koele, aangename herfst.

Terrassen strekten zich uit tussen rijen koffiestruiken ver boven die vriendelijke belofte, de beminnelijke blauwe zee. Het Britse eskader deed geen poging tot verstoppen: drie fregatten (een was voldoende geweest) zeilden lui heen en weer. Kinderspeelgoed. Wat wisten zij nu, die vervelde Engelse officieren die hun kijkers gericht hielden op het verwoeste Cap-Français en de Morne Jean die boven de stad opdoemde? Wat benijdde Augustin die officieren.

De helling werd te steil voor het verbouwen van koffie, en het wagenspoor veranderde in een voetpad en ten slotte in een spoor voor de enorme knaagdieren en wilde zwijnen van het eiland. Augustin steeg af en voerde zijn muilezel aan de hand mee. Het zweet liep in zijn ogen. Tijdens het trekken, klimmen, hakken en stoten door struikgewas dat zich als een versmade geliefde aan hen vastklampte, uitten sommige soldaten vloeken en mompelden andere gebeden die ze als kind hadden geleerd. Zelfs de meest optimistische Franse soldaat geloofde niet dat hij Frankrijk ooit zou terugzien. Iedere man wist dat hij *mort, décédé, défunt* was. Soms zongen ze een opgewekt lied over Monsieur Mort, die fijne kerel.

Mort, oui, maar nu nog niet! Niet vanmorgen, niet zolang de dauw nog aan deze on-Franse bladeren kleefde en ongewone insecten hun onbeduidende levens vierden en een ondankbare zon voor blaren op hun voorhoofden zorgde. Morgen, Monsieur Mort, hebben wij ons rendez-vous. Zoals u wenst. Maar niet vandaag!

Het leven van Augustin Fornier had anders kunnen zijn. Had het Lot maar naar hem geglimlacht – een bescheiden lachje, een veelbetekenende knipoog van het Lot… Ah, *bien.*

En in Saint-Malo had hij gedacht dat hij ongelukkig was! Wat een kind! Wat een dom, verwend kind! Ja, Augustins vader was veeleisend, maar had hij meer van zijn zonen gevraagd dan andere mannen die zich hadden opgewerkt? Goed, Augustins vooruitzichten waren minderwaardig geweest – zijn oudere broer Leo zou de Agence Maritime de Fornier erven – maar Augustin hád in elk geval vooruitzichten gehad!

Wat was hij gelukkig geweest!

Takken bleven haken aan Augustins jas en sabelkoppel, en zijn driehoekige steek werd zo vaak van zijn hoofd getrokken dat hij die ten slotte maar in zijn hand meedroeg.

Een rode muts hing aan de stekels van een doornstruik: een *bonnet rouge,* zo'n Frygische muts waaraan de jakobijnen de voorkeur hadden gegeven en die Napoleon verfoeide. De zijdekeper leek veel te mooi voor een weggelopen lijfknecht. Misschien kon Solange er iets van maken.

Augustin klauterde naar een open plek op een smalle strook land. Een vastgebonden bruin met zwarte geit begon te blaten zodra de patrouille naderde.

De deur van de kleine reszide was ooit een vloerkleed geweest dat misschien wel in een groot landhuis had gelegen. De palmbladeren die het dak van de hut vormden, waren vastgebonden met repen stof die van hetzelfde kleed waren gesneden.

Zijn sergeant spande de haan van zijn musket, en de anderen volgden snel zijn voorbeeld.

Het was hier koel, zo hoog boven de vlakte. Een waterval druppelde langs een met mos bedekte rotswand naar beneden en plonsde in een poel ter grootte van een wastobbe.

De geit klaagde, een groene papegaai kwetterde als een houten hamer die op een stuk hout slaat. Een briesje kietelde in Augustins nekharen. Het moest hier aangenaam zijn geweest, hoog boven het bloederige conflict. Het moest veilig hebben geleken.

Het dode meisje naast de deur was nog niet zo lang dood dat haar bloed zwart had kunnen kleuren. Augustin keek niet naar haar gezicht. Er waren al te veel gezichten die hij moest vergeten.

Augustin trok zijn pistool. Toen hij de tapijtdeur wegtrok, werd hij besmeurd door de stank van de dood. Voordat zijn zenuwen hem in de steek lieten, stapte kapitein Fornier naar binnen.

De oude vrouw was deels onthoofd, en de hersenen van de zuigeling vormden grijsrode spatten op de haard. De samengeknepen handjes van het kind hadden die van een klein buideldier kunnen zijn. 'Wij mensen zijn niet menselijk,' mijmerde Augustin. Even vroeg hij zich af wie dit hadden gedaan. Marrons? Opstandelingen? Een andere patrouille?

De moordenaars hadden van alles omgegooid, leeggehaald, verspreid, op zoek naar de schamele bezittingen van het gezin.

Augustin hoopte dat het bloed waarin hij stond niet de bovenkant van zijn laarzen had bereikt. Zodra bloed het stiksel besmeurde, was het er niet meer uit te krijgen.

De omgekeerde maniokmand was niet van zijn plaats gehaald. De plunderaars hadden gezocht, overhoop gehaald en weggegooid, maar ze hadden de maniokmand niet omgedraaid, hoewel die had kunnen bevatten waarnaar ze op zoek waren. De mand was onaangeroerd: een zelfvoldane huisgod.

Toen Augustin ertegenaan schopte, rolde de mand een hoek in.

Daarbij werd een rechtop zittend, glimlachend, naakt en erg zwart meisje van een jaar of vier, vijf zichtbaar. De voeten van het kind waren in bloed gedompeld, net als de knieën waarop ze naast haar afgeslachte familie had gezeten. Als antwoord op zijn starende blik verborg ze haar smerige handen achter haar rug en maakte een reverence. '*Ki kote pitit-la?*' zei ze in het creools. In het Frans voegde ze eraan toe: 'Welkom in ons huis, heren. Onze geit Héloïse heeft goede melk. Hoort u Héloïse blaten? Ik wil haar graag voor u melken.'

Kapitein Augustin Fornier, die alles al had gezien, stond met open mond.

Het kind herhaalde: 'U hebt vast honger. Ik kan haar voor u melken.'

Augustin sloeg een kruis.

Haar glimlach werd verlicht door de opgewekte charme van een kind. 'Wilt u me met u meenemen?'

Dat deed hij.

DEEL TWEE

De Lowcountry

Vluchtelingen

*T*oen Augustin het plechtige, prachtige kind aan zijn vrouw liet zien, hielden de engelen hun adem in totdat Solange glimlachte.

Wat een glimlach! Augustin zou zijn leven hebben gegeven voor die glimlach.

'Je bent volmaakt,' zei Solange. 'Dat ben je.'

Het kind knikte ernstig.

Na enig nadenken zei Solange: 'We noemen je Ruth.'

Solange had nooit een baby gewild. Ze aanvaardde haar plicht om kinderen te baren (net zoals het Augustins mislukte plicht was om die te verwekken), en met voldoende minnen en bedienden om de onaangenaamheden van zuigelingen het hoofd te kunnen bieden zou Solange de erfgenamen grootbrengen waarop de Forniers en Escarlettes rekenden.

Maar terwijl haar zussen als kind altijd met genoegen porseleinen poppen met lege blikken hadden opgevoed, bestraft en aangekleed had Solange alleen zichzelf aangekleed en opgevoed. Ze vond dat haar zusters veel te gewillig Eva's aandeel in die vloek van de erfzonde aanvaardden.

Ruth was perfect: oud genoeg om voor zichzelf te zorgen en haar meerderen te waarderen zonder al te veel van hen te vragen. Ruth, kneedbaar en gewillig, maakte Solanges leven mooier. Ze was niet de kostbare, vreselijke last die een kleine Escarlette zou zijn. Als Ruth teleurstelde, waren er kopers.

Solange kleedde Ruth aan zoals haar zussen hun poppen hadden aangekleed. Kant was schaars, maar Ruths zomen waren afgezet met het mooiste dat Antwerpen te bieden had. Ruths fraaie zijden mutsje was even prachtig bruin als de ogen van het kind zelf.

Omdat Ruth Frans sprak, nam Solange aan dat ze huisslaven in haar familie had gehad. Solange vroeg er nooit naar: háár Ruth was geboren, als in haar eigen bed, op de dag dat Solange haar haar naam had gegeven.

Op een rustige avond, voordat Solange de luiken sloot tegen de avond-lucht, zat Ruth nadenkend voor het raam dat uitkeek over de stad. In dat vergevensgezinde schemerlicht was ze een kleine, zwarte Afrikaanse, even mysterieus als dat wilde continent en even zelfverzekerd als een van zijn koninginnen.

'Ruth, *chérie!*'

'Oui, madame!'

Meteen zo vriendelijk, zo dankbaar dat ze Solange gezelschap mocht houden. Ruth bewonderde de eigenschappen die Solange het meeste in haarzelf bewonderde. Ruth vergezelde haar meesteres naar de bals en het theater en kroop dan weg in een hoekje totdat Solange klaar was om naar huis te gaan.

Ruth verzachtte Solanges hevige eenzaamheid door zwijgend op de vloer te zitten, tegen de benen van haar meesteres aan gedrukt. Soms dacht Solange dat het kind in haar hart kon kijken en de kust van Saint-Malo zag waarvan ze zo hield: de stranden vol stenen en de ondoordring-bare zeewering die de inwoners tegen de winterstormen beschermde.

In gezelschap van Ruth kon Solange haar pantser laten zakken. Ze kon bang zijn. Ze kon huilen. Ze kon zich zelfs overgeven aan het gebed van de zwakke vrouw dat alles op de een of andere manier ooit goed zou komen, wat er ook gebeurde.

Ze las romans die in de mode waren. Net als de gevoelige, jonge roman-schrijvers begreep Solange dat wat er in deze moderne negentiende eeuw verloren was gegaan kostbaarder was dan wat er overbleef, dat de mense-lijke beschaving zijn hoogtepunt al had bereikt, dat vandaag niet anders was dan gisteren, dat haar ziel was afgesleten en geslonken door banale mensen, banale gesprekken en het veelvoud aan kwellingen in het leven. Het feit dat de dagelijkse ontberingen in een belegerde stad fataal konden zijn maakte ze niet minder banaal.

Kapitein Fornier was gestationeerd in Fort Vilier, het grootste van alle forten die de stad omringden. De opstandelingen probeerden vaak, en doorgaans tevergeefs en met gruwelijke verliezen, door het kanonvuur heen te dringen dat de Franse forten met elkaar verbond. Soms verbleef kapitein Fornier in het fort, soms thuis. Na zijn vertrek bleef er altijd iets van zijn bitterheid hangen. Solange zou Augustin hebben getroost als ze dat had kunnen doen zonder iets belangrijks te verliezen.

Niets in Saint-Domingue was zeker. Alles liep op zijn laatste benen of was al half opgeslokt door de stoffige klimplanten van het eiland.

Er zou geen Franse vloot komen die zich een weg vocht door het Britse eskader. Geen versterkingen, geen extra kanonnen of musketten of rantsoenen of kruit of kanonskogels. Zonder tegensputteren verbleekte de Parel van de Antillen tot een mythe. Vaderlandslievende zielen drongen aan op genadeloze oorlogsvoering terwijl Napoleons soldaten overliepen naar de rebellen of opnieuw een dag probeerden te overleven.

Nu hun invloed slonk, vierden de Fransen feest: een overvloed aan bals, theatervoorstellingen, concerten en rendez-vous tartte de rebellen voor de poort. Militaire kapellen brachten serenades aan generaal Rochambeaus creoolse maîtresses, en een populaire ballade verheerlijkte zijn talent om mindere mannen onder tafel te drinken.

Amerikaanse schepen die door de blokkade glipten, verkochten scheepsladingen sigaren en champagne, en vertrokken met wanhopige militaire rapporten en Rochambeaus oorlogsbuit. Rook waaide vanaf het platteland de stad in en verstikte die tot aan zonsondergang, wanneer de rook werd verdreven door de zeebries en het gezoem van verstikkende wolken muggen. Het regende. Enorme donderbuien deden de goten overstromen en dwongen mensen en honden beschutting te zoeken.

Solange verbood Ruth creools te spreken. 'We moeten ons aan zo veel mogelijk beschaving vastklampen, ja?' Toen hun kok ervandoor ging en Augustin geen andere wist te vinden, maakte Ruth vissoep en bakte bananen, terwijl Solange haar gezeten op een hoge kruk voorlas.

Hoge officieren stuurden andere officieren op wanhopige missies zodat ze daarna hun weduwen konden troosten.

Op het Saint-Louisplein werden drie negers levend verbrand door generaal Rochambeau. In een vlaag van ironie kruisigde hij anderen op het strand van de Monticristi-baai.

Elke ochtend maakten Solange en Ruth een wandeling langs de zee. Op een ochtend stond de kade vol geketende negers. 'Madame, we zijn trouwe Franse koloniale troepen,' riep een zwarte man. Wat moest zij met die informatie?

Ruth wilde iets zeggen, maar Solange trok haar snel mee.

Twee fregatten zeilden op een prachtige dag de baai in, en drie ochtenden later, bij laagtij, lag het brede, witte strand bezaaid met verdronken negers. De vlakke, metalige stank van de dood deed Solange naar adem happen. Toen Solange tegen kapitein Fornier klaagde, was zijn vermoeide, toegeeflijke glimlach die van een vreemde. 'Wat wilt u dan dat we met hen doen, madame?'

Voor het eerst was Solange bang voor haar echtgenoot.

Op de ochtend dat alles veranderde, werd Solange wakker van een neuriënde Ruth en de scherpe geur van koffie.

Solange duwde de luiken open en zag beneden op straat een moedeloos plukje soldaten staan. Welke dag was het? Zou Augustin vandaag naar huis komen? Zouden de rebellen hun laatste aanval inzetten?

Ruth zei: 'Wat wenst madame?'

Ja, wat eigenlijk? Hoe kon ze zo ontevreden zijn zonder iets te willen?

Solange raakte het gouden randje van haar kobaltblauwe kopje aan. Deze muren, de muren van haar huis, waren van grof ongepleisterd steen. De luiken van een of andere inheemse houtsoort waren niet geschilderd. Ruths ogen waren, net als het fragiele kopje, warm, complex en mooi. Solange zei: 'Ik heb niets gedaan.'

Ruth had kunnen zeggen 'Wat had u moeten doen?', maar dat deed ze niet.

'Ik ben afgedreven naar erg diep water, als een dwaze, beginnende zeiler.'

Ruth had dit oordeel kunnen verbeteren, maar dat deed ze niet.

'We verkeren in groot gevaar.'

Ruth glimlachte. De ochtendzon vormde een stralenkrans rond haar hoofd. Ruth zei: 'Madame gaat naar het bal van generaal Rochambeau?'

Solange Fornier was de dochter van Charles Escarlette, geducht en sluw. Waarom las ze sentimentele romans?

Ruth zei: 'Het bal van de generaal wordt op een schip gehouden.'

'Wil hij zijn gasten soms verdrinken?'

Ruths gezicht werd uitdrukkingsloos. Had ze een van die verdoemde gevangenen gekend? Solange nipte aan haar koffie. Na haar ongeduldige gebaar voegde Ruth suiker toe.

Een kobaltblauw theekopje op een tafel van ruwe planken. Suiker. Koffie. De Sucarie du Jardin. De Parel van de Antillen. De lucht was helder en koel. Hadden de opstandelingen alles verbrand wat brandbaar was? Heel in de verte rook Solange nog een zweem van de betoverende bloemengeur van het eiland. Wat had het allemaal fraai kunnen zijn!

'Ja,' zei Solange. 'Wat zal ik aantrekken?'

'Misschien de groene voile?'

Solange legde haar vinger tegen haar kin. 'Ruth, wil je me vergezellen?'

Ze maakte een reverence. 'Als u dat wenst.'

Solange fronste. 'Maar wat wens jíj?'

'Ik wens wat madame wenst.'

'Dan zal je vanavond mijn schild zijn.'

'Madame?'

'Ja, chérie. De groene voile is het beste.'

Toen Augustin die middag thuiskwam, verraste ze hem met een kus. Hij maakte zijn sabelkoppel los en liet zich moeizaam op het bed vallen, met zijn benen uitgestrekt zodat Ruth zijn laarzen kon uittrekken. 'Arme, lieve Augustin...'

Zijn verwonderde frons.

'Je bent niet geschikt voor het werk van soldaat. Ik had het kunnen weten...'

'Ik ben soldaat, een officier...'

'Ja, Augustin, dat weet ik. Je overjas. Zit die in onze hutkoffer?'

Hij haalde zijn schouders op. 'Ik denk het wel. Ik heb hem al maanden niet meer gezien.'

'Zorg ervoor dat hij er netjes uitziet.'

'Gaan we ergens naartoe? Het theater? Een of ander bal? Je weet dat ik dergelijk vermaak verfoei.'

Ze raakte zijn lippen aan. 'We verlaten Saint-Domingue, waarde echtgenoot.'

'Ik ben een kapitein,' herhaalde hij stompzinnig.

'Ja, mijn kapitein. Bij mij is je eer veilig.'

Misschien had Augustin naar het wat en wanneer en waarom moeten vragen, maar hij was uitgeput en dit was te ingewikkeld. Hij trok zijn uniformjas uit. Gekleed in kousen en kniebroek liet hij zich achterover vallen, gromde en begon te snurken.

Hij is ouder geworden, dacht Solange, verbaasd over het gerimpelde, vermoeide gelaat van haar man. Ze maakte zich los uit deze veel te sentimentele stemming met een zelfverwijt: waarom heb ik afstand gedaan van mijn verantwoordelijkheden? Waarom zou een Fornier de toekomst van een Escarlette bepalen? 'Rust maar uit, mijn dappere kapitein. Onze problemen zullen weldra voorbij zijn.'

Nee, Solange wist niet wat ze moest doen. Ze had geen woorden voor het felle leven dat door haar heen stroomde, dat íéts wat haar ogen en voeten en vingertoppen deed tintelen. Ze wist slechts één ding zeker: ze moesten dit kleine eiland ontvluchten. Ze hadden hier niets, plantage noch rang, noch het misplaatste vertrouwen dat vandaag hetzelfde zou zijn als gisteren. Als ze bleven, zouden ze worden gedood.

Solange zou weten wát ze moest doen nádat ze het had gedaan.

Het getuigde van onvervalste Gallische genialiteit om de arme, oude, van zeepokken vergeven en geblokkeerde Herminie om te toveren van een Frans vlaggenschip vol zwoegende kanonnen in een Arabisch serail, met rode en blauwe en groene en gouden stroken stof fladderend aan de masten en ra's, palmen in potten op het geschutsdek, en lampen en kaarsen die zo waren neergezet dat slecht verlichte hoekjes in een toevluchtsoord voor minnaars veranderden. Een militaire kapel toeterde dapper, en officieren met gepluimde zilveren helmen dronken op creoolse maîtresses terwijl negers met rode en blauwe tulbanden tussen hen door glipten om glazen bij te vullen. In een palmbosje op het officiersdek begroette generaal-majoor Donatien-Marie-Joseph de Vimeur, *vicomte de* Rochambeau, zijn gasten. Generaal Rochambeau was bezig de Amerikaanse Onafhankelijkheidsoorlog (waarin hij als generaal-adjudant voor zijn vader had gediend) uit te leggen aan een Amerikaanse handelskapitein. 'Kapitein Caldwell, gelooft u echt dat generaal Cornwallis zich overgaf aan generaal Washington bij Yorktown en zo de oorlog beëindigde en voor Amerikaanse onafhankelijkheid zorgde? Dat denkt u? Ah, mevrouw Fornier. U hebt ons de laatste tijd verwaarloosd. Wanneer heb ik dit genoegen voor het laatst... Het theater, was het toch? Die Molière met die misplaatste rolbezetting?'

Het lapje op de bepoederde wang van de generaal bedekte mogelijk een venerische zweer, en nadat hij zijn lippen op haar hand had gedrukt vocht Solange tegen de neiging die af te vegen. 'Mijn waarde generaal. In uw gezelschap begon ik te vrezen voor mijn deugdzaamheid.'

Rochambeau grinnikte. 'Mijn dierbare mevrouw, u vleit me. Laat ik u voorstellen aan kapitein Caldwell. Kapitein Caldwell komt uit Boston. De kapitein is wellicht de enige onkreukbare man in Cap-Français. Zijn schip is in elk geval het enige neutrale schip.'

De glimlach van de generaal was vlezig, net als de man zelf. 'Ik vraag niet hoeveel van mijn dapperste officieren kapitein Caldwell smeergeld hebben geboden – "een kleine hut, meer niet, monsieur"… "een plek in de zeilkast"… "overtocht aan dek"… Kapitein, geen namen, alstublieft. Ik wil mijn illusies intact laten.'

De Amerikaan haalde zijn schouders op. 'Je hebt niets aan geld als je het niet kunt uitgeven, en dat gaat niet als je dood bent.'

Rochambeau had kapitein Caldwell meegenomen naar de Monticristi-baai, waar de delen van skeletten getuigenis aflegden op de enige manier die hun restte. Rochambeau straalde. 'Dat is waar. Dat is beslist waar.' Hij gaf Ruth een klopje op haar hoofd. 'Zo'n fraai kind… fraai…'

Toen Solange zich terugtrok, ging de generaal verder met zijn geschiedenisles. 'Lord Cornwallis was zo ontstemd door zijn verlies dat hij de ceremonie rond de overgave niet wilde bijwonen, en dus bood de veldadjudant van Cornwallis op het gepaste moment zijn zwaard aan aan mijn vader, de Comte de Rochambeau. De Britten hebben zich aan ons, de Fransen, overgegeven…'

De Amerikaan lachte bulderend. 'Dan was uw vader onze eerste president. Weet George Washington dat wel?'

Solange fluisterde: 'Ontdek. Komt zo veel te weten als je kunt,' en Ruth loste op als rook.

De hartstochtelijke, primitieve meisjes van het eiland hadden de officieren van Napoleon nogal teleurgesteld. Er was helaas gebleken dat ieder aantrekkelijk creools meisje wel een broer in de gevangenis had, of een zuster met een zieke baby, of een ouder op leeftijd die zijn huur niet kon betalen. Deze donkerhuidige succubi brachten evenveel verwikkelingen als bevrediging naar hun bedden.

Solanges gebruikelijke begeleider, majoor Brissot, was dronken en lag onderuitgezakt tegen de grote mast, amper in staat zijn gepoetste kurassiershelm op te heffen. Ze flirtte plichtmatig met bewonderaars, maar wat deze heren als levendigheid zagen (sommige dachten zelfs verlangen) was in werkelijkheid ongeduld. Ze wist wát ze wilde, maar ze wist niet hóé.

Chantage? Wie was er níét corrupt op Saint-Domingue? Wie kon het iets schelen hoeveel negers kolonel x had gemarteld en gedood? Of dat generaal y de plannen van de Fransen aan de opstandelingen had verraden? Pff! Toen majoor d Franse kanonnen aan de vijand had verkocht, was er een nieuw dieptepunt bereikt, maar zou eenieder die praktisch was niet hetzelfde hebben gedaan als zo'n gelegenheid zich voordeed?

Ten slotte gingen Solanges aanbidders op zoek naar gemakkelijker prooien en ging zij naast haar onaangeroerde glas champagne op de kaapstander zitten wachten op Ruth en wat het kind had ontdekt. De maan marcheerde langs de hemel, de militaire kapel begon vals te klinken en legde de instrumenten neer. Gelach, getinkel van glaswerk, een vloek, een schrille kreet, nog meer gelach. De Amerikaanse kapitein was er met een creools meisje vandoor. Generaal Rochambeau was in de admiraalshut verdwenen.

Kauwend op een kapje brood ging Ruth op de kaapstander naast haar meesteres zitten. Ze boerde, sloeg een hand voor haar mond en bood haar excuses aan.

'En?'

Als de wind zou draaien en de Britse blokkade uit positie zou worden geblazen, zou kapitein Caldwell uitvaren met niet alleen de nodige zware kisten (die naar verluidt kostbaarheden bevatten) van generaal Rochambeau, maar ook met een officieel koffertje vol militaire rapporten en verzoeken om overplaatsing van favoriete officieren dat wordt gedragen door de persoonlijke koerier van Rochambeau, majoor Alexandre Brissot, de zoon van de zuster van de generaal.

Alexandre was naar de kolonie gestuurd vanwege gedrag dat weliswaar niet geheel onbekend was, maar dat het beste beperkt kon blijven tot een kleine – bijzonder kleine – kring van gelijkgezinden. Alexandre was indiscreet geweest. Hier, op het kleine eiland waar moord, marteling en verkrachting aan de orde van de dag waren, was hij opnieuw indiscreet geweest.

'Hij is een *pédé*.' Ruth had haar brood op en likte haar vingers af.

'Natuurlijk is hij dat. Majoor Brissot is de enige Franse officier die dames altijd hoffelijk behandelt.'

'Alexandre geeft generaal Rochambeau slechte naam.'

Solange knipperde met haar ogen. 'Hoe kan zijn naam nog slechter...'

'Alexandre en die jongen, Joli. Hij houdt van hem. Geeft hem zo veel cadeaus dat andere officieren erom lachen. Alexandres oom ziet dat en wil Joli doodmaken, dus Joli loopt weg. Joli komt niet terug. Beter van niet.'

'Joli...'

'Alexandre zegt tegen Joli dat Joli moet weglopen. De generaal wil

Alexandre ophangen, maar dat kan hij niet doen omdat hij de zoon van zijn zus is.'

Een groot deel van de gasten van de generaal had dat punt bereikt waarop ze tegen iets aan moesten leunen om overeind te blijven, en ze voerden gesprekken vol eenvoudige herhalingen die ze zich de volgende ochtend niet zouden kunnen herinneren. Bedienden hadden zich de wijn toegeëigend, en het moment waarop een verstandige dame moest vertrekken was al lang gekomen en gegaan. Nuchtere soldaten bewaakten de hut van de admiraal. 'Twee,' meldde Ruth aan Solange. 'De generaal slaapt vannacht met twee.' Ruth trok een gezicht. 'Vrouwmensen,' verduidelijkte ze.

Hoop welde op in Solange – geen idéé, en ook nog geen plán... 'Ruth, ga terug naar huis. In mijn kist, bij de andere stoffen, ligt een Frygische muts van rode zijde. Ga die halen. Snel.'

Een wanordelijk drietal officieren van lage rang barstte los in een schunnig lied: '*Il eut au moins dix véroles...*' Een verfomfaaide kolonel en zijn creoolse meisje verlieten hun door kaarslicht beschenen intieme hoekje, aan elkaar vastgeklampt. Toen een van Rochambeaus schildwachten knipoogde, deed Solange net alsof ze niets zag.

Hoop vervloog, en Solange had haar woeste plan al bijna laten varen toen Ruth verscheen en de zachte zijde over haar hand hing. 'Madame?'

Ruths aanwezigheid sterkte Solange. 'Daar. Die officier met de helm op zijn schoot. Maak hem wakker. Geef de muts aan majoor Brissot en zeg "Joli".' Solange vertelde het kind voorzichtig – o zo voorzichtig – wat ze allemaal moest zeggen en doen. 'O, Ruth,' zei Solange, 'ik vertrouw onze levens aan jou toe.'

Het kind draaide haar hand om en wuifde zo haar angsten weg. 'Stukje bij beetje bouwt de vogel zijn nest.'

Solange zette haar val in een hut aan bakboordzijde, waar één kleine metalen lantaarn lege champagneglazen en een gekreukte deken op een smal bed verlichtte. Ze sloeg de deken terug en schudde die op. Ze stopte de champagneglazen in een la, al was er niet echt een reden voor.

Toen ze de kaarsen doofde, maakte de geur van bijenwas die van de recente paring zoeter. Solange trok al haar kleren uit, sloot de lantaarn en wachtte. Zodra haar ogen aan het donker gewend waren, kwam er genoeg maanlicht door de patrijspoort naar binnen om haar bevende, erg blote armen te verlichten.

Ze hoorde een struikeling buiten voor de deur. Een bons. Een man fluisterde buiten adem. 'Joli…'

De klink ging omhoog, en naakt omvatte ze haar prooi.

Seconden of enkele levens later stormde de generaal achter zijn neef naar binnen, brullend. 'Mon Dieu, Alexandre! Jij en Joli zullen de beul de hand schudden!'

Opflakkerende lantaarns. Meer officieren drongen achter de generaal de hut in. Solange hapte naar adem en bedekte haar naaktheid als Eva in de hof. 'Alexandre!' zei de generaal ademloos. 'Jij? Deze vrouw?'

Het ronde gezicht van de generaal tuurde verlekkerd over de schouder van zijn neef. 'Mijn beste jongen, mijn beste jongen. Ik wist niet… Ik wil je, je tête-à-tête niet verpesten.'

Het gevolg van de generaal paste bij zijn verlekkerde blik.

Solange raapte haar japon op en drukte die tegen haar naaktheid. 'Alexandre is mijn… mijn begeleider. Alstublieft, meneer. Mijn man mag dit niet weten.'

Hij legde een vinger tegen zijn grijnzende lippen. 'Ik zal zwijgen als het graf. Hij zal van ons niets horen, hè heren?'

Gemompel en ingehouden gegrinnik.

De generaal trok de deur nadrukkelijk achter zich dicht.

Solange haalde diep adem en deed de metalen lantaarn open. Neuriënd en zonder zich te haasten kleedde ze zich aan.

Alexandre zat ineengedoken op het bed, met zijn handen rond zijn hoofd geklemd. Hij gaf over tussen zijn knieën en staarde naar de viezigheid. Solange deed de patrijspoort open en wenste dat de generaal de deur op een kier had gelaten. Ze knoopte haar kraagje dicht en schudde haar haar op. 'Het spijt me dat ik het zeg, majoor, maar u doet belachelijk.'

Zijn blik was zo verward en verdrietig dat Solange hem niet kon aankijken. 'Joli? Ik dacht dat… Zijn muts, ik heb hem die muts gegeven. Joli…'

'Uw Joli zit ongetwijfeld veilig bij de rebellen. Misschien vecht hij tegen ons Fransen. Monsieur, probeer dit niet allemaal te begrijpen. Morgenochtend zal alles u duidelijk worden. Mag ik zeggen dat dit bed vannacht net zo goed is als elk ander?'

'Ik hou van hem.' Een gekwelde, verstikte snik ontsnapte hem.

'Ah, monsieur. U bent altijd zo vriendelijk voor me geweest.'

Ruth verscheen in de deuropening en straalde al uit wat ze wilde vragen. Solange zei 'Oui' en het kind glimlachte.

Boven aan dek waren de sterren verbleekt en hing de maan boven de Morne Jean. Her en der lagen officieren in vieze gala-uniformen erbij als doden op een slagveld. Een hoer die bezig was de zakken van een dikke kapitein te rollen keek het tweetal boos aan.

Toen ze samen met Ruth naar huis liep, verlichtte de dageraad de oceaan en klotsten vriendelijke golven tegen de zeewering. Solange nam Ruths kleine handje in de hare en kneep er even in.

Later die dag, terwijl Augustin en Ruth aan het pakken waren, meldde Solange zich bij het hoofdkwartier van generaal Rochambeau. Nee, ze wilde niets kwijt over haar zaken. De zaken van madame betroffen een dringende familiekwestie.

Nadat Solange zijn adjudant was gepasseerd en de deur had gesloten, begroette generaal Rochambeau haar met de glimlach die krokodillen reserveren voor zwaar rottende lijken. 'Ah, madame. Wat fijn u te zien. Iets minder van u misschien... Vertelt u eens, mevrouw Fornier, mijn neef is uw begeleider?'

'Bijzonder vaak.' Solange bloosde bevallig. 'Het theater. Hij is een uitstekend danser.'

'Maar toch. Hij...'

Met enige moeite maakte Solange haar blos dieper en zei, verlegen: 'Ik ben hier vanwege mijn dierbare Alexandre...'

'Ah, ja. Juist. Wijn, madame?' Hij liep naar zijn dressoir. 'Iets sterkers?'

'O nee, generaal. Gisteravond...' (Ze raakte haar slaap aan en kromp ineen.) 'Ah, een getrouwde vrouw moet liefde niet met wijn mengen.'

'Madame Fornier, we kunnen onze verlangens niet opwekken noch bedwingen. Vergeeft u mij, maar tot aan gisteravond dacht ik dat Alexandre... Bezielde jongemannen... Jongemannen... experimenteren. Om hun ware ik te vinden, is het niet?'

Ze glimlachte liefjes. 'Generaal, ik heb behoefte aan uw goede raad. Ik ben een getrouwde vrouw. Maar het is de ander die ik niet uit mijn hoofd kan zetten... Zijn haar, zijn tedere lippen, zijn gevoelige ogen...'

Als zijn blos niet jaren geleden al was uitgebannen had de generaal er nu wellicht een getoond. In plaats daarvan kuchte hij. 'Zoals u zegt, madame. Zoals u zegt.'

'We zijn voor elkaar geschapen.' Zoekend naar de juiste gevoelens greep Solange terug op haar sentimentele romans. 'Onze liefde is voorbestemd. Alexandre en Solange. Het staat in de sterren geschreven!'

Rochambeau schonk een glas met iets sterkers in. 'Ongetwijfeld.'

'Generaal, mijn huwelijk… een Fornier is geen Escarlette, en al helemaal geen Rochambeau!'

Zijn knikje bevestigde deze overduidelijke waarheid.

'Ik aanvaard Alexandres aanbod. Maar hij is zo… wereldvreemd.'

'Alexandres…'

'We hebben paspoorten nodig. Als we eenmaal in Frankrijk zijn, kunnen Alexandre en ik onze wensen in vervulling laten gaan.'

'Madame, ik geef alleen paspoorten aan hen die oud en lelijk zijn.'

'Generaal, u bent zo, zo galant.'

'En kapitein Fornier?'

'Mijn echtgenoot aanvaardt wat hij niet kan veranderen.'

'Goed. Zoals u wellicht hebt gehoord, reist mijn neef met brieven naar Parijs. Majoor Brissot zal een adjudant nodig hebben. Stemt u dat tevreden, madame?'

Solange sloeg haar handen zo hard tegen elkaar dat de generaal ineenkromp. 'Madame, alstublieft.' Hij dronk zijn glas leeg, geërgerd, en slikte moeizaam.

'Het spijt me zo, generaal. Alexandre respecteert u meer dan wie dan ook, en deze wrede roddels kwetsen hem enorm. Als mijn openlijke schande die leugens kan betwisten, ben ik tevreden.'

Rochambeau wreef over zijn slapen en keek haar met een verhitte blik aan. 'U hebt uw doel bereikt, madame. Wilt u het in gevaar brengen?'

'Generaal, ik begrijp niet wat u bedoelt.'

'Madame, natuurlijk wel.' Hij wreef over zijn slapen. 'Ik dacht dat u… verre van buitengewoon was. Nu spijt het mij dat ik u niet beter zal leren kennen. Ik zal me echter amuseren met de gedachte dat het lot van Alexandre en u "in de sterren geschreven staat", zoals u al zei.'

'Generaal, drijft u de spot met mij?'

Hij boog diep. 'Mijn dierbare mevrouw Fornier, ik zou niet durven.'

Drie nachten later dwong een straffe wind het Britse eskader tot wanhopige maatregelen om hun positie te behouden. Hoewel kapitein Caldwell Solange had beloofd het haar te laten weten wanneer hij op het punt van uitvaren stond, gingen Solange en haar familie onmiddellijk aan boord. Solange vreesde voor een van die o zo betreurenswaardige, op het nippertje gemaakte fouten. De Forniers zouden Saint-Domingue tegelijk met majoor Brissot en zijn opgepoetste reputatie verlaten. Een enkel valies bevatte al hun bezittingen, en zachtere stoffen vormden een stootkussen voor het blauw met gouden Sèvres-servies. Sieraden, een paar gouden *louis* en een geladen meerloopsrevolver waren weggestopt in Solanges damestasje. Ze had haar kostbare huwelijkscontract en haar kredietbrief in Ruths onderrok genaaid.

Tegen de ochtend waren de Britten door de wind de zee op gedreven en waren hun zeilen niet langer zichtbaar aan de horizon, maar majoor Brissot liet zich pas om tien uur zien. Soldaten droegen de kostbare koffers van de generaal aan boord en moesten daarna worden gemonsterd en geteld, en voor de afvaart moesten er nog twee deserteurs die als verstekeling mee wilden varen uit hun schuilplaatsen worden gehaald. Kapitein Caldwell was zenuwachtig: hoewel ze officieel neutraal waren, vormden Amerikaanse schepen met Franse buit een legitieme prijs.

Het was fris en zonnig en de lucht was stralend schoon. Majoor Brissot, die naast kapitein Caldwell stond, kromp ineen toen er twee schoten vanaf de kade klonken. 'Het had zo anders kunnen lopen,' mompelde hij.

De kapitein droeg zijn kwartiermeester op meer zeilen te hijsen en wendde zich toen tot zijn belangrijke passagier. 'Een fraaie dag, monsieur. Voortreffelijk. Als de wind zo blijft, zal de oversteek niet lang duren.'

Alexandre glimlachte droevig. 'Vaarwel, Saint-Domingue, gedoemd eiland. Je voodoomannen hebben ons vervloekt. Ons allemaal.'

De kapitein snoof. 'Ik ben christen, meneer.'

'Ja. Zij ook.'

Toen het eiland wegzonk achter de horizon, bleef een dunne zuil rook hangen boven wat misschien ooit een plantage of een stadje was geweest, of mogelijk een kruising van wegen waar mannen ruzieden, vochten en stierven.

Alexandre huiverde. 'De negers... Ze houden van ons, maar ze haten ons ook. Ik zal nooit begrijpen...'

'Het is maar goed dat u er weg bent.'

'Ik heb te veel achtergelaten.'

Kapitein Caldwell glimlachte breed. 'U hebt minder achtergelaten dan u denkt. Hebt u uw onderkomen al bekeken?'

'Meneer?'

Toen Alexandre zijn hut binnen stapte, trof hij tot zijn verwondering een klein meisje aan dat het ontbijt serveerde aan een man die hij misschien ooit ergens had ontmoet, en een vrouw die hij zich maar al te goed kon herinneren. 'Madame!'

'Ah. Kijk eens Augustin, het is mijn minnaar, Alexandre. Is hij niet knap?'

De aldus aangesproken echtgenoot legde zijn vork neer om zijn rivaal uiterst bedaard te kunnen bestuderen. 'Goedendag, majoor Brissot.'

Solange zei: 'Alexandre, je oom heeft een vrij uitgesproken mening over wie je wel of niet mag liefhebben. Mijn trucje heeft jouw reputatie, en die van je familie, gered en hersteld.'

Alexandre stotterde van verontwaardiging. Waarom, waarom had madame Fornier zich in zijn zaken gemengd?

'Meneer…' Solanges glimlach was te triomfantelijk. 'Ik heb uw reputatie hersteld, deels ten koste van die van mij. Heb ik geen bedankje verdiend?'

Blijkbaar niet. Ondanks de gestage wind en het buitengewoon fraaie weer was hun reis ongemakkelijk en onaangenaam. Alexandre mokte. Augustin was terneergeslagen. Solange, die haar jeugd op kleine scheepjes had doorgebracht, was heel erg zeeziek. Ruth was het lievelingetje van de zeelieden. Ze verwenden haar eindeloos met snoepjes en leerden haar 'Amerikaans' Engels. Een stevige zeeman droeg haar naar het topje van de grote mast.

'Ik schommelde boven het water,' zei ze tegen Solange. 'Ik kon de hele wereld zien.'

Toen ze in Freeport aankwamen, wachtte er een snelle schoener op Alexandre en de buit van zijn oom. Alexandre deed een poging. 'Madame, u bent een indrukwekkende vrouw.'

'Nee, meneer. Ik ben "geducht". Uw Joli is verloren. Er zijn ongetwijfeld andere Joli's?'

Alexandre keek Solange onderzoekend aan totdat ze haar ogen neersloeg. 'Onwetendheid is altijd wreed.'

Kapitein Caldwell had als bestemming Boston, maar hij zou onderweg aanmeren in Savannah, een stad die, zo verzekerde hij de Forniers, welvarend en kosmopolitisch was en waar (met een knikje naar Ruth) slavernij wettelijk was toegestaan, in tegenstelling tot Boston. Solange had alle beslissingen genomen waartoe ze in staat was en Augustin kon niet helpen. Savannah moest toereikend zijn.

En voor slechts twee louis konden de Forniers hun hut houden. Een koopje, verzekerde Caldwell hun. De Ierse immigranten die hij aan boord nam betaalden meer.

Solange en Ruth gingen een luchtje scheppen op het halfdek en negeerden de blikken en amper hoorbare opmerkingen van minder fortuinlijke medepassagiers. Solange vroeg zich af of Augustin iets heel belangrijks op het eiland had achtergelaten, maar ze vroeg er niet naar. Haar echtgenoot verliet zelden de hut.

In de ondiepe wateren voor de kust van Florida verslechterde het weer, en de man die het peillood hanteerde, riep dag en nacht. Striemende regens geselden het dek en de ineengedoken Ierse passagiers. Twee onfortuinlijke zuigelingen stierven en werden toevertrouwd aan de diepte.

Terwijl ze naar het noordoosten werden gejaagd, nam de regen af, maar de wind bleef scherp.

De kapitein streek een deel van de zeilen toen ze de delta naderden waar de rivier de Savannah uitmondde in de Atlantische Oceaan. 'Meesteres, meesteres, kijk eens!' Ruth trok Solange naar de reling en klauterde erop om het beter te kunnen zien.

'De Nieuwe Wereld.' Een potige Ier toonde geen enthousiasme.

Solange, die net met Augustin had gebakkeleid, had geen behoefte aan een nieuwe vriend. 'Oui!'

Het dikke, vieze haar van de man was naar achteren gekamd, en hij rook sterk naar de pimentlotion die hij in plaats van water en zeep had gebruikt. 'Bent u een van die Fransen die door de nikkers zijn weggejaagd?'

'Mijn echtgenoot was een planter.'

'Da's hard werken, al dat bukken en schoffelen.'

'Kapitein Fornier was de plantagehouder, geen knecht.'

'Soms worden de meesters door een opstand verjaagd, soms de knechten. Het is wel zo eerlijk, af en toe de rollen omdraaien.'

'Monsieur, behoort u ook tot het puin van een opstand?'

'Inderdaad. M'n broer en ik, wij allebei.' Hij glimlachte. Een van zijn tanden was afgebroken en ze zaten allemaal vol vlekken. 'Wat denkt u, maakt het wat uit of de hand die de strop vastmaakt wit of zwart is?'

'Meneer, maak het kind niet van streek,' zei Solange. 'Ze weet niets van zulke zaken.'

De Ier keek Ruth aandachtig aan. 'Integendeel, *ma'am*, ik denk dat dat kind een heleboel weet.'

Een loodsbootje stootte tegen de rand; een zeeman in een oliejas beklom de touwladder en sprak even met kapitein Caldwell voordat hij zijn plaats innam naast de stuurman, zijn handen op zijn rug gevouwen.

Het schip voer langzaam door een geul een monding in die was bezaaid met eilandjes vol struiken en bleke zandbanken. Het leek helemaal niet op Saint-Malo. Ruth nam Solanges koude hand in haar warmere hand.

Het getij liet hen met tegenzin gaan, en ze glipten weg tussen een wand van grijsgroene bomen, behangen met spookachtig mos, en een verblindend geelgroen zoutmoeras. De wildernis maakte abrupt plaats voor een haven waar grote en kleine schepen aanmeerden en voor anker gingen. Op de klif boven hun masttoppen lag een Amerikaanse stad.

Augustin kwam aan dek, knipperend tegen het zonlicht.

De klif van Savannah was bedekt met pakhuizen van wel vier verdiepingen hoog. Trappen kronkelden heen en weer alsof ze zich schaamden voor de hoeveelheid ruimte die ze in beslag namen. Op de kaden wemelde het van de karren en wagens, en spichtige kranen hesen goederen van schepen aan de wal en omgekeerd.

De loods voerde hen voorzichtig langs deze chaos en klauterde snel langs de touwladder naar beneden, zonder acht te slaan op de geschreeuwde beloften van de kooplieden van de Nieuwe Wereld: 'Ik wil je zijde en bij Josafat, ik zal ervoor betalen!' 'Britse en Franse bankbiljetten zijn niet meer geldig! Ik heb hier Amerikaanse, en geld uit Georgia.'

Nadat men de loopplank had laten zakken, haastten de immigranten zich naar hun toekomst, hun schamele bezittingen stevig in hun handen geklemd. Een kleine man met een wit vest en een hoge hoed sprak Solanges Ier aan. 'Werk voor wie wil werken. Stuwadoors, slepers, drijvers, jollenmannen, dagloners. Ieren en vrije zwarten worden net zo behandeld als blanken.'

Toen Solange aan kwam lopen, legde de stevige Ier zijn bundeltje neer en hield zijn hoofd scheef. Hij schudde nee, maar de kleine man greep zijn mouw vast, waarna hij, gevolgd door zijn hoge hoed, in de rivier belandde.

'En de groeten uit Killarney. Koppelbazen zijn niet te vertrouwen.'

'Zijde, sieraden, goud en zilver, snuisterijen? Madame? U zult in heel Georgia geen betere prijzen vinden.'

Solange perste zich erlangs met een: 'Wie het gretigst is om vreemden te helpen, meneer, heeft onveranderlijk het minste te bieden.'

Het gezinnetje sleepte hun valies drie trappen op naar Bay Street, een brede boulevard waar zwarten balen katoen en ongeschaafd hout de pakhuizen in droegen.

Solange ging op een houten bankje zitten en veegde haar voorhoofd af. Te midden van het koopmansgedruis wisselden gegoede burgers vrolijke begroetingen uit, en ze wandelden tussen de negers en de Ieren door alsof die niet bestonden. Solange voelde zich arm.

In sommige van de winkels die uitkeken op de boulevard was het druk, maar andere waren even stil als een afkeurend zwijgen. Een houtwagen getrokken door een zesspan ratelde voorbij, een rechterwiel kraakte. Sommige zwarten waren netjes gekleed, andere droegen lompen die maar net de toets van het fatsoen konden doorstaan. Briesjes vanaf de rivier brachten verkoeling op de promenade. Solange bette het zweet van haar voorhoofd. Augustin was bleek, stil en verzwakt. Augustin kon niet ziek worden! Dat zou te veel zijn! Solange gaf haar man een por en was opgelucht toen hij klaaglijk protesteerde.

Ze liet Ruth inlichtingen inwinnen over geldschieters. De zwarten zouden wel weten wie een goede prijs bood. Ze zei tegen Augustin dat hij zijn overjas moest uittrekken. Wilde hij soms als een ei worden gepocheerd?

De glimlach van haar echtgenoot smeekte om tederheid, een emotie waarvan Solange steeds minder bezat. In dit harde, onbeschaafde, nieuwe land zou tederheid haar voortgang hinderen.

Een brouwerswagen minderde vaart terwijl de voerman tekeerging tegen een andere voerman. Ze besloten hun luidruchtige uiteenzetting door op de bok naar voren te leunen en elkaar een stevige klap op de rug te geven.

Solange voelde zich heel erg alleen. 'Augustin?'

'Ja, liefste.' Zijn te vertrouwde, vlakke stem. Zijn verfoeilijke wanhoop! 'Niets. Laat maar.'

Augustin deed zijn best. 'Lieve Solange. Dankzij jouw schranderheid zijn we aan de hel ontsnapt!' Zijn bleke lippen en opgetrokken wenkbrauwen leken het ook te geloven. 'Le Bon Dieu... ach, Hij is zo genadig geweest.'

Was dit de man met wie ze was getrouwd? Wat had het eiland met hem gedaan?

Ruth keerde terug met een oudere neger in haar kielzog. 'Meneer Minnis, dat is een goeie, eerlijke, joodse heer, ma'am,' vertelde de neger haar. 'Hij wil u graag wat lenen tegen uw sieraden en goud.'

'Sieraden en goud?'

'O ja, ma'am. Dat zwartje van u, dat vertelde me wat u bij u hebt. Dat is de hoofdprijs, hoor.'

Voordat Solange het misverstand kon rechtzetten, trok Ruth Augustin overeind. 'Kom op, meester Augustin,' riep ze. 'U bent zo weer vrolijk.'

In het huis van meneer Solomon Minnis aan Reynolds Square liet de bediende hen achter op de piazza, met de verzekering dat 'meneer Minnis u meteen kan ontvangen, meneer, meteen'.

Om tien uur op een wintermorgen was meneer Minnis ongeschoren en in nachthemd, pantoffels en ochtendjas, maar hij kocht hun dure kleren – ook Solanges baljapon van groene voile – en gaf hun een lening met haar sieraden en het kobaltblauwe theeservies als onderpand. Ze kon uitbetaald krijgen in munten of in tijdelijk papiergeld.

'Tegen welke korting?'

'Ah, nee, nee. Geen korting, madame. De biljetten kunnen vandaag worden ingewisseld tegen zilver in deze stad. Er is nu een filiaal van de Bank of the United States in Savannah, en komende lente zal er een aanzienlijk bankgebouw verrijzen. Dat is nodig voor de katoenhandel.'

Elk van de biljetten die Solange ontving, verzekerde haar dat 'de directeur en het bestuur van de Bank of the United States' beloofden 'twintig dollar te betalen in hun kantoren te Savannah aan F.A. Pickens, genoemde directeur, of aan toonder'.

'Bevredigend,' zei de toonder, die haar biljetten opborg bij de drie zilveren Spaanse realen die de aankoop en het onderpand van de heer Minnis afrondden.

Terwijl zijn negerbediende Solanges bezittingen discreet weghaalde, vroeg meneer Minnis naar Saint-Domingue: waren de negerrebellen inderdaad zo bruut als de berichten meldden? Werden blanke vrouwen onderworpen aan...

Solange zei dat de gruweldaden van de rebellen te wreed en te talrijk waren om na te vertellen, maar dat dat toen was en dit nu, en haar gezin had voor hun verblijf in Savannah een onderkomen nodig.

Hoewel vluchtelingen en immigranten een flinke wissel hadden getrokken op Savannahs bescheiden aantal huizen en er zelfs talrijke gezinnen op de pleinen bivakkeerden, kende meneer Minnis een weduwe die wellicht de koetsierswoning boven haar koetshuis wilde verhuren.

Die middag trokken ze in twee kale kamers en huurde Solange een kokkin in.

Aan de bedelstaf geraakte immigranten streden om ongeschoold werk met zwarten zoals Solanges kokkin, die door haar meester voor 'werk in de stad' werd verhuurd.

Daar Augustin Fornier niets kon 'doen', moest hij iemand 'zijn'. Solange zei tegen haar man dat hij een 'vooraanstaande koloniale plantagehouder' was, 'een van Napoleons dapperste veldofficieren'.

Nadat Solange haar man had opgemonterd, bedreef ze de liefde met hem. Tijdens het naspel viel Augustin in een diepe, tevreden slaap, met de bezwete, ontevreden Solange stijfjes naast hem. Hoewel Ruths regelmatige ademhaling opsteeg vanaf de strozak aan de voet van hun bed geloofde Solange niet dat het kind sliep.

Indien nodig zou een knap dienstmeisje een goede prijs opbrengen. Ja, Ruth was dol op haar, en ja, ze was op het kind gesteld, maar soms moet een mens doen wat er moet worden gedaan. Wat had Alexandre bedoeld toen hij haar onwetend had genoemd? Wat wist Solange Escarlette Fornier niet?

Augustin snurkte fantasieloos door en was de volgende morgen nog niet wakker toen Solange Ruth en de kokkin naar de markt stuurde en ging zitten om een Lieve Papa! Zo Ver Weg! Mis U Zo! te schrijven.

Wat had papa's lievelingsdochter toch geleden. De Forniers hadden haar opgelicht met hun Sucarie du Jardin! Haar echtgenoot was waardeloos. Als zij niet de scherpzinnigheid van een Escarlette had gehad, hadden ze nu nog gevangengezeten op Saint-Domingue, overgeleverd aan de genade van opstandige wilden! Le Bon Dieu zij dank zaten ze nu veilig in Savannah. Als papa's lievelingsdochter eerder had geweten wat ze nu wist, had ze Saint-Malo nooit verlaten!

Solange beloofde Lieve Papa geen nieuw kleinkind, niet met zo veel woorden. Ze opperde slechts dat Lieve Papa binnenkort wellicht aangenaam verrast zou worden! Ze treurde om haar verpande sieraden en de kobaltblauwe theekopjes maar streepte die zin weer door. Lieve Papa zou nog eerder van de honger omkomen voordat hij ook maar één kostbaarheid van de Escarlettes zou verpanden!

Dit halfrond had beschaafde Fransen niets te bieden. Mocht ze misschien naar huis terugkeren?

Ze veegde haar pen af en draaide de inktpot dicht. De ochtendzon scheen door haar raam. De vogels van Savannah bekvechtten, camelia's pronkten met hun dikke, wellustige bloemen. Nadat ze haar brief met zand had bestrooid en had dichtgevouwen, voelde Solange zich minder zeker over wat ze had geschreven. Misschien…

De problemen waren zo snel gekomen, en in zo'n verwarrende overvloed!

Een niet onaangename landerigheid kroop haar botten in; vanochtend was ze veilig, en Amerikaanse zangvogels dongen naar haar goedkeuring.

Solange drukte koffiebonen fijn in een zakje van neteldoek, hing het in haar kopje en goot er kokend water overheen. Het rijke aroma kietelde in haar neusgaten.

Ze nam haar situatie opnieuw onder de loep. Ze waren in Amerika; zij, haar man en het kind dat bijna meer was dan een bediende. Wat waren eigenlijk hun vooruitzichten als ze terugkeerden naar Frankrijk? De arme Augustin zou altijd een tweede zoon zijn, maar in Saint-Malo was hij de tweede zoon die betrokken was bij het verlies van de Sucarie du Jardin die, dat wist Solange zeker, in ieders gedachten alleen maar waardevoller zou worden naarmate het verlies verder in het verleden lag.

Negers woonden in Afrika. Wat zou er in Saint-Malo met Ruth gebeuren? Als haar ebbenzwarte metgezellin een vróúw zou worden (Solange huiverde bij de gedachte), wat moest Solange dan doen? In Frankrijk kon ze haar niet verkopen.

Solanges oudste zus was met een wetgever getrouwd en had een gezonde Escarlette-kleinzoon gebaard. Haar tweede zus was verloofd met een cavalerieman en zou, als de tijd rijp was, bevredigend nageslacht voortbrengen.

En dat terwijl Solange Fornier de kinderloze echtgenote van een mislukte tweede zoon was, met een merkwaardige dienstmeid met een wel erg donkere huid.

Ze dronk haar koffie, wekte Augustin, voerde hem een broodje en een sinaasappel en veegde pluisjes van zijn jas. Ze voedde zijn trots, beweerde dat haar held haar Held was. 'Dappere mannen doen wat moet worden gedaan.' Ze gaf hem een kus op zijn wang en stuurde hem de wereld in.

Toen Ruth en de kokkin terugkwamen, babbelden ze in een of andere heidense taal, maar toen Solange haar ongenoegen kenbaar maakte, bood Ruth heel bevallig haar verontschuldigingen aan.

Die middag liep Solange naar het huis van meneer Haversham, waarvan de salon (totdat het eigen gebouw kon worden opgetrokken) als filiaal van de Bank of the United States in Savannah diende. De kersenhouten lambrisering, het bloemetjesbehang en het elegante plafondornament vormden een contrast met de grote ijzeren kluis die in de smalle deuropening van meneer Havershams voormalige voorraadkast was geschoven.

Meneer Haversham bestudeerde Solanges indrukwekkend verzegelde en notarieel bekrachtigde schrijven van de bank. 'Uitstekend, madame. Vraag uw echtgenoot alstublieft of hij een rekening komt openen.'

Waarna Solange haar huwelijksvoorwaarden naast de brief legde.

Meneer Haversham negeerde het document en legde, op een toon alsof hij het tegen een kind had, aan Solange uit dat ze volgens de wetten van Georgia als getrouwde vrouw niet handelingsbekwaam was en geen bezit op haar naam kon schrijven. Hij glimlachte welwillend. 'Sommige vrijzinnige echtgenoten komen hun vrouwen tegemoet. Mijn eigen vrouw heeft de volledige beschikking over het huishoudgeld...'

Ongeduldig vouwde Solange het document open en tikte erop. 'Kunt u Frans lezen?'

'Madame...'

'Dit document geeft me onder het "régime de la séparation de biens" recht op eigendom onder mijn eigen naam. Aangezien deze overeenkomst van vóór mijn huwelijk dateert en mijn echtgenoot deze vrijwillig is aangegaan, ben ik, volgens de Franse wetten en de wetten van elk beschaafd land, handelsbewaam – net zoals ik zou zijn als ik een ongetrouwde Franse erfgename of een weduwe was. Als u een vertaling wenst, kan ik daarvoor zorgen.'

De bankier trok een enigszins verbaasde maar niet afkeurende wenkbrauw op. 'Madame, niet elke Amerikaan is een provinciaal. Ik ben uitstekend op de hoogte van de Franse wetten.' Hij schoof zijn bril terug op zijn neus en bekeek, door een bijzonder groot vergrootglas, het document, de zegels, de handtekeningen en de notariële bekrachtiging. Zijn stoel kraakte toen hij achterover leunde. 'Uw documenten zijn in orde. Natuurlijk dien ik bewijzen te zien van uw Franse tegoeden voordat ik u een voorschot geef.' Hij haalde een *Georgia Gazette* uit een rieten mand bij zijn voeten en sloeg die open bij de scheepsberichten. 'L'Herminie vaart vanmiddag uit naar Amsterdam, en ze is snel. We kunnen de bewijzen binnen... een week of... negen hebben?' Hij stond op en boog. 'Uw bereidwillige dienaar, ma'am. Welkom in Savannah. Ik twijfel er niet aan dat het u hier goed zal gaan.'

Hoewel Solange graag had vernomen hoe een dergelijke gewenste uitkomst kon worden bereikt, drong ze niet aan bij de bankier. Toen ze over de brede, met bomen omzoomde onverharde weg in de bleke novemberzon liep, vermengde Solanges opluchting dat haar kostbare kredietbrief veilig in meneer Havershams kloeke, ijzeren safe lag zich met de bezorgdheid die een moeder voelt wanneer haar peuter uit het zicht is.

Savannah had niet één, maar twee Franse gemeenschappen. De Franse *émigrés* die na de Franse revolutie van 1789 naar Georgia waren gekomen, hadden rijkdommen meegebracht, maar de meeste 'vluchtelingen' waren paupers die Saint-Domingue waren ontvlucht met weinig meer dan de kleren aan hun lijf.

In december ontvingen bannelingen en vluchtelingen nieuws waarop men weliswaar had gerekend, maar dat daarom niet minder verontrustend was. Het nieuws vloog even snel als het snelste paard het kon verspreiden van de kaden naar het eenzame hutje van de kolonist in de diepe schaduwen van Georgia's pijnbomen. Saint-Domingue was verloren! Van nu af aan was de Parel van de Antillen een Zwarte Parel! Ondanks vastberaden Frans verzet en vreselijke verliezen waren de opstandelingen door de kring van forten rondom Cap-Français heen gebroken en was generaal Rochambeau tot overgave gedwongen. Franse officieren en soldaten die opeengepakt aan boord van rottende vrachtschepen waren gekropen, waren na het uitvaren krijgsgevangenen van de Britten geworden; de gewonden en zieken die op de kade waren achtergelaten moesten nog dagen lijden voordat ze werden verdronken. Triomfantelijke opstandelingen doopten hun natie om in Haïti.

Deze klap voor de Franse trots bleek een zegen voor één vluchtelingengezin omdat de op een na rijkste Fransman van Savannah, Pierre Robillard, zijn vaderlandsliefde toonde door een van de dappere officieren van het verslagen leger, kapitein Fornier, als zijn winkelbediende aan te nemen. Augustins loon was niet hoog, maar dankzij een stevige hand op de knip en het restant van de lening van meneer Minnis konden de Forniers het hoofd boven water houden totdat Solanges kredietbrief in geld kon worden omgewisseld.

Pierre Robillard had zich in Georgia gevestigd als importeur van Franse wijnen en van de zijde, voile en parfums waarmee de onlangs rijk geworden dames van de Lowcountry zich konden onderscheiden van de hardhandige, boerse vrouwen die hun pionierende moeders waren geweest.

Pierres rijkere, jongere neef, Philippe Robillard, sprak de talen van stammen als de Edisto en de Muscogee en hielp het bestuur van Georgia bij hun onderhandelingen met de indianen over land – een eer waar Philippe te vaak over sprak. De neven Robillard waren de spil van het uitgaansseizoen van Savannah, en uitnodigingen voor hun jaarlijkse bal waren zeer begeerd.

De oudere inwoners van Georgia bewonderden het stadse leven van de Fransen, maar vonden de nieuwe burgers te stads, een tikje té Frans. De vrouwelijke vormen van een Française, zo duidelijk zichtbaar onder de glanzende stof van haar doorschijnende japon, waren in Parijs of Cap-Français waarschijnlijk niet opgevallen, maar in Georgia, waar reizigers in het achterland soms nog op vijandige indianen stuitten en de religieuze opleving velen ertoe had aangezet hun eigen zondige aard (en die van anderen) onder de loep te nemen, leek de betoverende kwetsbaarheid van zulke kledingstukken onbezonnen en onzedelijk.

Ondanks deze lichte weerzin leefden de inwoners van Georgia mee met de vluchtelingen en deelde de katholieke parochie van St. John the Baptist hulpgoederen uit.

De planters in de Lowcountry hadden duidelijke, zij het uiteenlopende opvattingen over de opstand van Saint-Domingue. Sommige beweerden dat de slaven te wreed waren behandeld, andere zeiden dat ze niet streng genoeg waren gestraft. Hoewel iedere blanke bewoner van Savannah in verband met Saint-Domingue het 'Schenk me vrijheid, of de dood' van de heer Henry onderschreef, vonden ze dat de jakobijnse passie voor vrijheid veel te ver ging. De inwoners van Savannah bekeken de Franse negers met argwaan. Waren zij niet verpest door de opstand? Hun flamboyante manier van kleden was uitdagend, en sommige Franse negers probeerden op blanke mannen te lijken, pronkend met zakhorloges en horlogekettingen! Toen er die lente berichten kwamen over de wrede slachtingen onder blanken die niet uit Saint-Domingue hadden kunnen ontsnappen, volgden er veel misintenties voor hun zielen, en gedurende korte tijd vertoonden de Franse negers zich alleen in hun sobere zondagse kleren.

Solange Fornier miste de zee. Ze miste de promenade van Saint-Malo, waar de zilte mist haar wangen bevochtigde en haar neusgaten zich openden voor de scherpe geur van zeewier. De kasseienstraatjes van Saint-Malo hadden de voetstappen van Romeinen, middeleeuwse monniken en dappere kaapvaarders gekend. Savannah was zo jong, niet veel ouder dan de revolutie waarop de Amerikanen zo overdreven trots waren. Er was hier en daar halfhartige lof voor generaal Lafayette, maar de inwoners van Savannah wisten niets over de Franse vloot die had geweigerd versterking te bieden aan de belegerde Britten bij Yorktown, of over de Franse troepen die de Britse redoutes hadden bestormd. 'Jullie waren toch onze bondgenoten, toen we ons land van het Britse juk bevrijdden?'

Solanges 'Zeker' leek opvallend veel op gesis.

Frankrijk was failliet gegaan door de steun aan deze ondankbare bosbewoners, en ten gevolge daarvan was de spilzieke koning Louis onthoofd. Maar dat was toen. In tegenstelling tot sommige andere vluchtelingen verspilde Solange geen tijd aan treuren over het feit dat de Franse hulp die aan de ondankbare Amerikanen was geschonken niet was ingezet in de eigen opstandige koloniën, met name Saint-Domingue.

Solange wisselde haar twee laatste gouden louis om bij meneer Haversham. Hoewel hij er zeker van was dat de bevestiging van de Banque de France elk moment kon arriveren – 'We moeten geduld hebben, madame' – kon hij haar, in zijn vertrouwenspositie, niet nu al een voorschot geven. De bevallige madame had ongetwijfeld begrip voor zijn positie. Hij betreurde de turbulente Atlantische Oceaan. Enkele schepen, waaronder een Britse postboot, waren niet op de verwachte datum aangekomen en moesten, zo vreesde men, als verloren worden beschouwd. Maar Solanges bevestiging kon niet aan boord van een Brits schip zijn geweest. Beslist niet! Non!

Toen Solange de kokkin en Ruth vergezelde naar de door fakkels verlichte overdekte markt was ze overweldigd door het grote aantal zwarten dat in hun heidense taal stond te kwebbelen. Spreek Engels, wilde ze roepen. Of desnoods Frans! Bedienden hadden niet het recht gesprekken te voeren die hun meesters niet konden verstaan.

En de marktkoopvrouwen hadden respect voor Ruth, een respect dat Solanges ergernis opwekte. Blanke bewondering voor Ruth was vleiend voor de eigenares, zoals de complimenten voor een volbloed vleiend zijn voor de eigenaar van het paard. Maar het ongewone respect van de marktvrouwen bood Solange geen voordelen; de eigenares voelde zich onzichtbaar!

Solange sprak Engels, maar Augustin wilde de taal niet leren en keek neer op Amerikaanse gebruiken. Na zijn werkdag hing hij met andere verbitterde vluchtelingen rond in een dranklokaal waar Frans werd gesproken, Napoleons veldtochten werden ontleed en de mislukte poging van de eerste consul om Saint-Domingue te redden eindeloos werd betreurd. Solange gaf de nieuwe vrienden van haar man de bijnaam 'Les Amis de France'.

Hoewel Augustin nooit opdracht had gegeven suikerriet te oogsten en zelfs nog nooit had gezien dat het riet werd geplant, besprak hij zo deskundig de koloniale landbouw dat het leek alsof zijn korte bezoek aan de Sucarie du Jardin enorme oogsten had opgeleverd.

Augustin vond dat de nieuwe Haïtiaanse regering hem schadeloos moest stellen voor het verlies van de sucarie. ('Die hebben ze toch van ons gestolen? Ze moeten betalen') en begon met dat doel te corresponderen met de Franse consul in New Orleans.

Hoewel Ruths Engels het Engels van de markt en de bediendenvertrekken was, babbelde het kind er al snel op los. Terwijl Augustin de klanten van Pierre Robillard bediende en prat ging op Napoleons overwinningen verkenden Solange en Ruth de nieuwe wereld. Vaak slenterden ze 's ochtends, net wanneer de eerste kookvuren hun prikkelende rook uitbraakten, over de fraaie Franse pleinen van Savannah en ontdekten ze welke elegante huizen van welke vooraanstaande families waren. (Ruth, die overal naartoe kon gaan en alles kon vragen, was een uitstekende spion.) De Franse vrouw en haar negerdienstmeisje bezochten buurten waar ambachtslieden werkten, dieren werden verkocht en timmerhout en baksteen werden opgeslagen. De onbeleefde Ier en zijn broer hadden een ossenkar en een uitgemergelde os met uitstekende ribben aangeschaft en vervoerden vrachtjes. Hoewel de Ier onveranderlijk tegen zijn hoed tikte, negeerde Solange hem al even onveranderlijk.

Solange en Ruth besloten hun wandeling vaak aan de oever van de rivier, onder de verlaten promenade op de overvolle, drukke kaden, waar sprekers van het Gaelic, Ibo en creools balen katoen en vaten met indigo aan boord van kleine en grote schepen laadden en dure goederen en luxeartikelen uitlaadden.

Zonder Ruth had men Solange mogelijk kunnen aanzien voor de beschilderde, veile vrouwen die hun klanten onder de dokwerkers en zeelieden zochten. Sommigen van deze schepsels probeerden kennis te maken, maar Solange schonk hun geen aandacht.

Later, wanneer er meer blanke gezichten te zien waren, bleef het stel bij een cafeetje hangen voor een kop koffie en *biscuits* bestreken met tupelohoning terwijl Ruth met Jan en alleman babbelde.

Bij thuiskomst vormden het ontbijtservies en de zwak waarneembare geur van tabak de overblijfselen van haar echtgenoot. Solange verwisselde haar wandelkostuum voor iets anders en kleedde het kind aan voor de mis. Ze had één keer de mis van half zeven bezocht, die de voermannen, stuwadoors en wasvrouwen van Savannah bediende. Die Ier sprak haar zonder ook maar de minste toestemming van haar zijde aan en vroeg hoe ze 'het maakte in de Nieuwe Wereld' en had de onbeschaamdheid haar voor te stellen aan 'mijn broer Andrew O'Hara en Martha, moeder de vrouw'. Ondanks Solanges ijzige zwijgen veroorloofde de man zich vrijheden op grond van hun korte gesprek aan boord van het schip. Daarom bezochten mevrouw Fornier en haar dienstmeid voortaan de mis van half elf. Als de mis van half zeven die van de Ieren was, was die van half elf de mis van de gegoede burgerij. Solange maakte niet nogmaals dezelfde fout als met O'Hara en knikte slechts beleefd en alleen als een ander knikte, en na de kerkdienst, in het voorportaal, was zij bezig met haar missaal of rozenkrans terwijl kennissen elkaar begroetten met de uitbundige kreetjes waaraan de dames van Savannah de voorkeur gaven. Wanneer de keurige dames iets aardigs zeiden, antwoordde Ruth met een kniebuiging en een 'Dank u, meesteres' en toonde Solange een afwezige glimlach.

Na de mis van half elf stapten de gegoede burgers in hun koetsen voor de vierhonderd meter naar Bay Street. Solange en Ruth gingen te voet en wandelden bij aankomst zwijgend tussen degenen met een hogere status dan zij. Als de beperkingen der rassen er niet waren geweest, had Solange de gouvernante van Ruth kunnen zijn, aangezien ze haar van alles leerde en op interessante verschijnselen wees.

De dames aan wie Solange geen aandacht schonk, schonken op hun beurt geen aandacht aan haar en gaven de voorkeur aan de schandalen van de vorige avond en het verrukkelijke vooruitzicht van schandalen die nog zouden volgen. Ze hadden vooral belangstelling voor zaken die hun eigen deugdzaamheid versterkten.

Na hun wandeling gingen de inwoners van Savannah met de koets naar huis, waar een maaltijd en een dutje hen sterkten voor de soirees van die avond.

Solange en Ruth gingen naar huis en bleven daar. Solange wilde zich niet overgeven aan ongerustheid. (Wat moesten ze beginnen als de Banque de France haar in de steek liet? Stel dat haar kostbare document verdronk in de kolkende golven van de Atlantische Oceaan?) Hoewel Solange nooit een prijskaartje aan Ruth hing, wist ze dat het meisje meer kon opbrengen dan Augustin in maanden kon verdienen. Een doffe onrust bonsde tegen een achtergrond van onrust. Solange wachtte totdat haar leven zou beginnen.

Ze verloor haar geduld met de gevoelige romanschrijvers die in Cap-Français zo'n goed gezelschap waren geweest. Om haar Engels te verbeteren las ze hardop meneer Wordsworth totdat ze op de zin 'Vul uw papier met de ademhaling van uw hart' stuitte, waar Solange en Ruth allebei alleen maar om konden giechelen.

Op een bewolkte middag in april, toen er geen schepen aanmeerden en de dag meer uren beloofde dan ze kon verdragen, bracht Solange een bezoek aan de werkplek van haar echtgenoot.

De meeste firma's in Bay Street waren gevestigd in gebouwen van baksteen, maar een paar bouwvallige houten huizen van een of twee verdiepingen hadden de branden en orkanen in de stad overleefd. Op een verweerde veranda stond een oude grijsaard met een overjas en de driehoekige steek van de revolutionairen die naar iedere voorbijganger knikte.

L'Ancien Régime, het handelshuis van monsieur Robillard, lag weggestopt tussen een kaarsenhandel en een apotheek. Wanneer Solange langsliep, zwaaide ze altijd opgewekt, voor het geval iemand binnen haar mocht zien, maar ze was nooit de drempel overgestapt.

Bij deze gelegenheid droeg Solange de onopvallende kleding die gepast was voor de vrouw van een winkelbediende, zij het met de hooghartigheid van een Escarlette.

Ruth kon buiten wachten. Solange had geen zin in de ingewikkelde uitleg die ze, als de vrouw van een winkelbediende, zou moeten geven.

Ze bleef even staan om de etalage van L'Ancien Régime te bewonderen: over een vergulde stoel hing jacquardzijde; de gouden knop van de wandelstok die tegen de stoel leunde, was een paar centimeter naar boven getrokken, zodat een glanzend dodelijk zwaard zichtbaar was. Welgevormde kruiken met zalfjes, smeerseltjes en drankjes omringden flessen Veuve Clicquot met daarachter een brede waaier van rode, witte en blauwe wimpels.

Er rinkelde een bel toen Solange de schemerige winkel binnenstapte, en een stem informeerde of madame wellicht voor de nieuwe parfums kwam die gisteren waren uitgepakt en die, zo werd haar verzekerd, dezelfde geuren waren als die waaraan keizerin Joséphine de voorkeur gaf wanneer zij met haar dames door de Tuilerieën wandelde.

Bij een altaar met glazen miniatuurflesjes bood Solange haar pols aan de winkelbediende aan, die er een kostbare druppel op liet vallen. 'Deze geur is beslist niet opdringerig en komt laat tot bloei, net als de tuberoos waaraan ze haar naam ontleent.'

Toen Solange haar pols naar haar neus bracht, was het de bloemengeur van een ochtend in mei.

De winkelbediende was lang, kalend en droeg een linnen hemd met ruches en een donkerblauwe halsdoek. En hij was zwart; om preciezer te zijn, hij was grijzig zwart, alsof zijn zwartheid door te veel zonlicht was uitgebleekt. Zijn Frans was het Frans dat Solanges Parijse neven en nichten spraken wanneer ze zich verwaardigden het verrukkelijk schilderachtige Saint-Malo te bezoeken. Solange stelde zichzelf voor.

Hij boog diep. 'Meester Augustin houdt u voor bewonderaars verborgen. Ik ben Nehemiah, madame, uw nederige en dienstwillige dienaar.' Zijn tweede buiging was dieper en aanmatigender dan de eerste.

'Mijn echtgenoot…'

'Kapitein Fornier bedient meester Robillard, madame. Ze lezen de kranten. Alle kranten.' Hoofdschuddend drukte hij zijn bewondering voor deze onwaarschijnlijke prestatie uit.

De man ging haar voor door smalle gangen, vol stapels stoffen, goudkleurige en witte meubels en zorgvuldig gerangschikte kratten wijn, en kwam bij een deur die hij zonder aan te kloppen opende. 'Madame Fornier heeft besloten ons op deze dag, de veertiende april, met haar bevallige aanwezigheid te vereren.'

Solange werd toegelaten tot een smalle kamer, waarvan het hoge plafond zich ergens boven de opstijgende sigarenrook bevond.

Hoe durfde deze neger de baas over haar te spelen! Op ijzige toon, in het Engels, stuurde Solange hem weg.

Nehemiah bleef staan, alsof ze niets had gezegd, en zei in dezelfde taal: 'Meesteres Fornier bevalt die tuberoos wel. Zeker.'

'Dat is alles, Nehemiah.' Augustin was weer in staat iets te zeggen.

Pierre Robillard stond op. Zijn blozende gezicht straalde. 'Wat aardig van u om ons met uw aanwezigheid te vereren... Wat aardig.' Op de ouderwetse manier kuste hij Solanges hand.

In het kantoor was bijna plaats voor twee versleten fauteuils, het overvolle bureau van de eigenaar, onuitgepakte kratten en het soort krantenrek dat in een café of koffiehuis kan worden aangetroffen. Robillard, die haar blik opmerkte, grinnikte. 'Sommige mannen handelen, andere denken dat ze het beter kunnen dan hen die handelen. Ik ben weliswaar gefascineerd door de ondeugden van de mensheid, maar ik ben te kieskeurig om in te grijpen. Maar...' Hij zweeg dramatisch. 'Ik vergeet mijn manieren.' Hij maakte een berispend geluidje. 'Neemt u toch plaats. Ik begrijp waarom kapitein Fornier u voor ons verborgen wil houden, maar ik zal het hem niet vergeven.'

Robillards voortreffelijke Frans verklaarde de welbespraaktheid van zijn bediende, maar Solanges gevoel voor orde werd er niet geheel door hersteld. Ze zonk weg in zijn diepe, veel te pluchen, veel te versleten fauteuil.

Toen ze een versterkend drankje afsloeg, zei monsieur Robillard dat Nehemiah thee kon zetten, waarop ze wel ja zei, en Augustin verdween om dat te regelen.

Robillard wapperde met zijn handen, zogenaamd berouwvol. 'O, ik hoop dat madame me hiervoor niet berispt!'

'Voor dít, monsieur?'

'Het is waar. Het is waar. Madame overschat mijn genotzucht. Madame heeft zichzelf ervan overtuigd dat geen enkele mooie vrouw veilig bij mij is. En u, madame, zou een heilige in de verleiding brengen.'

Deze verontrustende woorden, geuit met zo'n stralende zelfgenoegzaamheid, maakten Solange aan het glimlachen. 'Ik begrijp de bezorgdheid van uw echtgenote, meneer.'

'Ja?'

'Als ik geen getrouwde vrouw was geweest...'

Hij slaakte een zucht. 'Helaas, dat zijn zo vele vrouwen. Of het zijn maagden met vaders die de *Code Duello* aanhangen, of ze hebben broers die het oog van een dobbelsteen kunnen schieten, of de dames hebben minnaars, zijn voornemens het klooster in te gaan… In de gegoede kringen van Savannah, madame, heeft de ambitieuze losbol het zwaar. De perfide Britten begrijpen deze kwestie zo veel beter dan wij Fransen. *Fais ce que tu voudras* – doe wat je wilt – en dergelijke.'

'Zou mijn echtgenoot niet in de kamer moeten zijn?' vroeg Solange, die geen enkele reden tot bezorgdheid voelde.

Robillard pakte haar hand. Zijn palm was klam en eerlijk. 'O, mijn beste, ik ben vrij onschuldig. Hoewel,' voegde hij er berouwvol aan toe, 'mijn Louisa daar anders over denkt.' Hij klapte in zijn handen. 'Dat is wel genoeg over mij. In zijn afwezigheid – want hij wijst elk compliment van de hand – wil ik u graag vertellen hoe gelukkig ik me prijs met kapitein Fornier.'

Vervolgens kwam hij met de lof voor haar echtgenoot die Solange had gehoopt te zullen opwekken. Augustin was 'Napoleons dappere kapitein', een 'held van de opstand van Saint-Domingue' en 'een echte heer' – Solanges glimlach verdween even – 'die verstand heeft van de wereld'. Monsieur Robillard merkte op dat hij zelf de eer had gehad om onder Napoleon te dienen toen die vele jaren geleden niet meer dan luitenant Bonaparte was geweest. 'We hebben niet hoeven vechten, helaas.' Zijn wenkbrauwen klommen op tot zijn voorhoofd. 'Er werd nergens gevochten. Kunt u zich dat voorstellen?'

Sprekend als een émigré wiens lange verblijf in de stad hem recht gaf op een zekere mening beweerde Robillard dat kapitein Forniers reputatie hem in de gegoede kringen van Savannah geen windeieren zou leggen. 'Vóór mijn komst naar Amerika had ik nooit kunnen denken dat er zo veel kolonels en majoors en zelfs generaals waren.' Robillard straalde. 'Ik? Ik was zelf nooit meer dan een eenvoudige soldaat. Uw dappere kapitein Fornier, madame, ik dank u dat ik hem mag lenen.'

Solange wist dat hij opnieuw haar hand zou hebben gekust als het bukken hem makkelijker af was gegaan.

Bij L'Ancien Régime bediende Augustin de talloze kolonels, kapiteins en majoors van Savannah. Wie kon er beter Franse wijnen kiezen dan een Franse officier? En Solange kon zich natuurlijk wel voorstellen dat veel Amerikaanse dames veel te teer waren om zich door een neger te laten bedienen. Toch had Nehemiah zo zijn nut. 'Hij controleert onze facturen, pakt goederen uit en richt de zaak in. Vindt u zijn uitstalling niet kunstig? Sterker nog,' voegde de eigenaar eraan toe, 'Nehemiah kent onze waren beter dan ik, hoewel ik hem geen deelgenoot maak van ons geheim!' Hij legde een waarschuwende vinger tegen zijn neus en knipoogde. 'Kapitein Fornier en Nehemiah hebben Pierre Robillard overtollig gemaakt in zijn eigen zaak!'

Solanges glimlach veranderde van verbaasd in bewonderend in verbaasd. Natuurlijk viel ze hem niet in de rede. Natuurlijk wilde ze niet vragen: als Augustin zo waardevol is, waarom krijgt hij dan niet beter betaald? In plaats daarvan beantwoordde ze Robillards complimenten op momenten dat ze er een woord tussen kreeg en kwam ze veel meer over zijn vrouw te weten – 'Madame, toen Louisa voor mijn smeekbeden bezweek, trouwde ze benéden haar stand!' – en zelfs nog meer over zijn dochter, Clara, op wie Pierre Robillard heel erg dol was.

Bij haar vertrek duwde de eigenaar Solange een flesje tuberoosparfum in de hand, met de mededeling dat hij 'slechts mooier maakte wat al beeldschoon was'.

Buiten trok Ruth luidruchtig snuivend haar neus op toen haar meesteres zich bij haar voegde.

De schommelingen van het lot kan niemand voorkomen, maar men hoeft zich er niet bij neer te leggen. Dat deed Solange beslist niet. Maar ze huilde om de brief van haar vader. Ze huilde zo ontroostbaar dat Augustin de woning ontvluchtte en het op een drinken zette met meelevende medevluchtelingen, het soort fout dat jonge echtgenoten maken. Ruth week geen moment van de zijde van haar snikkende meesteres. Haar donkere ogen schoten vol wanneer ze met haar instemde, maar ze stoorde Solange nooit in haar verdriet.

Charles Escarlette schreef dat Solanges lieve mama versleten knieën had gekregen van het bidden en een mis van twee écu voor haar dochter had besteld. Toen mama had gehoord dat de rebellen hadden gewonnen, had ze na een flauwte haar bed opgezocht. Charles Escarlette was zo dankbaar dat zijn dochter had kunnen ontsnappen dat hij de rente van vijf naar vier procent zou verlagen op het tegoed dat op grond van Augustins commissie zou worden uitbetaald.

Hij schreef aan zijn dochter dat Saint-Malo een moeilijke tijd doormaakte. Britse kapers hadden de kustvaart grote schade berokkend, en

Henri-Paul Fornier had door hun plunderingen drie onschuldige handels-schepen verloren. 'Kunnen deze Britse piraten geen handelsschip van een oorlogsschip onderscheiden?'

Als gevolg hiervan was de Agence Maritime du Fornier bankroet, en Leo, de broer van Augustin, was opgeroepen voor militaire dienst en zat volgens de geruchten ergens met het leger in Spanje.

Hoewel de omstandigheden nog niet zo uitzichtloos waren als bij de familie Fornier (haar vaders tevredenheid steeg even indringend als de geur van gekneusde munt op uit zijn brief) waren de Escarlettes niet wat ze vroeger waren geweest. Ze voerden met hun bedrijf niet meer zo veel in en uit als voorheen, en nu de economie van Saint-Malo moeilijke tijden doormaakte, werden bepaalde leningen niet betaald en leverde een aantal investeringen niets meer op.

Zijn plichtsgetrouwe dochter zou ongetwijfeld begrijpen dat het geld dat voorheen voor haar was gereserveerd nu thuis nodig was. Hoewel de Britten een einde hadden gemaakt aan de vreedzame handel bood de oorlog wel andere kansen op winst. Charles Escarlette onderhandelde over de huur van een bakstenen gebouw, een voormalig pakhuis dat hij wilde ombouwen tot een fabriek voor het naaien van uniformen. Vanwege dit plan had hij de Banque de France bezocht, die de verbijsterde vader had verteld dat de kredietbrief van zijn dochter volgens de Code Napoléon alleen aan zijn dochter kon worden toegewezen en dat Solange Escarlette Fornier dat geld bovendien al naar Amerika had laten overmaken!

Augustin en zij moesten onmiddellijk naar huis terugkeren. Elk neutraal Amerikaans schip met bestemming Holland of België kon door de Britse linies heen varen. Zodra ze waren aangekomen, kon de postkoets binnen vier dagen Saint-Malo bereiken. Andere, gewetenloze mannen van wie hij de namen niet hoefde te noemen 'snuffelden als truffelhonden' rond het pakhuis, en hoewel Charles Escarlette trots was op zijn vooruitziende blik waren andere kooplieden misschien tot vergelijkbare conclusies gekomen aangaande de vraag naar uniformen. Haar vader betreurde het dat Dierbare Solange en Dierbare Augustin geen eersteklasovertocht konden boeken, maar de tweede klas kwam net zo snel aan als de eerste, en thuis was elke cent nodig.

Charles Escarlette besloot zijn brief met uitdrukkingen van ouderlijke tevredenheid en genegenheid. Zijn postscriptum straalde het vertrouwen uit dat Solange dit alles als plichtsgetrouwe dochter wel zou begrijpen.

Solange begreep het maar al te goed en begaf zich prompt naar meneer Haversham om te informeren naar de goedkeuring van de Banque de France.

Meneer Haversham leed vreselijk onder zijn onmacht, maar hij wist niets. Hij had niets gehoord. Die avond bekende hij tijdens het diner aan mevrouw Haversham dat hij opgelucht was dat hij niet de oorzaak was van de woede van mevrouw Fornier.

Solange schreef de ene brief na de andere, maar verstuurde er niet een. Wat zou haar vader doen? Wat raadden de slimme advocaten van Saint-Malo hem aan?

Zodra de *Georgia Gazette* aan de gevel van het redactielokaal werd opgehangen, bestudeerde ze de scheepsberichten. Andere vroege vogels die haar plek wilden innemen, werd duidelijk gemaakt dat de belangstelling van de knappe Française voor de binnenkomende schepen zwaarder woog dan datgene waar zij zich zorgen over maakten. Solange bracht zo veel tijd op de kaden door dat ze aan de koers kon zien welke loods een binnenkomend schip bestuurde. Ze wachtte samen met de klerk van meneer Haversham en de postzakken bij het kantoor van meneer Haversham totdat die naar beneden kwam om aan zijn dag te beginnen.

'Als het aan mij lag, madame…' zei hij, terwijl hij zijn correspondentie bekeek. 'Als Philadelphia niet elk filiaal van de bank zulke strenge regels had opgelegd, had ik deze vermoeiende formaliteiten overslagen, dat verzeker ik u.'

Op Solanges gezicht lag een gesloten, minimale glimlach.

Niet voor haar. Niet voor haar. Niet voor haar. De bankier legde de laatste envelop met een kleine frons weg en glimlachte naar Ruth. 'Uw dienstmeisje is zo'n levendig kind. Negers zijn op hun best als ze nog kind zijn, vindt u ook niet?'

Ruth vond koopjes op de markt, en nadat Solange haar kokkin had ontslagen, kookte Ruth af en toe.

Op een avond, toen Augustin meer had gedronken dan gewoonlijk, nodigde hij zijn vriend graaf Montelone uit hun maal van bruine bonen, rijst en okra te delen. Als de grauwe oude man al beledigd was door het aanbod van Fornier, was hij in elk geval beleefd genoeg om zijn bord leeg te eten, plus een tweede portie die voor de volgende dag was bedoeld. De graaf beschreef tamelijk uitgebreid zijn vooraanstaande familie. Toen Solange bekende nooit van de verheven lieden te hebben gehoord, zei hij: 'Ah, u komt uit Saint-Malo, is het niet?'

Hoewel de graaf geen woord tegen Ruth zei, bekeek hij haar zo gretig dat het kind de kamer verliet.

Toen Solange bij haar echtgenoot aandrong op zuinigheid omdat het geld bijna op was, zei Augustin dat hij zijn vrienden een rondje moest kunnen geven omdat zij ook drankjes voor hem kochten. 'Ik ben een soldaat,' zei hij tegen haar. 'Geen priester.'

Op een ochtend, toen een barkentijn onder Nederlandse vlag zijn loopplank liet zakken, zat Ruth met over elkaar geslagen benen op een bolder te neuriën. Toen het geneurie opeens ophield, draaide Solange zich om. Wat deed mevrouw Robillard op de kaden?

'Ah, mevrouw Fornier. Dus hier bent u al die tijd geweest. We hebben u op de promenade gemist. Hemel. Al die negers. Die Ieren. Die, eh… maritieme lieden.'

'Mijn beste mevrouw Robillard. Ik hoop dat u niet naar óns op zoek bent.'

'Nee, nee. Ik kwam toevallig voorbij…'

'Verwacht u een pakje? Een zending?'

'Hemeltje, nee.' Louisa Robillard lachte. 'Nehemiah wacht voor ons.'

Solange glimlachte beleefd terwijl de vrouw al meanderend op het doel van haar gesprek uitkwam.

'Ik heb u vaak tijdens de mis van half elf gezien. Mijn dierbare vriendin Antonia Sevier zei me dat we al een hele tijd geleden aan elkaar moeten zijn voorgesteld, maar ik vertelde Antonia dat dat helaas niet het geval is.'

Ruth rende over de steiger naar een geliefde loodsman die een snoepje voor haar had.

'Denkt u niet dat we na zo'n lange periode waarin we bijna kennissen waren het officiële voorstellen kunnen overslaan?'

Solange had de voorkeur gegeven aan iets officieels, maar die Nederlandse barkentijn zou haar bevestiging niet hebben, en de avond ervoor had ze tegen Augustin gezegd dat het geld bijna op was en dat hij, soldaat of geen soldaat, niet langer vrijgevig kon zijn jegens zijn Franse vrienden. 'Natuurlijk, madame. Prettig met u kennis te maken.'

'Wat vriendelijk van u.' (Betekenis: 'Natuurlijk vindt u dat prettig. Uw echtgenoot is een werknemer van ons.')

Solange antwoordde: 'Kapitein Fornier is vol lof over meneer Robillard. "Een heer van de oude stempel".'

Toen Ruth terugkwam, ging haar aandacht uit naar een groot brok suikergoed.

'Pierre is nogal op u gesteld.' Louisa's glimlach vertelde dat zij dat niet was. 'Ik kan wel zien waarom.'

'U weet veel beter dan ik dat meneer Robillard een vriendelijke, rechtschapen heer is.'

'Inderdaad.'

Nu Solange de waterige ogen en de paardenkaak van deze vrouw zag, begreep ze dat Robillards echtgenote redenen had om jaloers te zijn.

'Mijn man zegt dat kapitein Fornier met Napoleon heeft gediend?'

'Ik geloof niet, madame, dat er iemand mét Napoleon dient, op de maarschalken na. Kapitein Fornier heeft ónder Napoleon gediend.'

'In zijn Europese oorlogen?'

'Augustin Fornier diende tijdens de rampzalige omstandigheden op Saint-Domingue en heeft door uitzonderlijke moed de rang van kapitein verdiend. Zijn promotie tot majoor was al zeker, maar toen werd Saint-Domingue helaas verraden door de Franse regering.'

'Hemeltjelief. Pierre zou zo trots zijn geweest als hij een majóór had kunnen aannemen.'

Solange rekende uit hoeveel dagen ze zonder Augustins salaris konden overleven. 'Onze plantage, Sucarie du Jardin, had de beste, diepste grond van het eiland. Kapitein Fornier diende onder generaal Leclerc.'

'Die arme man. Om zo ver van huis te sterven.'

'Een groot officier...'

Mevrouw Robillard begon over iets anders. 'Wat een fraai kind.'

Ruth maakte een reverence.

'Je bent hoe oud?'

Weer een reverence. 'Ik denk zes, mevrouw. Misschien zeven.'

'Nou, nou. Nou, nou.'

Mevrouw Robillard stak haar nek uit, zoekend naar een bekend gezicht op de promenade, ver boven deze smoezelige kaden. Hoewel ze geen van haar vriendinnen zag, zwaaide ze alsof het wel zo was.

Toen ze zich met een ruk omdraaide naar Solange stak haar kaak uit als een boeg. 'U bent bijna even aantrekkelijk als mijn malle echtgenoot zei.'

Met het oog op Augustins hongerloontje hield Solange zich in. 'U bent te vriendelijk.'

'Verrukkelijk schepsel. Werkelijk verrukkelijk. Jij zult niet van je meesters stelen, hè Ruth?'

'Mais non, madame.'

'Spreek Engels, kind. Het is een grove taal, maar het is de jouwe.'

Op een prachtige dag in mei dwarrelden slappe witte magnoliabloesems op de kasseien en voer Solanges schip de haven binnen. Een onopvallende, niet bepaald zeewaardige kits die in Brugge post aan boord had genomen en in Haulabout Point was ontmast, bijna was volgestroomd en bijna was verlaten.

Solanges keel voelde zo strak aan dat slikken pijn deed. Stel dat het schip was vergaan? Wat zou er dan met hen zijn gebeurd?

Maar na voldoende controle om zelfs de nauwgezette Bank of the United States tevreden te stellen werd de rekening van mevrouw Fornier geopend en vertrok haar afgemeten antwoord aan Charles Escarlette per kerende post.

De Forniers verhuisden naar een onmodieus huis in een onmodieuze buurt, dat Solange in een keer contant afrekende.

De volgende brief van haar vader was diplomatieker. De Banque de France had Charles Escarlette laten weten dat de bruidsschat van zijn dochter nu bij de Bank of the United States werd bewaard. Wat een verrassing! Hij had niet geweten dat de Verenigde Staten een bank hadden!

De omstandigheden in Solanges ouderlijk huis waren onveranderd. Hij had de fabriek gehuurd, maar had contant geld nodig om de arbeiders te betalen. Kleermakers en naaisters waren beschikbaar, en het leger zou een grote bestelling plaatsen. Hij zou met kniebroeken beginnen. Met kniebroeken kon winst worden gemaakt.

Een notarieel bekrachtigde overschrijving van de Bank of the United States diende met het gaande tij mee te komen. In afwachting daarvan had hij de documenten meegezonden die de bankier van zijn dochter nodig zou hebben. Augustin moest ergens ondertekenen. De handtekening van de echtgenoot was volgens de Code Napoléon niet noodzakelijk, maar wie weet welke primitieve wetten de Amerikanen eropna hielden?

Als ze wenste, kon ze het document persoonlijk komen afleveren. Haar zusters en dierbare mama misten haar zo!

Toen een snikkende Solange de brief en het document in reepjes scheurde, zong Ruth een griezelig, schel klaaglied en werden de Forniers Amerikanen.

Het nieuws dat de omstandigheden van de familie waren verbeterd ontsnapte op een of andere manier aan de discrete, stijf opeengeperste lippen van meneer Haversham, en de Forniers ontvingen uitnodigingen voor onbelangrijke doopfeesten, tuinfeesten en dergelijke.

Als kersverse Amerikanen moesten kapitein en mevrouw Fornier het verplichte *Grande Fête* van Savannah bijwonen, het bal ter gelegenheid van de verjaardag van Washington. ('Kaarten een dollar. Leerlingen niet toegelaten.')

Bij de koude hapjes vroeg mevrouw Robillard zich af of mevrouw Fornier Antonia Sevier kende.

'Is zij geen hartsvriendin van u?' Solange sprak op vertrouwelijke toon met een vrouw bij wie ze voorheen elk woord op een goudschaaltje had moeten wegen. Ze legde een biscuit op haar bordje, tussen het tafelzuur en het kippenboutje.

'U hebt vrijwel niets met elkaar gemeen.' Louisa's lach was net geen gebalk. 'Maar iedereén kent Antonia, dus u moet haar ook kennen.'

'Het lijkt me een eer met haar kennis te maken.' Solange koos drie gebakjes uit en negeerde een bitterkoekje met een deuk. Ze likte aan haar wijsvinger. 'Vertelt u me eens, mijn beste mevrouw Robillard. Zijn alle Amerikaanse bals zo saai als dit?'

'Alleen de vaderlandslievende. Zegt u toch Louisa. Helaas, het Amerikaanse patriottisme is onveranderlijk grof en gewikkeld in door de motten aangevreten vlaggetjes.' Louisa hield haar hoofd scheef. 'Ik heb vernomen dat uw bals in Saint-Domingue vrij... gewaagd waren.'

'Tegen het einde zeer gewaagd.'

'Aha.' Louisa verkoos een dun plakje eend boven wild zwijn. 'Antonia is erg van streek vanwege haar kokkin. Cooks *shrimp and grits* zijn het gesprek van de dag. Zeer bekend bij velen van ons. Wel, Antonia heeft een bod van achthonderd voor Cook afgeslagen. Achthonderd dollar voor een kokkin.' Louisa trok een gezicht. 'Wat een tijden, wat een tijden.'

'Aangezien ik nooit bij de familie Sevier heb gedineerd kan ik geen oordeel vellen over haar grits, maar ik twijfel er niet aan dat die de hoogste lof verdienen.'

'Antonia wilde u en kapitein Fornier dit jaar uitnodigen voor haar tuinfeest. En wat ik wel eens zou willen weten is waarom vorken en messen altijd voor aan de tafel met koude schotels worden neergelegd, en niet aan het einde, wanneer men daar met een vol bord behoefte aan heeft.' Louisa zweeg even om haar woorden nadruk te verlenen. 'Helaas, mijn beste mevrouw Fornier, zullen we dit jaar geen van beiden het genoegen van haar grits mogen smaken omdat Antonia haar tuinfeest heeft afgelast! Cook wil niet naar de markt gaan! Ze weigert! Antonia heeft zware maatregelen genomen' – Mevrouw Robillard bewoog haar pols op en neer, alsof ze een zweep liet knallen – 'maar tevergeefs. Tegenwoordig gaat haar koetsier naar de markt! Overrijp fruit, onrijpe groenten, en veel te hoge prijzen. Zullen we het bankje delen?'

'Natuurlijk.' Solange maakte plaats.

'U weet hoe bijgelovig zíj zijn.'

'Ummm.'

'Cook heeft het vreemde idee dat die dienstmeid van u (Ruth is het toch?) haar het, ik weet het niet, het boze oog heeft gegeven. Cook zegt dat Ruth "dingen ziet", wat dat ook moge betekenen. Ze beweert dat het kind een voodoopriesteres is.' Louisa's lach galmde als een gebarsten klok. 'Het is ongetwijfeld allemaal nonsens. Maar toch...'

'Ja, natuurlijk is het nonsens.' Solange klonk feller dan gepast was. Ook als Solange van niets had geweten, was aan mevrouw Robillards triomfantelijke glimlach duidelijk te zien dat er gevaarlijke nonsens op de loer lag.

Een voodoopriesteres.

De volgende morgen, na de mis van half elf, bracht de bevallige mevrouw Fornier de nieuwste kranten van een pas aangemeerd Spaans schip eigenhandig naar L'Ancien Régime, waar ze, op een gepast moment, een erg belangrijke heer een klein verzoek deed.

Weerstand bieden aan vleierij is veel gemakkelijker voor wie gewend is aan vleierij, en Pierre Robillard werd thuis niet vaak gevleid.

'Wat ik maar voor u kan doen, mijn beste,' beloofde hij, terwijl hij Solanges hand kuste.

'Wat' bleek iets ongewoons, maar het was niet verboden. Hoewel Pierre zelf geen paap was (zoals hij zijn woedende vrouw later verzekerde) was hij een verdraagzaam heerschap, en er leidden ongetwijfeld meerdere wegen naar verlossing.

En dus stond op een mooie morgen in april, anderhalf jaar na haar aan-

komst in Amerika, een plechtig, heel donker kind in een witte japon versierd met Vlaams kant voor het altaar van St. John om te worden gedoopt
als Ruth.

De stralende Pierre Robillard was de peetvader van het kind.

De oranjerie

*R*uth zong zacht:

> 'Sinaasappelboom
> Groei en groei
> Sinaasappelboom, sinaasappelboom, groei en groei en groei
> Sinaasappelboom.
> Stiefmoeder is geen echte moeder,
> Sinaasappelboom...'

De oranjerie van de Robillards leek geparfumeerd met kaneel en noot-muskaat, en vruchten hingen als verlegen sieraden tussen scherpe blade-ren. Afwezig neuriënd volgde het kind met haar vinger de vorm van een groengouden bol. Uit de smalle serre van baksteen en glas langs de zuid-gevel van het gloednieuwe herenhuis klonken de zwak hoorbare tonen van dansmuziek. Omdat Louisa Robillards jonge Britse architect niets had begrepen van de gewoonten van Savannah keek deze rustige, bespie-gelende ruimte uit op het bediendenerf, waar van 's morgens vroeg tot 's avonds laat werd gewassen, uitgebeend en gestreken. In de kalmte van deze avond waren de ramen van de oranjerie zwart glas en verlichtte al-leen een buitenlantaarn de glanzende rijtuigen van de gasten en de vonk-jes van de sigaren van hun koetsiers.

Solange zat op een stenen bankje en wuifde zichzelf koelte toe.

Hoewel de verbeterde financiële situatie van de Forniers een huis en het opnieuw inhuren van de kokkin mogelijk had gemaakt, begreep Solange (en bracht ze haar echtgenoot vaak in herinnering) dat geld niet aan de bomen groeide, zelfs niet aan Amerikaanse bomen. Een koets en een koetsier waren onnodige kostenposten, en de Forniers waren in een huurkoets naar het bal gekomen.

Solange beoordeelde de avond tot dan toe: had ze gezegd wat ze diende te zeggen en, belangrijker nog, niet gezegd wat ze niet diende te zeggen? Solange Escarlette Fornier zóú opklimmen in deze verwarrende, veel te democratische Nieuwe Wereld.

Het orkest deed een poging tot een heftig allegro, en Solange glimlachte naar Ruth. 'Kind, dichter bij het paradijs zullen we niet komen.'

Het kind krabde in haar nek. 'Ja, meesteres, ik denk het ook.' Ze keek Solange niet aan. 'Graaf Montelone, is die ook hier?'

'Ik heb hem niet gezien.'

'Hij en meester Augustin, zijn ze vrienden?'

'Ze zijn Franser dan Napoleon.' Solange probeerde het kind er met een lach bij te betrekken, maar Ruth bestudeerde een sinaasappel alsof ze er voor de eerste keer eentje zag. 'Hij wil me kopen?'

'Lieve kind, hoe kom je daar nu bij?'

Ze haalde haar schouders op. Een tel later zei ze: 'Ik ga nergens heen. Ik wil bij u zijn.'

'Als je gaat lopen somberen, kun je beter de andere bedienden gaan helpen. Ga Nehemiah maar helpen.'

'Nehemiah heeft me niet nodig.'

'Er is vast wel iemand die je nodig heeft!' Solange liep in de richting van de muziek.

Omdat Philippe Robillard een vrijgezel was met de gewoonten van een vrijgezel werd het kerstbal van de neven Robillard bij Pierre en Louisa thuis gehouden en had Philippe na nare dreigementen van Louisa zijn indiaanse vrienden niet uitgenodigd. Als schadeloosstelling voor deze permanente schending van gastvrijheid koos Philippe positie bij de schaal met punch totdat hij in zijn rijtuig werd gehesen. Zolang hij die staat nog niet had bereikt, besprak hij met zijn nieuwe vriend kapitein Fornier het onrecht dat de Muscogee-indianen, de Edisto-indianen en de deugdzame Franse planters van Saint-Domingue was aangedaan. Het onrecht werd tot in detail besproken, beweend en beproost totdat de vergetelheid erop volgde.

De laatste bouwvakkers die aan het nieuwe huis hadden gewerkt waren vier dagen geleden vertrokken, verdreven door ongeruste bedienden die zwaaiden met bezems, zwabbers en plumeaus. Pierre, Louisa en hun dochter Clara hadden nog maar twee nachten in hun nieuwe huis doorgebracht.

Louisa was er ongelooflijk trots op, maar Pierre vroeg zich (in gedachten) af of onverschrokken jonge Engelse architecten even onverschrokken waren in oorden waar jonge Engelse architecten niet schaars waren.

In de traditionele huizen van Savannah, bekend onder de naam *Savannah Boxes*, konden voor bijvoorbeeld een bal de deuren tussen aangrenzende ontvangkamers en salons worden geopend zodat er één doorlopende ruimte ontstond. In het huis van Robillard werden dergelijke kamers van elkaar gescheiden door een centrale hal en een trap, zodat de muzikanten wel werden gehoord maar niet werden gezien. Het gevolg was dat de gasten zich vrijwillig opsplitsten. Dansers, niet-drinkers en oude mensen hadden de deftige ontvangkamer aan de voorzijde opgeëist, en de zware drinkers verzamelden zich in de salon, die met zijn roze valletjes en geschilderde cupido's vooral de dames moest behagen die hier 's middags hun thee dronken. Ondanks hevige bezwaren van haar architect had Louisa ter ere van de feestdagen het boograam met hulst versierd en maretak in de valletjes gehangen. De jonge Engelsman was hierdoor zo beledigd dat hij ruzie met zijn opdrachtgeefster had gekregen en onder het schreeuwen van 'Dit is niet langer mijn werk! Ik ben hiervoor niet verantwoordelijk!' naar buiten was gestormd.

Louisa had gedacht dat de Engelsman zijn schepping met zijn aanwezigheid zou verrijken en daarmee ook haar, als zijn opdrachtgeefster, enig cachet zou verlenen, en daarom had ze, geheel tegen haar aard in, water bij de wijn gedaan: bedienden verwijderden het beledigende groen en Nehemiah werd achter de Engelsman aangestuurd.

Helaas keerde Nehemiah zonder zijn prooi terug. 'Hij wil niet komen, mevrouw. De man is dronken en zegt van alles.'

'Van alles?'

'Dat u en meester Robillard, dat u alles naar de filistijnen hebt geholpen.' Nehemiah was verbaasd. 'Filistijnen als in de Bijbel?'

In afwezigheid van haar Briljante! Onconventionele! Fantasierijke! architect liet Louisa het feestelijke groen opnieuw ophangen, en ze zei tegen haar vriendinnen dat ze de jonge hond had laten gaan.

Het gala was zonder hem evengoed een gala. Kaarsen schitterden in muurhouders en kroonluchters, hun schijnsel versterkt door spiegels op muren en zuilen, en hun vlammen dansten rond de kristallen rand van de punchschaal. Toen de avond begon was de punch zwak genoeg voor een baptist, maar nadat vele vrolijke heren hun heupflessen erin hadden leeggegoten was het een ketterse drank geworden.

De gebroeders O'Hara hadden goed geboerd in het vrachtvervoer en waren nu eigenaren van een handelsonderneming die was gespecialiseerd in betaalbaar paardentuig, sjofele rijtuigen met toebehoren, hooi van een jaar oud en vieze haver. 'Een winstgevend zaakje, hoor,' zei James O'Hara tegen iedereen die wilde luisteren.

Eerder op de avond had O'Hara kapitein Fornier eraan herinnerd dat ze op dezelfde boot waren aangekomen, erop doelend dat ze dezelfde mogelijkheden in de Nieuwe Wereld hadden gehad, en kijk hen nu toch eens. O'Hara stak zijn duimen onder zijn bretels.

Augustin antwoordde hem in het Frans.

Met een brede lach maakte O'Hara de kapitein in het Gaelic uit voor dwaas.

Toen de nieuwerwetse *cotillon* werd aangekondigd, lieten O'Hara en anderen de punchschaal in de steek voor hun partners.

'Een Franse dans.' Augustin vulde opnieuw zijn glas.

Philippe zei: 'In tegenstelling tot de Amerikanen hebben de Fransen de indianen altijd eerlijk behandeld.'

'Wij planters waren altijd vriendelijk voor onze negers! Wat moeten de Fransen toch boeten voor misplaatst idealisme.'

Philippe en Augustin hieven het glas op deze uitspraak, wat die ook mocht betekenen.

De muzikanten droegen de beste afdankertjes van hun meesters. Ze lachten veel, en het kleine mutsje naast hen was bedoeld voor het kleingeld dat de blanke lui hun misschien wel zouden toestoppen.

Nehemiah verliet de salon met een dienblad dat vervaarlijk vol lege glazen stond. Tegen Ruth zei hij: 'Er is nog meer, kindje. Pak er zo veel als je kunt zonder ze te breken.'

Ruth sloeg haar armen over elkaar. 'Ik ben geen dienstmeid.'

'Kind, je hebt te weinig om te weten hoe weinig je hebt.'

Men stelde zich in de grotere ontvangkamer op voor de cotillon, en de moediger inwoners van Savannah voerden lachend en vol verontschuldigingen de onbekende passen uit.

Pierre Robillard stelde een jonge man voor. 'Ah, mevrouw Fornier. Dit is mijn vriend Wesley Evans die, zoals u wellicht aan zijn veel te sobere kleding kunt zien, een yankee is, tot ons gekomen vanuit Connecticut. Wesley was de onmisbare factotum van de heer Eli Whitney. Wesley en ik willen samen, als handelsagenten, de katoenhandel in gaan, een onderneming die hij beter begrijpt dan ik. Maar ik zal proberen er iets van te begrijpen. Ik zal mijn uiterste best doen. Ik vrees wel dat mijn nieuwe onderneming een zwaardere last voor kapitein Fornier zal betekenen. Waar is de brave borst? Hij is toch niet aan het dansen?'

'Hij lost samen met uw slimme neef Philippe het indianenprobleem op.'

Pierres glimlach werd breder. 'Daar is smering voor nodig, net als bij een krakende as.'

Louisa verscheen naast haar echtgenoot. 'Ah, de verrukkelijke mevrouw Fornier en haar lieftallige dienstmeisje. Graaf Montelone had het al over haar.'

Dat heerschap bevond zich aan de andere kant van de kamer, aan het zicht onttrokken door dansers die de vloer verlieten. 'Wat fijn dat u er vanavond ook bent, mevrouw Fornier. Kerstmis is zo'n bijzondere tijd, vindt u ook niet? Mijn lieve Pierre' – ze pakte hem stevig bij zijn arm – 'vreesde al dat ons nieuwe huis niet op tijd klaar zou zijn, maar we hebben dag en nacht gezwoegd.'

'Nehemiah…' begon Pierre.

Zijn vrouw klopte hem op zijn mond. 'Geen woord meer over die neger van je, lieverd. Je verwent hem. Ik heb voor de volgende dans om een menuet verzocht. In tegenstelling tot sommige architecten van wie we de naam niet zullen noemen, koesteren Pierre en ik wat vertrouwd en bewezen is.'

Hun gastheer wuifde met zijn vingers over zijn schouder toen zijn vrouw hem wegvoerde.

De yankee lachte breeduit naar Solange. 'Madame Robillard is *sérieuse*.'

'Madame is *dangereuse*.' Tot haar eigen verbazing meende Solange wat ze zei.

'Moeten we huiveren van angst? Versterkingen opwerpen?'

Solange bood hem haar arm. 'Eerlijk gezegd, meneer yankee, dans ik liever.'

Evans was mager, vroegtijdig kaal en, zo ontdekte Solange al snel, achtentwintig jaar oud. Hij was naar de Lowcountry gekomen in gezelschap van Whitney, die een katoenzuiveringsmachine had uitgevonden die kortvezelige katoen winstgevend maakte. Ze wilden de exclusieve rechten voor de productie in handen krijgen.

'De uitvinding van Cyrus is slim, maar helaas te simpel,' bekende de yankee. 'Iedere monteur met een beetje verstand kan het ding zo namaken. Je hebt geen speciaal gereedschap nodig om zo'n apparaat te bouwen, en je hebt ook geen dure "speciale" onderdelen nodig. Ik ben bang dat de machine van mijn vriend andere mannen rijker zal maken dan de uitvinder zelf.'

'U wilt graag een van die rijke mannen worden?'

'Mevrouw, dat ben ik al. Kent u deze passen?'

'Meneer, ik ben Frans. Of ik was Frans. Ik heb nog niet besloten wat ik nu ben.'

'Het is gemakkelijk Amerikaan te zijn. Het gemakkelijkste wat er is.'

'Ja, maar…' Ze trok een gezicht. Ze zei: 'Mevrouw Sevier is vanavond energiek.'

In de armen van James O'Hara kon het 'dansen' van die dame als 'heen en weer worden gegooid' worden omschreven.

'Ik vermoed dat meneer O'Hara vertrouwder is met de Ierse *reel*.'

Solange en Wesley voerden de passen tot beider volle tevredenheid uit. Toen de muziek ophield, maakte Wesley een buiging en vroeg: 'Kan ik een glas punch voor u halen?'

'Meneer, u bent al voldoende beneveld. Ik vrees voor mijn deugdzaamheid.'

Toen hij breeduit lachte, begon zijn hele gezicht te stralen. 'Ik kan niet beloven dat ik niets zal proberen.'

'Meneer! Ik ben een getrouwde vrouw.'

Hij leidde haar de dansvloer af. 'Ik ben hevig teleurgesteld. En, wie is dit mooie kind?'

'Ruth, laat meneer Evans zien dat je manieren hebt.'

Haar reverence was plichtmatig. 'Meesteres, die nare graaf staat naar me te gluren.'

'Dat kan toch geen kwaad?'

'Hij is een van die slavenhandelaren!'

Wesley fronste. 'Er gaan… onaangename… geruchten… over graaf Montelone, mevrouw Fornier. In de gegoede kringen van Charleston is hij niet langer welkom.'

'Ruth, er kan je niets gebeuren. Haal je meester. Ik wil hem aan meneer Evans voorstellen.'

'Neem meteen wat punch voor ons mee. Mevrouw Fornier... Mag ik u Solange noemen?'

Solange was gewend aan mannen met een langzamer tempo. Hoewel ze het gevoel had dat haar paard het bit tussen de tanden had genomen, was ze eerder opgetogen dan geschrokken. 'Al die mensen...' zei ze. 'Is het hier niet warm?'

'Ik neem aan dat we wel een plek kunnen vinden waar het... eh... koeler is.'

Solange pakte de teugels. 'Dit is een "ongewoon" huis. Ik heb gehoord dat men het gemak achterwege heeft gelaten.'

Wesley schraapte zijn keel. 'Dat principe is al eeuwen bekend. Het water stroomt van de zolder door de watercloset en verder naar de kelder. De Romeinen wisten al hoe dat moest.'

'De Romeinen waren... hun tijd ver vooruit, vindt u niet?'

'De Romeinen, zeker...'

Ruth probeerde, zo geconcentreerd dat ze op haar onderlip beet, twee overvolle glazen punch recht te houden. 'Meester zegt dat hij niet komt, mevrouw. Zegt dat hij over edele wilden aan het leren is.'

'Dank je, Ruth. Je mag gaan.'

Frons. 'Waar moet ik heen, mevrouw?'

'Ergens anders heen. Meneer Evans, hebt u de oranjerie al gezien?'

Bezorgd keek Ruth hen na. 'Waar moet ik heen?' fluisterde ze.

In de vredige oranjerie leken de vlijtige muzikanten heel erg ver weg. 'Ik moet blozend bekennen dat ik naar deze avond heb uitgekeken. Meneer Evans, als de kringen van Connecticut even vermoeiend zijn als die van Savannah...'

'Erger, meen ik. Veel erger. Wij yankees weten niet goed of we wel vermaakt willen worden door ons eigen vermaak.' De sinaasappel die hij plukte zou heel goed de vrucht kunnen zijn die Ruth had bestudeerd.

'Mijn man zegt dat graaf Montelone "een ware Fransman" is, maar hij heeft verzuimd me te vertellen wat de graaf zoal doet. Het moet winstgevend zijn. Men kan in Afrika immers voor vijftig dollar een man kopen die hier als veldslaaf achthonderd opbrengt?'

'Madame is zakenvrouw?' Wesley gooide de schillen in de kuip waarin de boom stond.

'Ik ben een dame, meneer.' Ze weigerde een aangeboden partje. 'De Robillards hebben deze bomen uit Florida laten komen.'

'Ik heb geen bezwaren tegen wettelijk toegestane handel, en volgens onze Grondwet is slavernij tot 1808 nog legaal. De slavenhandel heeft een paar man rijk gemaakt, maar laat er veel meer bankroet gaan. Eerst moet je een schip kopen, dan moet je een ervaren kapitein inhuren – een man met goede connecties in New England, omdat hij daar de goederen moet inkopen die hij tegen slaven zal ruilen, en met nog betere connecties in West-Afrika, waar hij die goederen achterlaat in ruil voor knorrige, onhandelbare, ongezonde, opstandige schepsels die nog liever zijn keel doorsnijden dan dat ze Amerika bereiken. Om winst te maken moet de kapitein zo veel mogelijk vracht aan boord stouwen, wat onvermijdelijk tot ziektes leidt. Een verlies van twintig tot dertig procent is gebruikelijk. Voor de kust moet de kapitein piraten zien te ontwijken en in diepe wateren de Britse marine. Zoals u weet is de Atlantische Oceaan geen kalm vijvertje, en slavenschepen zijn niet minder vatbaar voor stormen dan de schepen die missionarissen de andere kant op brengen.'

'De slavernij is noodzakelijk voor de teelt van suikerriet, meneer. En voor die van rijst en katoen.'

Hij haalde zijn schouders op. 'Misschien. Ik zou geen slaaf willen zijn, en ik neem aan dat voor u hetzelfde geldt.'

'Ruth is blij dat ze mijn dienstmeisje is.'

'Ah.'

'Ze is een nieuwsgierig kind, en soms lijkt ze... mysterieus?'

Hij lachte breed. 'Ze wil in elk geval niet in de buurt van de graaf komen.'

Het partje sinaasappel dat Solange aannam was warm en erg, erg zoet.

'Vergeef me mijn vrijpostigheid.' Met zijn zakdoek depte hij het sap van haar kin.

Louisa en Pierre hadden ruzie gemaakt. De nietsvermoedende Pierre had de lont van hun onenigheid ontstoken met de mededeling dat (alsof Louisa niet had gemerkt dat er werd gegrinnikt om de 'nieuwigheden' van haar huis) meneer Haversham had gevraagd of ze hun nachtspiegels soms hadden weggedaan, waarop Louisa, die zin had om in tranen uit te barsten, ervoor had gekozen meneer Haversham aan te vallen op zijn bekende tekortkomingen, niet in de laatste plaats zijn hulp aan mevrouw Fornier, wier echtgenoot net zomin een planter was geweest als Louisa er een was! en die een 'ongewone' (scherp knikje om deze woorden kracht bij te zetten) verstandhouding had met dat wel erg zwarte kind dat Pierre (ja, Louisa's dierbare echtgenoot) in een moment van zwakte en zonder overleg met zijn vrouw voor het altaar van de katholieke St. John the Baptist als zijn petekind had aanvaard, ondanks het feit dat Pierre (en Louisa) strikte methodisten waren, en dat Pierre, als hij bij die gelegenheid in het priesterkoor van St. John naar zijn vrienden had gezocht, niet diezelfde meneer Haversham zou hebben aangetroffen die nu zo vreselijk nieuwsgierig was naar de nachtspiegels van de Robillards!

Toen zijn vrouw even op adem moest komen, vroeg Pierre Robillard zijn dochter Clara ten dans, en daarvan kreeg hij zijn vertrouwde goede humeur weer terug.

Helaas maakte zijn stralende gezicht zijn kwade vrouw nog kwader. 'Nachtspiegels! Petekind! Laat me niet lachen!'

Ruth glipte de oranjerie in. 'We gaan nu zo naar huis, ja?'

'Alles op zijn tijd, liefje. Haal nog een glas punch voor ons.'

Met grote tegenzin pakte ze hun glazen.

'Ga dan, kind! Je kunt gaan!'

Toen ze weer alleen waren, ging Wesley Evans verder. 'In zaken gaat het erom het kapitaal zo te investeren dat de opbrengst maximaal is, met een minimum aan risico. Ah, maar ik vergeet dat u een dame bent, en door uw fijngevoelige aard niet geschikt voor vuige handel.'

'Ik ben een dame, meneer. Ik ben niet dom.'

'En dus.' Hij schoof dichterbij. 'Zoals u wellicht weet, is het moeilijk geld bij elkaar te krijgen om de zaken uit te breiden. Pierre is een geschikte vent, maar als zakenpartner ontbreekt het hem aan... Hoe moet ik het netjes zeggen... passie. Misschien vindt u dat een vreemde term voor een zakenman.'

'Mijn geld is bij meneer Haversham in obligaties geïnvesteerd, tegen zes procent.'

'Prijzenswaardig, dat zeker.' Na een korte stilte voegde Wesley eraan toe: 'Dat zou nog beter kunnen.'

Louisa's vriendin Antonia Sevier had Louisa nooit iets kunnen weigeren, en de onaantrekkelijke echtgenote van de verrukkelijke James O'Hara had haar de hele avond met een vernietigende blik aangekeken, en wie weet, die vrouw was Iers en mogelijk heel goed in staat iemand te vernietigen! en dus liet Antonia zich door haar vriendin rondleiden langs alle nieuwe voorzieningen. En Antonia moest toegeven dat Louisa's watercloset bijzonder interessant was! Wat had de nieuwe eeuw allemaal voor hen in petto? 'Je moet erop zitten?'

'Liefje, je doet eerst het deksel open.' Haar vriendin zette het deksel met de scharnieren rechtop.

Antonia keek naar de zitting met het keurige ronde gat. 'Je zit dáárop?'

'Ja, net als op de nachtspiegel. Het werkt precies hetzelfde.'

'En…'

'En dan, liefje, doet de natuur zijn werk. En zoals je ziet, hebben we hier plukken gekaarde wol om… eh…'

'En dan…'

'Laat je het plukje wol erin vallen en dan…'

Louisa trok aan een ketting die aan een gelakte houten kist boven hun hoofd hing, en een golf water spoelde met donderend geraas door het apparaat.

'Maar waar blijft het dan?'

'Er staat een tank in de kelder.'

Mevrouw Sevier sloeg een hand voor haar mond. 'Louisa, wat ben je toch… onconventioneel.'

Misschien was dat niet de gelukkigste woordkeuze. Tranen welden op in Louisa's ogen. 'Die… die ondankbare Engelsman. We hebben hem zijn eerste opdracht in Amerika gegeven. Ons huis had zijn visitekaartje moeten worden. Uit beleefdheid… uit puur fatsoen… had hij vanavond wel even zijn gezicht kunnen laten zien!'

'Ik vind dit, eh… dit geval echt een vondst. Louisa, je bent te benijden. Was ik maar zo moedig als jij!'

'Ja. Ach. Wil je het soms even proberen?'

Antonia giechelde achter haar waaier. 'Als ik jou was wel, Louisa, maar ik ben simpelweg Antonia. Je hebt ergens vast nog wel een paar voorzieningen voor je verlegen vriendinnen.'

Louisa slaakte een zucht. 'In het kamertje achter de bibliotheek.'

De dames verlieten het toilet en liepen de salon in, waar de sigarenrook zo dik was dat Louisa's ogen ervan traanden. Heren met halfopen monden lagen uitgestrekt op de bankjes te snurken. Ongetwijfeld zouden een paar van hen hier morgenochtend nog zijn.

Een lange staande klok sloeg één uur. Antonia onderdrukte een geeuw.

Kapitein Fornier en neef Philippe dromden samen rond de schaal met punch alsof ze bang waren dat die weg zou lopen. De punch was de avond begonnen naar het recept van Louisa's moeder: roze, geurend naar citrusfruit. Nu was het drankje dof donkerbruin en stonk het naar sterke drank.

Het orkest was zo… woest! Louisa hoorde een man schreeuwen. O hemel! De Ieren hadden toch niet om een horlepiep gevraagd?

'Het kerstbal van de Robillards,' bracht Louisa Robillard haar vriendin in herinnering, 'zet de standaard voor Savannah, nee, voor Georgia!'

'Vanzelfsprekend, liefje.' Antonia slaakte een zucht. 'We zijn allemaal zo dánkbaar.'

Kapitein Fornier onderwees de ineengezakte Philippe over 'de goede aarde. *La Bonne Terre*'. De kapitein wreef onzichtbare aarde tussen zijn vingers fijn.

Oudere dames haalden hun echtgenoten op en bedankten Louisa.

Dat wel erg zwarte dienstmeisje – het petekind van Pierre! – zat met gekruiste benen op de vensterbank, half verborgen achter de gordijnen.

Haar vensterbank! Pierres petekind!

Louisa snoof even, en hoewel de vergelijking haar zou choqueren, snoof ze als een wolf die een prooi ruikt.

'Die arme man,' zei Louisa, schijnbaar tegen zichzelf. 'Als hij het had geweten.'

Het was laat, en Antonia kreeg last van een van haar hoofdpijntjes. 'Welke "arme man", liefje? Philippe?'

'Doe niet zo dwaas. Nee, natuurlijk niet.'

Ze liepen de hal in, waar de muzikanten een vermoeid enthousiasme toonden. 'O, was ik maar weer jong,' zei Louisa.

'Wie? Wie is een arme man?'

'Tja.'

'Het dienstmeisje van mevrouw Fornier is zó aantrekkelijk.'

'Ach ja.'

'Ik kan wel zien waarom Pierre zo snel…' Ze sloeg haar hand voor haar mond. 'Mijn beste Louisa, je was het toch wel met hem eens?'

Dit petekind, die Britse architect, bespottelijke waterclosets… alles, werkelijk alles was de schuld van Pierre. 'Arme kapitein Fornier.'

'Wat? Kapitein Fornier?'

Louisa's droevige, filosofische hoofdschudden beweende de tegenslagen van zo veel moderne huwelijken.

'De zakenpartner van mijn man is een yankee. Hoe kunnen we verwachten dat hij onze gebruiken kent? De gebruiken van Savannah, zo vertrouwd en bewezen.'

Antonia schrok, maar was zo verrukt dat ze een glimlach niet kon onderdrukken. 'O hemel! Je bedoelt toch niet...'

'Ik kan echt niet bedenken waar ze zijn gebleven. Misschien zitten ze in de bibliotheek. Misschien zijn ze grote lezers. Lieve Antonia, beloof me dat je er geen woord over loslaat.'

Antonia's ruggengraat was even stijf als een suikersculptuur. 'Louisa! Ik ben toch de discretie zelve?'

Louisa gaf haar vriendin een klopje op de arm. 'Natuurlijk, lieverd. Natuurlijk ben je dat. Die arme kapitein Fornier. Verbannen van zijn prachtige plantage – de Forniers zwommen in het geld! – en nu dit! Dat onschuldige kind in de vensterbank. Heeft ze meer gezien...' Louisa liet haar stem dalen, '...dan voor een kind gepast is?'

Haar vriendin giechelde. 'Een kind is niet de beste chaperonne!'

Louisa Robillard voelde een steek van spijt toen Antonia haar ronde deed langs de andere echtgenotes, maar de steek was draaglijk.

Augustin voelde dat anderen naar hem keken. Hij hoorde flarden van opmerkingen.

Het kon de drank niet zijn. Soldaten – officieren van Napoleon – werden geacht te drinken! Hij liet de lepel voor wat die was, doopte zijn glas rechtstreeks in de bruine punch en gaf het aan zijn nieuwe beste vriend, Philippe. Misschien hadden Philippes ogen het gezien, misschien niet. Hij zat er opeens slap bij, met zijn mond open en zijn hoofd in zijn nek. Nehemiah liet Philippes koetsier halen.

Nu trok dat verdraaide kind aan zijn mouw. 'Meester, ik haal meesteres en dan gaan we naar huis.'

'Ze kan het heen en weer krijgen,' hoorde Augustin zichzelf zeggen.

'Meester, we gaan nu naar huis.'

'Wie is hier de meester?' vroeg hij aan de bewusteloze Philippe. 'Wie is hier de meester?'

Hoewel Clara oud genoeg was om zelf naar bed te gaan, liepen haar ouders met haar mee naar boven.

Louisa pakte haar echtgenoot bij de hand en zei: 'Als ons kindje groot is, zullen we deze tedere momenten missen.'

Pierre gaf haar een kneepje in haar hand, opgelucht dat hun ruzie voorbij was. Maar toen er problemen ontstonden in hun oranjerie konden de gastheer en gastvrouw daar niets tegen beginnen.

U duelleert?

Ik beschouw Wesley Evans als een LAFAARD en een ANGSTHAAS.

*D*e uitdaging van kapitein Fornier verscheen in de *Columbian Museum & Savannah Advertiser* van 2 januari. Forniers secondant, graaf Montelone, hing de uitdaging op bij het veilinghuis tussen de advertenties voor slaven, wedrennen en dekhengsten. Toen de graaf terug was in Gunn's Tavern smeekten de stamgasten hem om details – waren de vrienden van de yankee aanwezig geweest om de belediging in ontvangst te nemen? – waarop de graaf met zijn gebruikelijke scherpte antwoordde dat een aangelegenheid als het behoud van eer geen ordinair vermaak is.

Gunn's Tavern was zo geliefd bij Franse vluchtelingen dat de inwoners van Savannah de kroeg Frère Jacques noemden, en de in Georgia geboren en getogen William Gunn had er inmiddels vrede mee dat zijn etablissement was 'verfranst'. De meeste stamgasten van Frère Jacques waren, net als kapitein Fornier, vluchtelingen uit Saint-Domingue, maar er waren ook een paar émigrés, en vage bewijzen leken erop te duiden dat graaf Montelone met generaal Lafayette naar deze kusten was gekomen. De graaf leefde van de handel in paarden met onbekende stamboom en lichtgekleurde jonge slaven. Hij nam uitgebreide voorzorgsmaatregelen tegen vergiftiging en meed bepaalde buurten zodra het donker was. Hij zette nooit een voet in de haven.

Hoewel de graaf het nooit over generaal Lafayette had, vroegen Franse patriotten hem graag: 'Wie is de beste generaal, Napoleon of Lafayette?'

'Dat weet alleen Le Bon Dieu.'

De terughoudendheid van de graaf was een duidelijk bewijs van een scherp verstand. Een paar lasteraars begonnen over de schandalen in Charleston, maar niemand wist daar het fijne van, en bovendien was die affaire in een heel diepe doofpot verdwenen.

In de taveerne van William Gunn werd elke Franse overwinning uitbundig gevierd. In dit barbaarse, onherbergzame, ón-Franse Amerika voedden die overwinningen de trots van de vluchtelingen, en iedereen wist dat de stamgasten van Frère Jacques zich onverwijld voor het Franse leger hadden gemeld als die verdraaide Britse blokkade er niet was geweest.

De overwinningen van Napoleon vielen ook goed bij degenen die in Savannah waren geboren en die hun handel zagen lijden onder de blokkade en de Britse gewoonte om Amerikaanse zeelieden te ronselen.

Een paar dagen voor Kerstmis druppelden nieuwtjes over een grote veldslag Savannah binnen; aanvankelijk als geruchten, toen als onsamenhangende feiten, en ten slotte als een stortvloed aan nieuws. Volgens de eerste berichten hadden de Pruisen de Fransen verslagen, en naar aanleiding daarvan werden somber vele glazen leeggedronken. Na het volgende bericht – nog geen vierentwintig uur later! – werden de glazen gevuld om op Napoleons overwinning te drinken. Het nieuws over de tweede veldslag – en Napoleons tweede zege – bereikte Savannah pas in het nieuwe jaar, toen Frère Jacques al verdiept was in zijn eigen schandaal. Kapitein Fornier (toch het schoolvoorbeeld van een *bon homme*) had ontdekt dat zijn echtgenote (een Française met een tot dan toe vlekkeloze reputatie) te schande was gemaakt door ene Wesley Evans, een yankee en een nieuwkomer. De kapitein had het tweetal verrast in Pierre Robillards nieuwe oranjerie tijdens het kerstbal van diezelfde Robillard; een omgeving en gelegenheid die alleen maar meer kleur aan het schandaal gaven. Hoewel Pierre Robillard nog nooit een voet had gezet in Frère Jacques werd hij daar op handen gedragen. Wanneer de Robillards met gouverneur Milledge van Georgia dineerden, genoot de Franse gemeenschap van Savannah mee.

Zo positief als de stamgasten van Frère Jacques waren over Pierre, zijn indrukwekkende nieuwe huis en ook zijn oranjerie, zo afkeurend stonden ze tegenover neef Philippe, wiens verdediging van heidense barbaren andere Fransen zorgeloos en sentimenteel deed lijken.

Augustin zelf kon zich bijzonder weinig van die nacht herinneren – niet meer dan losse, vertekende beelden. Solange en de yankee hadden te dicht bij elkaar gezeten, dat wist hij nog wel. Hij dácht dat ze geheel waren gekleed. Ze hadden alle drie staan schreeuwen, dat wist hij ook nog. Hij wist dat Ruth haar handen voor haar gezicht had geslagen. Hij was hard op zijn wang geslagen: hij kon zich die klap goed herinneren. Die klap, het feit dat hij was aangeraakt, had iets wat een dronken schreeuwpartij had kunnen zijn tot een erezaak verheven.

Op de morgen na het kerstbal stond Augustin pas om twaalf uur op, waarna hij braakte, zijn gezicht waste en naar Frère Jacques vertrok, waar hem de nodige onjuiste informatie wachtte. Augustin, die niet goed wist wat hij ervan moest denken en eigenlijk ook niet wist wat er precies was gebeurd, haalde zijn schouders op. 'Evans heeft me geen schade berokkend. Hij is een yankee die onze gebruiken niet begrijpt.'

Frère Jacques was verdeeld tussen degenen die vonden dat Augustins onverschilligheid jegens de belediging 'très gentil' was en degenen die vonden dat de klap die Augustin een rode wang had bezorgd een slag voor alle Fransen was.

Zowel de sympathisanten als de beledigden trakteerden Augustin op drankjes, en hij kwam laat en aangeschoten thuis, waar hij naar het dressoir liep en zichzelf ondanks Ruths verdrietige gezicht nog een glas inschonk. 'Jij ook? Zelfs jij?' vroeg hij.

'Meester,' zei het kind plechtig. Ruth trok een dun boekje uit Solanges verzameling. 'Wilt u me voorlezen?'

Met hoge stem en dubbele tong declameerde Augustin:

> 'Strange fits of passion have I known:
> And I will dare to tell,
> But in the Lover's ear alone,
> What once to me befell.
> When she I loved looked every day
> Fresh as a rose in June,
> I to her cottage bent my way,
> Beneath an evening-moon.'

Hij deed het boek dicht. 'Ik ben niet in de stemming voor poëzie.' Hij boerde een hete vloeistof op die brandde in zijn neusgaten en zijn keel met whisky spoelde.

'Meesteres leest me ook niet meer voor,' zei het kind droevig.

'Nou, dan lees je toch zelf?' lag op het puntje van zijn tong. Waarom kon dat kind niet lezen? Ze was niet zo achterlijk als andere nikkers.

Toen Solange binnenkwam, viel haar blik op het glas, waarop Augustin het leegdronk. 'O,' zei zijn vrouw. 'Je bent er weer.'

Hij hees zichzelf overeind. 'Zo te zien wel.'

'Was je avond aangenaam?'

Augustin probeerde te bedenken wat haar kon interesseren. 'De Franse regering wil de Haïtianen om herstelbetalingen verzoeken.'

Solange zuchtte.

'Dan zullen we een schadevergoeding voor Le Jardin ontvangen.'

'O ja?'

Ze hadden niet over de oranjerie gesproken; Augustin niet omdat hij het zich niet kon herinneren en Solange niet omdat ze indiscreet was geweest en niet van plan was zich daar schuldig over te voelen.

Ruth zei: 'Meesteres, wil u me voorlezen?'

'Niet nu.'

'Dat meisje dat met die sinaasappels op de markt staat, die zegt dat graaf Montelone ze wel lust. Ze zegt dat de graaf naar me vraagt. Naar mij, meesteres.'

'Ga naar bed, kind.'

'Ik ben hier gelukkig, hier, bij u en de kapitein. Ik ben een zwartje dat geluk heeft!'

'Augustin,' zei Solange poeslief, 'kun je navragen wat óns aandeel in die magische herstelbetalingen zal zijn? Officieel, bedoel ik? Los van de diepgravende gesprekken die je met je kroegmaten hebt?'

'Hoe?'

'Ja, dat is de vraag.'

Augustin schonk nog een glas in, dat hij aan zijn vrouw aanbood en waarvoor hij met een blik vol ijzige minachting werd beloond.

Ruth zei: 'Ik wil u gelukkig maken! U bent mijn enige familie.'

Een trilling begon bij Augustins knieën en kroop omhoog langs de rest van zijn lichaam. Hij beefde zo hevig dat hij de woorden amper kon uitspreken. 'Ik... word... ui... uitgelachen. Omdat ik be... bedrogen ben.'

'Meesteres! Meesteres!' riep Ruth. 'Ik doe het raam open. Het is hier zo erg warm!'

'Natuurlijk zei ik geen nee tegen Wesley Evans' aandacht,' zei de vrouw van Augustin Fornier koeltjes. 'Hij is tenminste een man.'

De volgende voormiddag was Wesley Evans katoen aan het keuren in het pakhuis van Robillard en Evans toen zijn partner verscheen, in kleding die even somber was als zijn gelaatsuitdrukking. Pierre zette een mahoniehouten kistje op Wesleys bureau.

Wesley was bezig een planter uit de Upcountry uit te leggen dat zijn katoen te slecht was. 'Als je denkt dat je een betere prijs kunt krijgen,' zei Wesley, 'moet je het maar bij een ander proberen.'

'Heb ik al gedaan,' antwoordde de planter. 'Ik hoopte alleen dat u vandaag misschien wat minder goed zou opletten.' Hij nam zijn hoed af en krabde hard over zijn hoofd. 'Ik was vergeten dat u een yankee bent.'

Verwonderd. 'En?'

'Jullie yankees letten altijd op. Denk dat ik beter ja tegen uw aanbod kan zeggen.'

Wesley telde het geld terwijl de negers van de planter de oogst uitlaadden.

Toen de wagen van de man er ratelend vandoor ging, wendde Wesley zich tot Pierre. 'Waar ging dat in vredesnaam over?'

'Dat is precies de reden voor mijn komst.' Pierre haalde een opgevouwen exemplaar van de *Advertiser* uit zijn jas.

'Ik heb geen tijd voor het nieuws,' zei Wesley. 'Alle planters die laat hebben geoogst komen langs. Ze laten hun katoen te lang op het land staan en hopen toch nog op een goede prijs.'

Robillard schoof de krant naar hem toe en tikte op de advertentie.

'Wat is er verdorie aan de hand?'

'Ik kan je secondant niet zijn.'

'Mijn secondant? Waarvoor? Omdat ik de hand van madame Solange vasthield... en door haar bezopen echtgenoot werd uitgescholden totdat ik hem een klap in zijn gezicht gaf? Dat stelde niets voor. Een kleinigheid. Kom op, Pierre, ik heb het te druk voor dat soort aanstellerij.'

'De dappere kapitein blijkbaar niet.'

Hoorde Wesley een zweem van tevredenheid in de stem van zijn partner? 'Een duel? Hij daagt me uit tot een duel? Dat doen we tegenwoordig niet meer.'

'Ah, dan hebben we het hier in het onbeschaafde Georgia blijkbaar mis als we geloven dat vice-president Aaron Burr een paar jaar geleden Alexander Hamilton in een duél heeft gedood, vlak buiten New York, de stad die toch het hart van het yankeerijk is.'

'We duelleren niet. Dat is niet langer onze gewoonte.' Wesley zette zijn hoed scheef, in de zakelijke stand die bij een drukke katoenhandelaar paste.

'Tja, vriend, het is ónze gewoonte. Een heer die een openlijke uitdaging negeert is... is... Hij is niet langer een heer.'

Wesley glimlachte. 'Heb ik ooit de indruk gewekt dat ik dat wel was?'

Zijn partner keek hem bedroefd aan. 'Je kunt de gewoonten van de Lowcountry nog zo afkeuren, mijn beste Wesley, maar feit is dat we hiervoor zullen boeten. We zullen minder planters kunnen vinden die zaken met ons willen doen. Waarom zou je je oogst aan een angsthaas verkopen als je hem ook aan een heer kunt slijten?'

'Jezus Christus. Je-zus!' Wesley smeet zijn hoed op de ongeveegde vloer van het pakhuis.

Pierre Robillard vervolgde, blij dat zijn partner hem begreep: 'Het is ons gebruik, Wesley. Jullie yankees zijn heel goed in dingen maken. Hier in Georgia hadden we in nog geen duizend jaar een machine kunnen uitvinden die katoen zuivert. We zijn roekeloos, bijna te hoffelijk, gastvrij en doorgaans vredelievend. Maar wanneer de jongeman van mijn geliefde dochter Clara me met een bezoek vereert, zal ik beslist vragen: "U duelleert?"'

Wesley legde een hand op de schouder van zijn partner. 'Monsieur Robillard, u verbaast me. U bent inderdaad een veelzijdig man.'

'Nee, meneer. Ik was een eenvoudige soldaat onder de grote Napoleon, en nu ben ik een eenvoudige koopman.'

Het mahoniehouten kistje bevatte een stel simpele, onversierde pistolen. Pierre streek met een vinger over de licht geoliede loop. 'Deze hebben vijf mannen gedood.'

'O.'

'Manon, de maker, is beschuldigd van het bewerken van zijn lopen. Alleen het scherpste oog ziet het, maar toch. Deze pistolen zijn in zijn werkplaats in Londen gemaakt. Ze hebben uiterst gevoelige trekkers die bij het minste of geringste afgaan. Ik smeek je, span de haan alleen als je zeker weet dat je gaat vuren.' Pierre besloot: 'Ik kan je secondant niet zijn, niet tegen kapitein Fornier. Graaf Montelone handelt namens Fornier.'

Wesley kreunde hardop.

'Je secondant dient een heer met een vergelijkbare positie te zijn.'

'Ik ben een vreemde in Savannah. Ik ken hier vrijwel niemand.'

'Inderdaad. Onze secondanten zijn de spil van de hele zaak. Jouw man en de graaf zullen alles regelen, en op de dag zelf regelen ze de... kwestie. Als jij er op die dag niet toe in staat bent, mag je secondant je plaats innemen. Als je "de witte veer toont", is hij gerechtigd je ter plekke te vellen.' Pierre glimlachte. 'De regels staan vast.' Hij kuchte. 'Wesley, ik ben zo vrij geweest...'

'Je hebt iemand gevraagd namens mij op te treden.'

'Ja, mijn beste jongen. Mijn neef Philippe is weliswaar excentriek, maar hij is ontegenzeggelijk een heer. Niemand zal je keus betwisten. Mijn neef heeft deze eervolle taak nog nooit uitgevoerd, maar ik zal hem onderwijzen, geloof me. Ik kan niet je secondant zijn, maar ik zal Philippe gidsen.'

'Philippe van de roodhuiden?'

Pierre werd rood. 'Hij bestudeert inderdaad onze rode broeders.'

'Jezus Christus.' Wesley raapte zijn hoed op, sloeg ermee tegen zijn been en gooide hem toen een tweede keer weg.

Augustin was zo gelukkig als een zeeman die na maanden op zee thuiskomt. Hij begreep er niets van, maar voor het eerst in zijn leven leken de dingen te zijn zoals ze moesten zijn. Na zijn uitdaging was er een zware, plechtige stilte over hem neergedaald waarin alleen scherpe of liefdevolle opmerkingen konden doordringen.

Ruth behandelde hem alsof hij van ragdunne zijde was gemaakt en liep hem van kamer naar kamer achterna, alsof hij zou verdwijnen als ze hem niet langer kon zien. Wanneer hij en Solange de liefde bedreven (zoals natuurlijk was, zoals juist was) voelde hij Ruths priemende blik aan de andere kant van hun gesloten slaapkamerdeur.

De gekrenkte echtgenoot wist niet meer wat er in de oranjerie was gebeurd of hoe groot de schande voor zijn echtgenote en de yankee was geweest. Dat deed er nu niet toe, als het er al ooit toe had gedaan.

Solange deed op haar beurt nooit een poging het uit te leggen maar leek vreemd genoeg van haar man te houden, misschien wel voor de allereerste keer. Augustin wilde zijn geluk niet in het gezicht spugen.

Op de afgesproken morgen ontwaakte hij naast zijn vrouw van het gekraak van wielen en het gerinkel van paardentuig voor hun huis. Een paard brieste. Het lichaam van zijn vrouw was warm als nieuw leven. Hij wilde haar strelen, maar hield toen zijn hand stil. Hij had zich de avond ervoor geschoren, voordat hij naar bed ging. Zijn wang, de beroemde wang die de klap had gekregen, voelde niet anders dan de andere.

Zachtjes trok hij zijn beste overhemd aan, hetzelfde van ruches voorziene linnen hemd dat hij naar het kerstbal had gedragen. De wijnvlekken waren verwijderd en het hemd was gesteven.

Augustin vroeg zich af wat er overblijft als we er niet meer zijn. Hij stelde zich de golfjes voor die ontstaan wanneer er een steen in een vijver wordt geworpen, golfjes die steeds kleiner worden, zich vermengen, knagen aan de oever en dan tot rust komen.

'*Je vous salut, Marie, plein de grâces*… Wees gegroet, Maria…' Zou hij ooit leren in het Engels te bidden? Hij had Saint-Domingue overleefd terwijl dat voor velen niet gold. Misschien had Le Bon Dieu plannen met Augustin Fornier? Augustin haalde zijn schouders op. Bon Dieu.

Aan haar snellere ademhaling kon hij horen dat Solange wakker was, maar hij liet haar doen alsof. Zijn eenzaamheid was verrukkelijk, en wat konden ze verder nog zeggen? Haar liefde verwarmde hem. Op zo veel had hij niet durven hopen… Hij trok de hoge schoenen aan die Ruth gisteravond per se had willen poetsen, en dezelfde overjas die hij naar L'Ancien Régime droeg. Voor de penantspiegel knoopte hij zijn das tot een dikke, flamboyante strik.

Ruth stond op het stoepje te wachten. Haar kalme, bruine ogen zorgden voor rillingen over zijn rug. Hij legde zijn hand op haar hoofd, voelde de warmte van haar schedel onder haar haar. 'Ik blijf niet lang weg.'

Een blik zonder te knipperen. 'Ik zal tot u bidden.'

Toen Augustin de nevel in stapte die van de vochtige, met zand bedekte straat oprees, dacht hij daar even over na – tót u bidden? – maar graaf Montelone gebaarde dat hij in de koets moest stappen.

'U loopt nog iets op,' zei Augustin. De graaf stopte zijn handen diep in zijn zakken.

Ze reden aan de westzijde de stad uit, naar de joodse begraafplaats waaraan duellisten de voorkeur gaven omdat er hoge, donkere muren stonden, het er afgelegen was en ze vonden dat de joden die mogelijk bezwaar hadden er niets van mochten zeggen.

Niet lang na hun aankomst, toen hun koetsier afstapte om het portier te openen, hield er een tweede koets halt naast die van hen. Op het gelakte portier stond een wapenschild in opzichtig blauw en groen, en het dak was omlijst door een golvende sierrand in dezelfde kleuren. Aan het dak ontsproten witte veren, minder naargeestig dan de zwarte veren van een lijkkoets.

'Philippes indiaanse motieven,' vermoedde de graaf.

Augustins handen waren zo koud dat hij ze tussen zijn dijen klemde.

Er stapten drie heren uit de indiaanse koets. Augustin zag sterretjes toen Philippe Robillards lucifer opvlamde.

'Pardon.' De graaf liep weg om met zijn tegenhanger te overleggen. De dokter was even terughoudend en onbenaderbaar als zijn zwarte tas. Augustin glimlachte naar Wesley, die meewarig zijn hoofd schudde.

Augustins handen waren als ijs. Hoe kon hij een trekker overhalen?

Augustin liep naar de begraafplaats, waar de graven in groepjes tegen de zuidelijke muur lagen. Blijkbaar geloofden de Hebreeërs niet in grafstenen.

Als uitgedaagde partij hadden Evans en zijn secondant wapen en plaats mogen kiezen. Nu vroeg de graaf aan Augustin aan welke afstand hij de voorkeur gaf.

'Ik heb niet…'

'Bent u een goed schutter?'

'Ik geloof het niet.'

'Vijftien stappen dan. Misschien mist u, maar hij kan ook missen. Philippe heeft me ervan verzekerd dat Evans geen vaardig schutter is.'

'Le Bon Dieu.'

'U vuurt ieder één keer, waarna, indien een van u niet verder kan gaan, de eer is gered. Na het bloedvergieten mogen er verontschuldigingen worden geuit.'

'Door Evans.'

'Zeker door Evans. Zijn klap was de belediging.'

Nadat de secondanten de pistolen van hun duellisten hadden uitgekozen, voorzag de opkomende zon de zwarte bovenkant van de muur van de begraafplaats van een gouden randje. Wat was dat mooi!

Montelone: 'Span de haan pas als u klaar bent om te vuren. Span de haan terwijl u het pistool opheft, richt op zijn middel, en haal de trekker over.'

'O. Dus zo gemakkelijk is het.'

Het pistool was een klomp lood in Augustins hand.

Op de aanwijzingen van Philippe, die met krakende stem werden uitgesproken, gingen beide mannen rug aan rug staan, waarbij ze elkaar bijna aanraakten. Augustin voelde de warmte van Evans lichaam. De kolven van hun pistolen raakten elkaar bijna, wat Augustin in verwarring bracht, totdat hij besefte dat zijn tegenstander linkshandig was. Om de een of andere reden maakte dat detail hem bijna aan het huilen.

Een, twee, drie… passen werden geteld, alsof ze ieder heel belangrijk waren. Augustin beende naar de grijsbruine bult van een pas gevuld graf.

Boven op de modder krulden zwart geworden bloemen om.

'Draai u om. Heren, draai en vuur!'

Toen Augustin zich omdraaide, glimlachte hij. Wat waren mannen toch dwazen! Zulke dwazen! Hij hief zijn pistool op omdat Evans het zijne ophief. Evans leek kleiner dan Augustin zich hem herinnerde. Augustins pistool hing bijna recht, maar was niet op gelijke hoogte met Evans' pistool toen dat wel een wit rookwolkje uitbraakte, maar geen knal. De graaf riep: 'Mislukte schoten tellen ook als schoten! Kapitein Fornier, u mag vuren!'

Nog steeds glimlachend om de bespottelijke situatie richtte Augustin de mond van het pistool naar de hemel. De trekker was zo licht dat het wapen zichzelf leek af te vuren. De knal was luider dan hij had gedacht, en het pistool schoot terug tegen de holte van zijn hand.

Terwijl de secondanten overlegden, bekeek Augustin zijn tegenstander door een waas van welwillendheid. Wat een goede kerel! Wat een dappere kerel! De secondanten liepen naar Augustin toe. De graaf vroeg: 'Evans heeft u toch geslagen?'

Verwonderd antwoordde Augustin: 'Hij hield de hand van mijn vrouw vast.'

'Daar gaat het niet om. Hij heeft u geslagen?' De dunne lippen van de graaf waren zichtbaar blauw. 'Dan gaan we verder. U dient verder te gaan, tenzij meneer Evans ermee instemt om met het rietje te worden bewerkt.'

'Wat?' Augustin fronste zo hard dat het pijn deed.

De graaf legde uit, alsof hij het tegen een kind had: 'Volgens de Code Duello mogen heren elkaar niet slaan. Die klap, kapitein Fornier, die klap is een onvergeeflijke belediging.'

Philippes gezicht glom van het zweet. 'Meneer Evans betreurt zijn gedrag in de oranjerie ten zeerste, maar hij stemt er niet mee in om met het rietje te worden bewerkt.'

Met een rietje? Waarom zou Augustin dat willen? Hij had niets tegen die man. Hij schudde van nee, maar de graaf was vastbesloten. 'Kapitein, aangezien u een heer bent, moet u duelleren.' Hij haalde zijn schouders op. 'Dat hoeft niet fataal te zijn. Bloed redt onveranderlijk de eer.'

Terwijl de secondanten de pistolen herlaadden, bestudeerde Augustin het verse, joodse graf, zich afvragend wat de verwelkte bloemen waren geweest.

Philippe herlaadde met een gezichtsuitdrukking die even onbewogen was als graniet en benadrukte zelfs de kleinste bewegingen van zijn handen. Hij zou niet opnieuw afdwalen. Augustin glimlachte onwillekeurig. Iedereen glimlachte tegen Philippe. Dat merkte Philippe nooit, en de glimlachers bedoelden het nooit beledigend.

Augustin zat op de stenen rond het graf terwijl Evans tegen de muur leunde en zijn pijp stopte. Een sigaar! Een sigaar zou hem nu goed smaken, maar Augustins handen trilden te zeer om er eentje aan te steken.

Augustins gedachten dwaalden af naar het alledaagse. Hij moest Nehemiah vragen of die een nieuwe etalage wilde inrichten. Hij had nieuwe sokken nodig. Na deze ochtend zou hij iedereen in Frère Jacques op een drankje trakteren. Solange zou zeker geen bezwaar hebben! Misschien zou ze hem deze keer zelfs willen vergezellen?

Nadat de secondanten de pistolen hadden geladen, schudden ze elkaar plechtig de hand. Evans klopte zijn pijp uit in een regen van vonken.

We zijn als vonken.

De duellisten werd gezegd dat ze op dezelfde plek als eerder moesten gaan staan, met hun pistool langs hun zij. Zodra het bevel klonk, moesten ze tegelijkertijd hun pistolen opheffen, langs de lange, blinde lopen richten en vuren.

'Misschien vuurt Evans niet.' Augustins pistool kwam een armlengte omhoog. Hij voelde zich klein en vies en moe.

Decorum

*I*n dezelfde week dat Wesley Evans kapitein Augustin Fornier dood-schoot, betaalde hij negentien cent per pond voor middelmatige katoen. Twee jaar later, op de trouwdag van Wesley en de weduwe Fornier, bracht katoen van betere kwaliteit nog maar tien cent op. De bevolking van Savannah weet de slechte prijzen en de daarmee gepaard gaande barre tijden aan president Jefferson, die de export van alle Amerikaanse goederen, zelfs katoen, naar Frankrijk en Engeland had verboden. Hoewel beide strijdende landen de Amerikaanse neutraliteit hadden geschonden was Groot-Brittannië, dat duizenden Amerikaanse zeelieden had geronseld, de grootste overtreder, en Britse koopvaarders namen de handel over die de Amerikanen hadden verloren. Er werd gesmokkeld en de fabrieken in New England namen een deel van het werk over, maar de katoenhandelaren in Savannah hadden het moeilijk.

Solange had nooit kunnen denken dat Augustin zou worden gedood: die uitkomst was nooit bij haar opgekomen. Dwazen – zoals Augustin – werden in zaken aangaande eer vernederd of boden hun verontschuldigingen aan of liepen in het ergste geval een lichte, dappere verwonding op. Mannen namen graag een houding aan, zo waren mannen! Diep in haar hart vond Solange het misschien zelfs wel romantisch dat twee mannen om haar vochten, net als in die verrukkelijk gevoelige romans die ze niet langer de moeite van het lezen waard vond.

Op die vreselijke morgen werd Augustin in Philippes koets naar huis gebracht. Ruth rende er krijsend op af. Solange beval haar daarmee op te houden, hou op, hou alsjeblieft op, maar dat deed ze niet.

Philippe bood ongemakkelijk zijn condoleances aan. Graaf Montelone verzekerde de weduwe dat alles volgens de regels was verlopen en dat de eer was hersteld. 'Er zullen geen ongepaste vragen worden gesteld, madame. Daar kunt u zeker van zijn.' Ruth rende de straat op, zo hard als ze kon, en verdween. Solanges mond was droog en haar keel deed pijn.

Pierre Robillard regelde alles, of dat deed Nehemiah. Solange deed wat ze haar opdroegen en zat tussen hen in op de voorste bank van St. John the Baptist. Ruth kwam niet thuis. Helaas waren Louisa en Clara verhinderd. Blijkbaar was een groot deel van de gegoede kringen van Savannah eveneens verhinderd. De stamgasten van Frère Jacques woonden de dienst bij en de O'Hara's lieten hun gezicht zien, maar niemand liep met de lijkkoets mee van de kerk naar het graf.

Op de derde of misschien wel de vierde morgen daarna kwam graaf Montelone langs om uitgebreid te condoleren.

'U hebt mijn echtgenoot goed gekend?'

Hij deelde haar mede dat kapitein Fornier een dappere heer van 'de oude stempel' was geweest. Even voorzichtig als een kat die een kluwen garen afwond zei Montelone dat hij zich, natuurlijk, nergens mee wilde bemoeien, maar dat hij gezien de omstandigheden (had haar man niet bij L'Ancien Régime gewerkt?) de weduwe Fornier concrete hulp wilde aanbieden. Hij deed wat aan inkoop en verkoop. Die dienstmeid van mevrouw Fornier. Hoe heette zij?

Solange kon Ruths naam niet uitspreken. Als ze dat zou doen, zou ze zo veel meer zeggen dan ze wilde. Ze schudde haar hoofd. 'Nee, monsieur. Ze is momenteel niet aanwezig.'

Toen Montelone glimlachte, wenste Solange dat ze niets had gezegd. Was ze weggelopen? Moest hij inlichtingen inwinnen? Hij kende betrouwbare slavenjagers. Gewetenloze jagers vingen weglopers soms om hen vervolgens door te verkopen zonder de eigenaren iets te vertellen. Dames konden zich simpelweg niet voorstellen hoe leugenachtig sommige mannen waren…

Solange vond de kracht om te zeggen: 'Ze is niet weggelopen. Ik wil niet dat u uit mijn naam inlichtingen inwint.'

'Vanzelfsprekend niet, madame. Ik wil niet de indruk wekken…'

Enzovoort, enzovoort, maar zodra ze hem het huis uit had gekregen, ging ze naar Nehemiah.

Ruth was op de markt gezien, maar niemand leek te weten waar ze 's nachts sliep. Ja, hij zou inlichtingen inwinnen. Ja, hij zou discreet zijn. De graaf, ja, die ja.

De volgende morgen, of misschien de morgen daarna, bezorgde de bediende van Wesley deze brief:

Mijn waarde Solange,

Accepteert u alstublieft mijn oprechte verontschuldigingen. Uw echtgenoot was een dapperder man dan ik.

Voordat deze vreselijke gebeurtenis plaatsvond, was ik niet op de hoogte van zuidelijke gebruiken. Ik zou er alles voor willen geven om nog altijd onwetend te zijn!

Ik ken u als een verstandige, rechtschapen vrouw en vertrouw erop dat u de kwaadaardige roddels negeert die met name de roddelaars, en niet een onschuldige dame, in diskrediet brengen!

Zoals u begrijpt, kan ik u geen bezoek brengen. Maar ik ben bereid u in materieel opzicht te ondersteunen. Nehemiah is een betrouwbare tussenpersoon.

Net als u treur ik om kapitein Fornier. Hij vuurde niet toen hij me had kunnen treffen.

Uw dienstwillige dienaar,
Wesley Robert Evans

De afkeuring van Savannah trof Solange. Evans was de uitgedaagde partij geweest, en zoals ieder kind in Georgia weet: yankees hebben geen verstand. Het schaamteloze gedrag van de echtgenote van de overleden kapitein had 'het zaad van rampspoed gezaaid' (de gelukkige woordkeuze van Antonia Sevier) en grappenmakers vroegen zich, met een schunnige knipoog, af welke andere 'zaden' er nog meer waren 'gezaaid'.

In de betere kringen van Savannah geloofde men dat Solange haar echtgenoot tot zijn fatale uitdaging had aangemoedigd om de weg vrij te maken voor zijn moordenaar, haar yankeeminnaar.

Het lot van Wesley Evans vormde hiermee een dramatisch contrast, aangezien hij de goedkeuring kreeg die passend was voor wie een duel won. Wesley verachtte die complimenten, soms in bewoordingen die een nieuw duel hadden gerechtvaardigd als de situatie niet uitzonderlijk en Wesley geen gestoorde yankee was geweest. Ongewenste complimenten maakten plaats voor bewonderende knikjes, afgenomen hoeden en veelbetekenende blikken. Wesley begroef zich in zijn werk. Al snel kende iedere scheepseigenaar en planter in de Lowcountry hem van gezicht. De lantaarns op het kantoor van R&E Cotton Factors brandden tot diep in de nacht.

Niemand was verbaasd toen een hotelkruier graaf Montelone dood op zijn kamer aantrof. Aanvankelijk dacht men, afgaande op de pijn die op het gezicht van de man te zien was, dat hij was vergiftigd, maar het hoofd der ordehandhavers stelde vast dat de graaf die avond niets had gegeten en zich tevreden had gesteld met een enkele sinaasappel die hij zelf had gepeld.

Toen Ruth thuiskwam, vroeg Solange: 'Wist je dat Augustin zou sterven?'

Ruth wilde haar niet aankijken. 'Ik zie soms dingen.'

'Waar heb je gezeten?'

'Ik moest op adem komen.' Op felle toon herhaalde ze: 'Ik moest op adem komen!' Met een ijskoude vingertop raakte ze de wang van haar meesteres aan. 'U gaat met die man trouwen. Ja, dat gaat u. Beter verdoemd om wat u bent dan wat u niet bent.'

Naar verloop van tijd, toen Solange inderdaad met Wesley trouwde, beweerde Antonia Sevier dat Solange dat deed om haar minachting jegens het goed fatsoen te uiten, een idee dat Solange in later jaren zelf aanvaardde omdat ze niet kon toegeven – dat zou geen enkele goed opgevoede jongedame uit Saint-Malo doen, en zeker niet de dochter van een Escarlette – dat ze een onverklaarbare, verzwakkende drang had gevoeld toen Wesley en zij hun eigen bruiloftsreceptie waren ontvlucht en op hun bruidsbed waren neergevallen.

Solanges tweede man was even sluw en vastberaden als zij, maar Wesley zag er de humor van in. 'Wanneer God vanuit Zijn hemel op ons neerkijkt, ziet hij een krioelende mierenhoop waar de rijke mier niet van zijn bediende te onderscheiden is.'

'Een penny is een penny,' zei Solange snuivend. 'In een mierenhoop of in de hemel.'

Twee jaar en negen maanden na het huwelijk beviel mevrouw Wesley Evans van een gezonde dochter, Pauline. De doop van het kind en de aansluitende receptie in het huis van de familie Evans werden bijgewoond door de jongere garde van Savannah, die geen belangstelling had voor oude schandalen die werden gekoesterd door de grote namen van de vorige eeuw met de manieren van die vorige eeuw.

Toen Solange voorstelde dat Ruth Paulines *mammy* zou worden, had Wesley bezwaren. 'Moet ieder kind in het zuiden een mammy hebben?'

'Dankzij de mammy kan een zuidelijke dame haar echtgenoot vertroetelen,' zei Solange met een scheef lachje dat geen Escarlette zou hebben goedgekeurd.

Wesley schraapte zijn keel. 'Ruth is nog zo jong.'

'Negers worden sneller volwassen dan blanken. Ruth is een vrouw, geen kind.'

'Ik geloof niet dat ik ooit iemand als zij heb gekend. Regen, ijzel, harde wind, voorspoed, tegenspoed... Onze bekoorlijke Ruth blijft glimlachen.'

'Heb je daar bezwaar tegen?'

'Ik wou dat ik wist wat Ruth écht dacht.'

'Geloof me, liefje, dat zal je nooit weten.'

Ruth had een natuurtalent voor kinderverzorging, en Paulines moeder vertroetelde haar echtgenoot tot hun beider tevredenheid.

Na het intrekken van het embargo ('doembargo!') verwachtte Wesley dat de katoenhandel zou opbloeien, maar de Britse en Amerikaanse politiek hinderde de export tot aan 1812, toen de oorlog werd verklaard aan de Britten, die niet konden geloven dat de Verenigde Staten niet langer hun kolonie waren.

Louisa Robillard en haar dochter Clara werden in de eerste week van augustus ziek en werden op 8 september 1812 begraven. Een uiterst verslagen Pierre bood zijn partner de helft van R&E Cotton Factors aan. Dankzij de huwelijksvoorwaarden die Wesley zonder bezwaren had getekend bleef Solange een *femme sole*, maar ze dacht nog geen vierentwintig uur na voordat ze het kapitaal vrijmaakte om Pierre uit te kopen.

Savannah, dat was geblokkeerd door de Britse vloot, lag te verkommeren totdat Andrew Jackson eerst de indiaanse bondgenoten van de Britten bij Horseshoe Bend in de pan hakte en nog geen jaar later hetzelfde deed met de Britten in New Orleans. Het Verdrag van Gent maakte een einde aan de oorlog en aan de blokkade. Kerkklokken beierden en de prijs van katoen van gemiddelde kwaliteit steeg tot dertig cent.

In Savannah klonk gehamer en gezaag, en Bay Street stond zo vol met wagens met katoen en timmerhout dat de gegoede dames hun wandeling op Jameson Square moesten maken. De gebroeders O'Hara breidden hun zaak uit, en niemand moest lachen toen James O'Hara een koets kocht. Toen Wesley Solange aanbood haar investering in R&E Cotton Factors terug te betalen, moest ze lachen. 'Bouw een huis voor me waarop de Havershams jaloers zullen zijn,' zei ze. 'Roze.'

'Roze?'

Haar mond verstrakte in een uitdrukking die Wesley maar al te bekend voorkwam.

'Roze zal het zijn,' zei hij, en hij trok een gezicht. 'Roze?'

Hoewel er uitgestrekte pijnboombossen achter de joodse begraaf-plaats lagen en daar nieuwe huizen werden gebouwd, bouwden de gegoe-de families nog altijd in de stad. Wesley kocht twee vervallen houten hui-zen aan Oglethorpe Square en liet die afbreken.

Toen Ruth vroeg: 'Meester Wesley, waarom sloopt u zulke goede hui-zen?' antwoordde hij: 'Zodat we beter kunnen zijn dan Jan en alleman.'

'Wie zijn dat?'

Pauline was een rustige baby en groeide op tot een bedaard kind, dat deed wat haar werd gezegd. Zelfs als peuter was ze lelijk, al dacht Ruth daar heel anders over. Ruth sliep op een veldbed naast de wieg van het kind, zodat ze haar kon wekken en haar nachtmerries kon verdrijven.

De jonge mammy Ruth droeg een effen blauwe hemdjurk en een be-scheiden, geruite hoofddoek. Ze was de jongste mammy aan Reynolds Square en liep met opgeheven hoofd, maar ze sprak alleen indien ze werd aangesproken. Baby Pauline was altijd schoon en op het weer gekleed, en Peuter Pauline was zo netjes dat ze in stijfsel gedoopt leek. Oudere mam-my's accepteerden de jonge Franse negerin en openden hun harten voor haar. Met name mammy Cerise, die de kinderen van de familie Minnis grootbracht, was erg op Ruth gesteld.

Verwarm een doek in gesmolten talg tegen koliek.

Thee van het kaf van maïskolven helpt tegen de uitslag van mazelen.

Indische sering helpt als het kindje wormen heeft.

Dat kind huilt niet omdat ze dwars is. Er is iets mis met haar.

De vader van de kleine Pauline zat al op de zaak voordat de zon de rivier zilver kleurde en werkte door totdat de lantaarnopsteker zijn ronde deed.

Het echtpaar Evans at 's avonds samen met hun dochter en luisterde wanneer ze voor het slapengaan haar gebedje zei. Omdat Wesley metho-dist was, bezochten Solange, Ruth en Pauline zonder hem de mis.

Solange nam de leiding over de bouw van het Roze Huis. De kleur was het enige nieuwerwetse, want Solange wilde een traditionele 'Savannah Box' en huurde voor de bouw de oudere aannemer in die meneer

Haversham had aangeraden. John Jameson had al zeker tien Boxes ge-bouwd en had (zoals Haversham opmerkte) 'al decennia geleden een re-putatie gevestigd die hij niet in gevaar wil brengen. Hij is een piekeraar.'

John Jameson was een somber mannetje dat zich zorgen maakte over de dubbele kavel van Evans, die lager lag dan de kavels van de buren zodat het water in de kelder van de familie Evans zou lopen. 'Dit is de Low-country, mevrouw, de naam zegt het al,' bracht hij Solange in herinnering. '"Water, water, overal water," zoals meneer Coleridge graag zegt.'

Jameson gaf toe dat het nieuwerwetse Engelse souterrain in de mode was, maar de traditionele fundering met palen – zonder kelder, mevrouw – had zich al vele jaren bewezen! Mevrouw wist wellicht niet dat de bak-stenen gevel waaraan ze de voorkeur gaf duur was. Erg duur. Jameson kon haar een groot aantal houtskeletten laten zien die zware orkanen hadden doorstaan! Een waterreservoir op zolder? Goeie grutten. Maar waarom zou mevrouw iets van bouwen hoeven weten? De dames van Savannah zijn veel te gevoelig voor zulke 'praktische' zaken. Hoe een dergelijke voorziening op een hoogte van tien meter moet worden opgehangen? Een reservoir met een inhoud van bijna vierduizend liter? Mevrouw, een halve liter is overal ter wereld een halve liter. Ja, meneer Jameson wist dat het huis van Robillard zo'n zelfde reservoir had – en bijzonder ongebrui-kelijk sanitair. Mevrouw Robillard – God hebbe haar ziel, ma'am – was dol geweest op nieuwigheden. Misschien had mevrouw niet over de lek-kage gehoord die het stucwerk in de slaapkamer van de Robillards had beschadigd? Een kamer voor uw mammy Ruth, naast de kinderkamer? Van een dergelijke indeling had meneer Jameson nog nooit gehoord, en hij beschouwde deze als – hij wilde niet te kritisch zijn – ongepast. Mam-my's sliepen op veldbedden aan het voeteneind van het kinderbed, dat wist iedereen. Een wenteltrap, mevrouw? Jazeker, een wenteltrap is in-derdaad traditioneel, maar Jacob Bellows, de meester-trappenmaker van Savannah, is helaas al twee jaar niet meer onder ons, en de enige andere meester-trappenmaker van de Lowcountry werkt in Charleston. De trap-penmaker in Charleston is (Jameson liet hier zijn stem dalen) 'een vrije neger'.

'Voor mijn part huurt u een pinguïn in. Ik wil mijn wenteltrap.'

Meneer Jameson schudde somber zijn hoofd. 'Mevrouw, ik weet niet of ik Jehu Glen kan overhalen…'

'Vraag het hem. Meneer, gebruik al uw aanzienlijke charme.'

Meneer Jameson, die al heel lang meende niet meer over charme te beschikken, was van zijn stuk gebracht.

Solange onderdrukte haar ongeduld. 'U kunt het allicht proberen.'

'Glen is een meester in zijn vak,' beweerde Jameson, 'maar er wordt beweerd dat hij... lastig is.'

'Uhm.'

Meneer Jameson gaf toe dat de bouw van het Roze Huis inderdaad in het voorjaar kon beginnen.

Ondanks de bezwaren van Jameson werd er een droge fundering gestort en overspanden steunbalken de Engelse kelder. Er werden dubbele lagen gemetseld om het reservoir op zolder te kunnen dragen, en werklieden kwamen zonder bezwaren opdraven als er behoefte was aan hun speciale vaardigheden. Ondanks de aannemer waren het Roze Huis en het koetshuis (waarin de tijdelijke werkplaats van de aannemer was ondergebracht) in augustus voorzien van een dak.

Als het Roze Huis op tijd klaar zou zijn, zou het echtpaar Evans met kerst een bal geven.

Solange drong er bij meneer Jameson op aan dat hij stukadoors, kastenmakers en glazeniers inhuurde, en had hij de trappenmaker uit Charleston al geregeld en mahoniehout voor de leuning besteld?

Ondanks meneer Jamesons gewoonte om pas met de afwerking te beginnen als de mortel zestig dagen lang had kunnen uitharden, betrad drie dagen nadat de goten waren opgehangen een klein leger van bouwvakkers het koetshuis, gewapend met gietmallen voor het pleisterwerk, zoetschaven, beitels en schellak.

Op een fraaie middag in september, toen de rozen welriekend en teer waren, nam Ruth Pauline mee naar de bouwplaats. Ze was gefascineerd door de drukke bezigheden en grappenmakerij van de bouwvakkers. Ieren, vrije zwarten en slaven die door hun eigenaren uit de stad waren verhuurd werkten vrolijk zij aan zij.

In het gapende skelet waar op een dag de koetsdeuren zouden hangen, zette Ruth Pauline boven op een zaagbok neer. 'Zie je wel, kleintje, de mannen doen hun werk. Kijk die man eens. Ik heb nog nooit zo'n kleine zaag gezien. Het is net een poppenzaag! Zie je die mannen latten buigen?'

Een koffiekleurige werkman was bezig een houten geraamte te stellen.

'Hé,' riep een Ier, 'blijf met je zwarte poten van mijn houtwerk!'

Veel werklieden hadden erg grote handen, maar die van de koffiekleurige man waren even teer en glad als die van een meester. Hij ging verder, zonder aandacht te schenken aan de Ier.

'Jezus, Maria en Jozef! Waar ben je mee bezig?'

'Dit gaat niet werken, McQueen,' antwoordde de donkere man. 'Dit moet een schuine hoek worden. Die hoek van jou is veel te steil.'

De blonde man met het gezicht vol rode vlekken plantte zijn vlezige handen in zijn zij. 'En wie ben jij wel niet, dat je mijn werk kunt verbeteren?'

De koffiekleurige man rechtte zijn rug, alsof de vraag een antwoord verdiende. 'Ik ben twaalf jaar lang de gezel geweest van Jacob Bellows, meester-trappenmaker van Mulberry Park, Robinson House en de balzaal van Blakely House. Ik ben hier de meester-trappenmaker. Je doet wat ik zeg of je pakt je biezen.'

'Nou zeg, nou zeg! Meneer Jameson! Meneer Jameson, u bent hier nodig!'

Het gezaag hield op en de mannen legden zachtjes hun gereedschap neer terwijl de aannemer zich een weg baande door de gestaakte werkzaamheden. Intussen boog de koffiekleurige man zich over de werkbank, legde zijn gradenboog neer en zette een cirkel uit op een plank.

Jameson haalde zijn hand door zijn haar. 'Wat is er? Wat is er? Kunnen we niet werken zonder onenigheid?'

'Meneer Jameson, meneer. Deze nikker zegt wat ik moet doen. Deze brutále nikker.'

Onaangedaan, alsof hij in een andere ruimte stond, zette de koffiekleurige man een tweede cirkel uit. Ruth hoorde zijn potlood krassen op het hout.

Een bouwvakker liet een wind en zijn maat gaf hem een stomp tegen zijn arm.

Jamesons glimlach leek te twijfelen. 'Meneer Glen?'

'Meneer?' Hij legde zijn potlood naast zijn gereedschap voordat hij zich omdraaide.

'McQueen hier...'

'"De arbeider is zijn loon waard", meneer Jameson. Is dat niet zo? McQueen wil niet doen wat ik van hem vraag. McQueen kost meer dan dat hij oplevert.'

'Jehu...'

'Meneer Jameson, er zijn in Savannah genoeg mannen te vinden die om werk verlegen zitten. Ik heb mannen nodig die doen wat ik zeg zonder me tegen te spreken.'

'Deze nikker…'

Jameson opende zijn beurs en begon munten te tellen. 'Je loon.'

'U laat een blanke…'

'Meneer McQueen, ik heb iemand nodig die een trap kan maken. Jehu Glen is door de Engelsen opgeleid: de beste in de Lowcountry.'

'Nou, dat is… Wat is me dit voor een gekloot!'

McQueen had voor problemen kunnen zorgen toen hij langs de trappenmaker liep die over zijn werk gebogen stond, maar anderen hielden zijn armen vast en McQueen moest zich tevredenstellen met in het zaagsel spugen. Jehu keek niet op.

Ruth fluisterde: 'Zag je dat, kleine Pauline? Geloof je wat we net zagen?'

De trappenmaker draaide zijn oor in de richting van Jameson om diens bedeesde verwijten in ontvangst te nemen, maar hij onderbrak zijn werkzaamheden niet. Misschien wilde Jameson nog meer zeggen, maar hij wendde zich tot de anderen. 'Is het vandaag de sabbat? Zo niet, dan kunnen jullie misschien beter weer aan de slag gaan.'

Op weg naar huis neuriede Ruth een deuntje dat ze lang geleden ooit ergens had gehoord. De volgende ochtend hoorde mammy Cerise dat op Reynolds Square en fronste. 'Je moet de 'Rebellion Song' niet neuriën,' zei ze.

'Rebellion Song?' vroeg Ruth.

'Dat moet je niet neuriën!'

Ruth fronste.

Mammy Cerise fluisterde: 'Weet je niet dat je het lied van de opstand op Haïti liep te zingen? Daar willen de blanke meesters echt niks van horen.'

Die middag, in de schaduw van een parasol, deed Pauline een dutje voor het koetshuis.

Jehu Glen was het fraaiste schepsel dat Ruth ooit had gezien. Waar was die man geboren, wat had hem gevormd? Zijn bewegingen waren spaarzaam en gezwind. Zonnestralen kleurden zijn armen goud wanneer zijn houtschaaf krullen maakte. Als hij het haar op zijn arm afschoor om de scherpte van zijn beitel te testen, wilde Ruth roepen: 'Pas op! Snijd jezelf niet!' Ze vroeg zich af of Jehu's dramatische test van elk messcherp werktuig aangaf dat hij zich net zo bewust was van haar als zij van hem.

Ze kwam de volgende dag terug, en de dag daarna ook. Op een keer, toen Jehu in het huis was, raakte ze het blad van een schaaf aan en bezeerde ze haar duim, die ze in haar mond stak om het warme, zoete bloed op te zuigen.

Een andere keer stopte ze een kersenhoutkrul in haar schort, en het scherpe luchtje van het hout liet die nacht haar veldbed geuren.

Andere mammy's namen hun kinderen mee naar het grote huis in aanbouw. Oudere kinderen maakten forten en bootjes van overgebleven stukken timmerhout.

Mammy Cerise had over de vrije zwarte die trappen maakte gehoord. 'Zijn vader was blank. Hij kocht zich een knap dienstmeidje, en van het een kwam het ander. Toen de knaap ouder werd, heeft Glen hem vrijgemaakt en hem als gezel naar een Engelsman gestuurd die al die dure huizen in Charleston heeft gebouwd. Toen de Engelsman doodging, is die knaap Jehu zijn eigen zaak begonnen. Hij heeft het hoog in de bol.'

Ruth glimlachte. 'Dat is waar.'

'Die jongen is zo zuinig dat hij een halve cent om genade laat smeken. Hij pit op een bank in het koetshuis, te zuinig om een kamer te huren.'

'Hij is praktisch. Hij spaart, zodat hij kan trouwen.'

'Meid, jij gaat niet 's avonds in donker naar dat koetshuis.'

'Ik heb nooit niks tegen die man gezegd, mammy Cerise. Nog geen woord.'

Solange vond dat Wesley te hard werkte, te veel uren maakte, en op een avond in oktober, tijdens het eten, zei ze dat ook. Ze vond ook dat hij te veel dronk, maar dat zei ze niet.

Wesley streek met zijn hand over zijn ogen. 'Al die kersverse handelaren en kopers, die willen me natuurlijk allemaal "spreken" of me "op een whisky trakteren" of (ha ha) "me om advies vragen" omdat ze alles willen weten over een handel die ik wel begrijp en zij niet. De planters uit de Up-country worden belaagd door beginnende handelaren die prijzen bieden waardoor anderen geen winst kunnen maken.'

'Misschien moet je iets minder hard werken en sommige klussen aan anderen delegeren.'

'In deze hausse is iedereen die de moeite van het inhuren waard is al voor zichzelf begonnen.'

Ze veranderde van onderwerp. 'Onze kleine mammy is stapeldol op je trappenmaker.'

Hij ontspande zich. 'Hij is niet míjn trappenmaker, liefje. Ik zou die man niet herkennen, al zou ik over hem vallen. Hij is hoogstens van Jameson, of misschien van jou, aangezien jij de leiding hebt.'

'Jehu is een vrije zwarte en heel erg onafhankelijk.'

Hij haalde zijn schouders op. 'Hoe oud is Ruth nu? Een jaar of vijftien? Oud genoeg om over de bezem te springen als ze dat wil.'

'Zover is het nog niet. Ze zwijmelt vooral over die man, meer niet.'

'We zien wel hoe het loopt.' Hij hief zijn glas. 'Nog een jaar of twee van deze voorspoed, en ik heb voor jou en Pauline een klein fortuin verdiend.'

'Alleen Pauline?'

Hij fronste. 'Wat…'

'Je wordt opnieuw vader, lieverd. Als je jezelf tenminste niet voor die tijd doodwerkt.'

Hij bood haar zijn arm. 'Lieve, lieve Solange, laten we naar boven gaan om dat te vieren.'

Ruth en Pauline aten 's avonds steeds vaker in het koetshuis, waar de stukadoors mallen maakten en Jehu Glen de delen van zijn trap aan elkaar zette.

Op een middag, toen de anderen druk aan het werk waren in het huis, sloop Ruth op haar tenen zo dichtbij dat ze zijn zweet kon ruiken.

De trappenmaker keek niet op van de leuning die hij aan het schuren was. 'Een inferieure ambachtsman zou geen loon moeten krijgen. Die vent is niet beter dan een dief.'

'O.' Ruth deinsde terug.

Op een andere dag bood Ruth Jehu hun mand met eten aan. 'Neem wat,' drong ze aan. 'We hebben genoeg.'

Met een ondoorgrondelijk gezicht doorzocht Jehu de mand die ze met zorg had gevuld en koos voor een stuk kaas en een appel, die hij verorberde toen hij het huis in liep, mopperend tegen de stukadoors wier steiger hem in de weg stond.

Drie dagen lang nam Jehu Ruths eten aan, zonder dank je wel te zeggen en zonder zijn werk te onderbreken. Op de vierde dag, een rustige zaterdag, gaf hij haar de mand terug. 'Wie ben je, meid?'

Ruth zei dat ze Ruth was.

'Ben je een van die Franse negers?'

'Ik was een baby in Saint-Domingue.'

'Huh.'

De maandag daarop zweefden pluisjes stof in het zonlicht van het koetshuis en lag Pauline te dutten met haar mond open. Jehu draaide klemmen aan en legde gelijmde delen op de werkbank. 'Zeg eens, meid,' zei hij. 'Jameson betaalt me een dollar per dag. Wat ben ik die man waard?'

'Jehu...'

'Meer of minder dan een dollar?'

'Een dollar, denk ik.'

Zijn glimlach lichtte amper zijn gezicht op. 'Als hij een dollar betaalt, moet een arbeider een dollar waard zijn. Waarom zou Jameson in vredesnaam kerels inhuren die niet meer waard zijn dan dat hij ze betaalt? Jameson krijgt meer voor mijn werk dan hij mij betaalt, anders zou hij het zelf wel doen. Dat extra geld gaat naar zijn Kapitaal.'

'Ik weet niet...'

'Natuurlijk niet, natuurlijk niet. Je hoeft je geen zorgen te maken over geld. Dat hoeven bedienden nooit. Vrije mannen moeten dat wel, o jazeker.'

Jehu sprak over 'Kapitaal' als over 'Le Bon Dieu' of de 'Verenigde Staten van Amerika'. Jehu beschreef 'Kapitaal' zoals meesters een mooie vrouw of een snel paard beschrijven. Jehu had vierhonderdeenenzeventig dollar aan Kapitaal. Hij bezat beitels en schaven en winkelhaken en schietloodjes en een walnotenhouten gereedschapskist die hij zelf had gemaakt. Hij schoof de met fluweel beklede laatjes open alsof elke la een naam had. Die gereedschapskist nam een vooraanstaande plaats op zijn werkbank in, en elke avond stofte hij hem af, als afsluiting van de werkdag. Terwijl hij een volmaakte zwaluwstaart aanraakte, legde Jehu Ruth uit: 'Voordat je je meester mag noemen, moet je een meesterstuk maken.'

Jehu's Kapitaal lag in de kluis bij meneer Haversham, waar niemand het kon stelen, en op een dag, binnenkort, ging hij zijn Kapitaal gebruiken voor een eigen aannemersbedrijf, net zoals meneer Jameson had gedaan. Hij wilde slaven inhuren die door hun eigenaren tijdelijk werden verhuurd, want die werkten voor minder en liepen minder te zeuren dan vrije zwarten of Ieren. Als hij minder kosten had, hoefde hij minder voor zijn werk te rekenen, en dan móésten de blanken hem wel inhuren.

Jehu kneep zijn lippen op elkaar. 'Volgens prediker Vesey gaat mijn plan niet werken. Vesey zegt dat blanken een zwarte man nooit een kans zullen geven. Ze zijn bang. Zeg eens, meid, denk je dat blanken bang voor ons zijn?'

'O ja, zeker.' Ruth was zelf verbaasd dat ze dit zomaar zei en sloeg haar hand voor haar mond.

Hij maakte een afwijzend gebaar. 'Nou, dat zijn ze niet. Er is geen neger die een leger of een vloot of kanonnen heeft. Er is geen neger die een blanke bezit, dat is wel zeker.'

Na het werk en op zondagmiddagen gingen de vrije zwarten en Ieren uit drinken in de zeemanskroegen aan de haven, maar Jehu ging nooit mee. 'Een man die zijn Kapitaal niet kan vasthouden zal nooit wat klaarspelen,' zei hij tegen Ruth.

Ruth was Jehu's enige vriendin in Savannah, en Vesey was de enige naam uit Charleston die hij noemde. Denmark Vesey was 'gewoon een ruwe timmerman, snap je? Geen meester-ambachtsman. Wel een goeie prediker, met tongen van vuur, o ja. Als hij preekt, voel je het vuur van de hel!'

Voor de eerste keer in haar leven droomde Ruth van een bestaan met iemand anders dan Solange. Maar dat kon ze niet doen. Solange was opnieuw in verwachting, en Ruth zou voor beide kinderen mammy Ruth zijn. Zo gingen die dingen.

Ruth vroeg zich af wat ze zou verdienen als ze voor haar werk als mammy zou worden betaald. Zou Solange ook een mammy willen als ze die moest betalen, of zou ze dan zelf voor haar kinderen zorgen?

Jehu's dromen waren even mooi als de man zelf. Charleston was rijk als de farao, en een man als Jehu... Nou, een man als Jehu kon zijn eigen zaak beginnen, net zoals zijn vriend Denmark.

Hoewel meneer Jameson zich vreselijk druk liep te maken en zijn werklieden liet werken 'van zon op tot onder' was het Roze Huis in de tweede week van december nog niet klaar en waren de meubels die Solange in New York City had besteld nog niet in de haven aangekomen. Wesley leek bijna opgelucht. 'Een kerstbal had een grote kostenpost betekend.'

'Kostenpost?' Solange fronste. 'Wesley...'

'Ik ben blij dat we al die moeite niet hoeven te doen.'

'Dit jaar althans.'

'Natuurlijk, liefste, "dit jaar althans".'

Twee decennia lang hadden de echtgenotes van Savannah huwbare dochters onder de aandacht van de vrijgezel Philippe Robillard gebracht. Enkelen van de afgewezenen verklaarden dat een man die weerstand kon bieden aan zulke beeldschone, sierlijke en geschíkte meisjes een tikje ongewoon moest zijn, en met die nietszeggende omschrijving werd heel wat gesuggereerd.

Zonder aankondiging vooraf en tot algehele ontsteltenis trouwde de rijke Philippe opeens met een Muscogee Creek-vrouw van wie werd beweerd dat ze een prinses van dat barbaarse volk was. Dames van wie de dochters waren afgewezen briesten dat ze inderdaad maar beter een prinses kon zijn.

Niemand uit de gegoede burgerij woonde de bruiloft bij, waarvoor alleen neef Pierre en een paar Muscogee-familieleden waren uitgenodigd. Na de plechtigheid vertrok het gezelschap naar het huis van Pierre voor sherry, waaraan de Muscogee blijkbaar niet gewend waren. Een van hen werd gezien toen hij tussen Pierres rozenstruiken stond te spugen terwijl Nehemiah andere indianen in Philippes koets hielp die hen terug zou brengen naar hun bivak.

De volgende dag maakte Pierre een ongelukkige grap over 'het verlies van het weinige haar dat ik nog heb' die – met de nodige uitbundige gebaren erbij – uitgebreid werd herhaald in de beste salons van Savannah. Antonia Sevier beweerde stellig dat er vóór de christelijke huwelijksvoltrekking van meneer en mevrouw Philippe Robillard een heidens ritueel was uitgevoerd in het bivak van de Muscogee.

De nieuwsgierigheid naar de Muscogee-prinses was ongekend, en hoewel de visitekaartjes zich opstapelden op het dienblad in mevrouw Robillards hal was ze nooit 'thuis'.

Pierre Robillard beweerde dat de bruid van zijn neef een erg charmante vrouw was, maar ondanks weinig subtiel aandringen wilde hij er nooit meer over zeggen. 'Neef Philippe is een gelukkig man. Mijn dierbare familielid is eindelijk "in zijn element".'

Na een afwezigheid van tien jaar was het kerstbal van Robillard een legende geworden, een symbool van 'het oude Savannah' waar iedere dame beleefd was en iedere heer duelleerde. De inwoners van Savannah vonden het niet erg dat de uitnodiging van het echtpaar Evans nooit kwam en die van de Robillards wel. De uitnodigingen waren ondertekend door Philippe en Pierre, en onder de handtekeningen van de neven stond een krabbel die heel goed een Muscogee-vogel zou kunnen zijn, maar niemand wist precies welke vogel.

Geen van de vooraanstaande burgers van Savannah was sinds de begrafenis van Philippes moeder, twintig jaar geleden, bij hem thuis geweest, en iedereen wilde dolgraag weten wat de Muscogee-prinses van haar nieuwe huis had gemaakt. Wie sentimenteel was, hoopte dat het was hersteld in de oude glorie van voor de revolutie, toen het als hoofdkwartier van generaal Hower had gediend.

Vol blijde verwachting lieten de gegoede burgers hun koetsen opnieuw lakken, werden glanzende sieraden uit kluizen gehaald en werkten de naaisters van Savannah hun vingers krom om baljaponnen naar de nieuwste patronen uit Parijs te vervaardigen. In elke salon ontmoette Nieuwsgierigheid Speculatie, maar geen van beide werd bevredigd, hoogstens verder aangewakkerd.

Solange reikte haar man de uitnodiging aan. 'Ze is misschien een prinses, maar haar handschrift is een schande. Dat kan een kind nog beter.'

'Wat zegt dokter Michaels? Mag je in jouw kwetsbare toestand een bal bezoeken?'

Solange trok een pruillip. 'Hij zegt dat ik een gezond, blij kind zal baren. Hij zegt dat ik meer lichaamsbeweging moet nemen. We zitten niet meer in de donkere middeleeuwen, hoor.'

Hoorde Wesley haar wel? Hij was tegenwoordig zo snel afgeleid. 'Het is erg druk op de zaak. De planters…'

'Mijn lieve Wesley!' Ze nam zijn gezicht tussen zijn handen. 'Het is Kerstmis!'

'En daarna volgt het bal ter gelegenheid van de verjaardag van Washington en al die verrekte patriottische feestjes en daarna –'

'Kunnen we niet gewoon van elkaar genieten?'

Hij gaf zich gewonnen. 'Liefste, natuurlijk kan dat…'

Philippe Robillards houtskelethuis stond op de noordelijke hoek van Broughton Street en Abercorn Street. Twee orkanen en een brand die in de hele stad had gewoed, hadden het grootste deel van de houtskelethuizen van Savannah verwoest, maar dit gehavende, grijze en scheve huis had standgehouden. De buurt was niet langer modieus, en na de dood van Philippes moeder hadden zelfs haar trouwste vriendinnen verwacht dat hij een beter adres zou zoeken.

De eerste koetsen kwamen om acht uur aan. Flakkerende toortsen verlichtten bedienden die deze vervoermiddelen de weg wezen en de oudere gasten hielpen Philippes steile gele stenen stoepje te beklimmen. De dubbele deuren waren vanuit de hal erachter zo fel verlicht dat de vertrouwde gelaatstrekken van Nehemiah niet konden worden onderscheiden. Hij stond daar om de nieuwkomers te begroeten, waarna hij hen naar Philippes nukkige koetsier leidde, een Muscogee, die hun stola's weggriste. 'Goedenavond, juffrouw Solange, meester Wesley,' zei Nehemiah. 'We doen ons best. Dat doen we zeker.'

Het vrijgezellenpaleis van Philippe was niet vervrouwelijkt. De oudere gasten herkenden het behang in de salon waarvan de kleuren twintig jaar eerder feller waren geweest. Jongere dames benijdden de ouderen om hun slechte zicht omdat die niet goed konden zien wat zich achter de hoge, donkere kroonlijsten verborgen hield.

De dames zagen dat de draden van zwabbers aan de poten van het meubilair waren blijven kleven, maar ze lieten geen steek van hun gesprek vallen terwijl ze voordat ze plaatsnamen even hun stoel afveegden.

Balsemden, maretak en hulst kronkelden rond de randen van de stoelen, en aan de kroonluchter hing een grote slinger van Spaans mos.

Antonia Sevier vroeg zich af: 'Is mos niet heilig voor de wilden?'

In de salon die te vol stond met de meubels uit de vorige eeuw die nog van zijn ouders waren geweest stelde Philippe (die al meer gedronken had dan verstandig was) zijn prinses voor. 'Dit is mijn lieftallige echtgenote Osanalgi. Mevrouw Haversham, Osanalgi.' Hij grinnikte. 'Zegt u maar Osa, dat doe ik ook.'

Het haar van de vrouw was erg zwart, erg glanzend en kort afgeknipt. Haar overdreven baljurk was genaaid voor iemand die geen kippenvel kreeg bij het voelen van die stof. Osa's glimlacht zat op haar gezicht geplakt, en haar ogen schoten heen en weer.

'De Muscogee zijn de eerste bewoners van Georgia. Er zijn acht... misschien negen onderstammen, afhankelijk van hoe we hen indelen.'

'Ach, Philippe, dat is zo interessant. Mevrouw Robillard, u moet me er alles over vertellen.'

'Ja,' zei Osa, maar meer niet.

En dus gingen haar gasten verder.

Philippe had het stoffige, ouderwetse en o zo vertrouwde menuet verbannen, en toen zijn muzikanten de nieuwe (en volgens sommigen ongepaste) wals inzetten, gingen Philippe en zijn bruid op de dansvloer zo in elkaar op dat ze niet merkten dat er achter waaiers werd gefluisterd en dat gasten hardvochtig knipoogden.

Pierre vervulde de nevenplicht en danste keer op keer met weduwen en oude vrijsters. Sommige dames, die betere tijden hadden gekend, bleven hangen bij het buffet dat hun kieskeurige zusters versmaadden, ondanks Pierres verzekering dat er onder de donkerrode roux van de gumbo geen barbaarse lekkernijen verstopt zaten.

Maar een straffe punch sterkte het gemoed, en het duurde – ondanks de passen van de wals die tijdens het dansen zelf moesten worden geleerd, de zwijgende Muscogee-gastvrouw en de nukkige koetsier – niet lang voordat Philippes gasten het gevoel hadden dat het Kerstmis was. Ze wilden toch de prinses ontmoeten? Nou, dat was nu gebeurd. Nu konden ze er net zo goed het beste van maken. Haversham mengde zich met Sevier, Minnis met O'Hara.

Hun bedienden vierden feest in het souterrain. Mammy Cerise had mammy Antigone aangewezen om in de kinderkamer op de kinderen te letten, en de koetsier had een ongezellige vent opgedragen bij de paarden te blijven.

De keuken bestond uit bakstenen hoekjes en door kaarsen verlichte nissen naast een hoge schouw waar een ketel vrolijk borrelde. Pierre Robillard had Nehemiah een vat madera toevertrouwd. Mammy Cerise, gezeten aan het hoofd van een lange houten tafel, hield het vat met arendsogen in de gaten terwijl Nehemiah zijn plichten vervulde, knikkend wanneer een tinnen bekertje werd gevuld, afkeurend kuchend wanneer een bekertje te vaak werd volgeschonken.

De verdeelster van de madera had zichzelf niet karig bedeeld en legde Ruth het vuur aan de schenen over Jehu en persoonlijke kwesties die Ruth met niemand zou hebben gedeeld. Mammy Cerise wist hoe jonge meisjes waren. 'Ik ben er zelf ook eentje geweest.'

'Toe, mammy Cerise!'

'We zijn allemaal hetzelfde, kind, wij vrouwen hebben liefde nodig.'

Mammy Ruth vluchtte naar de kinderkamer, waar Pauline een blokkentoren aan het bouwen was die andere kinderen al even toegewijd afbraken. Mammy Antigone wuifde Ruths aanbod om haar af te lossen weg. 'Ik kan wel hier bij de kinders blijven. Ik vind kinderen aardiger dan grote mensen.'

Ruth hoopte dat mammy Cerise haar nieuwsgierigheid ondertussen op de geheimen van anderen had gericht, maar gewapend met madera en herinneringen aan wat ze zelf in haar jonge jaren had uitgevreten, nam mammy Cerise Ruth opnieuw onder vuur. 'Die Jehu is een sluwe. Op een dag heeft ie genoeg verdiend voor een vrouw en kinderen. Misschien zelfs voor een eigen huis.'

'Misschien wel.'

Mammy Cerise glimlachte, alsof ze nu was waarnaar ze al die tijd op weg was geweest. 'Heeft Jehu het wel eens over Vesey? Prediker Vesey?'

'Hij zegt dat het een goed christen is.'

'Ja ja, ja ja. Vesey is een vrije zwarte, net als Jehu. Hij heeft de loterij van Charleston gewonnen en zich vrijgekocht. Zei dat God hem het nummer heb gegeven. Vesey...' Mammy Cerise liet haar stem dalen tot een laag gemompel. 'Hij...'

'Hij wat? Ik ga elke ochtend naar de mis. Ik en Pauline gaan altijd.'

'Vesey is geen katholiek, liefje. Hij zegt dat hij voor de zwarten is.'

Ruths zwakke glimlach getuigde van respect voor iemand die ouder was dan zij.

Mammy Cerises wenkbrauwen kwamen bij elkaar. 'Ik weet het niet, kindje. Ik weet het gewoon niet. Daarom maak ik me zorgen.' Ze schonk Ruth een half bekertje madera in.

'Ik drink niet...'

'Dan wordt het tijd dat je begint. Er is niet veel goeds in deze wereld. Kinderen, de liefde van een goeie kerel...' Ze porde Ruth tussen haar ribben. 'En dit. Soms denk ik dat dit het beste is. Het is in elk geval voor het grijpen.'

Maar Ruth vond het niet lekker smaken, en zodra mammy Cerise de andere kant op keek, zette ze haar bekertje neer. Sommige mammy's zaten te lachen en lol te maken, maar stel dat hun kinderen hen nodig hadden?

Meester Wesley had een rood gezicht en zat te lachen met meester Haversham en meester Pierre. Meesteres Solange en meesteres Antonia zaten vlak naast elkaar te kletsen, alsof ze altijd al de beste vriendinnen waren geweest. Ruth trok aan meesteres Solanges mouw. 'Gaan we nu, mevrouw? Kleine Pauline moet naar huis.'

'Het is Kerstmis, kind. Ik mag toch één avond per jaar mijn zorgen wel vergeten?'

Ruth kon niet bedenken welke zorgen meesteres Solange zou moeten vergeten. 'Ik ben bij juffrouw Pauline,' zei ze. Op het stokoude bankje in de kinderkamer lagen twee slaperige peuters tegen mammy Antigone aan gevlijd, die met een langzame knipoog een oog opende.

Ruth ging in de hoek zitten, met haar rug tegen de warme schoorsteen, en sliep onrustig, elke keer ontwakend wanneer een mammy haar kind kwam halen. Toen Nehemiah Ruth wakker schudde, was haar mond kurkdroog en voelde het alsof er zand in haar ogen zat.

In de ontvangsthal gaf Nehemiah Ruth de slapende Pauline aan. Omdat Philippe er niet meer toe in staat was, nam Pierre Robillard afscheid van de gasten van zijn neef. 'Mevrouw Evans, wat fijn dat u zich verwaardigde te komen. Philippe was zo dankbaar dat u en Wesley ons samenzijn met een bezoek wilden vereren.' Hij fluisterde: 'Volgens Philippe is het echtpaar Evans "de crème de la crème" van Savannah.'

Solange, die Pierre anderen hetzelfde compliment had horen geven, glimlachte. 'Onze gastvrouw?'

Pierre keek om zich heen. 'Misschien is ze…'

Toen Solange terugkwam in de salon zaten er twee dronkaards in stoelen te slapen en protesteerde de bebaarde kerel die in een hoek lag opgerold tegen zijn bediende: 'Wil niet weg. Slaap hier wel.'

Mevrouw Philippe Robillard had haar handen in de gumbo gestoken, tot aan haar polsen, en de roux druppelde over haar baljapon. Ze liet iets – een garnaal? worst? – terug in de terrine vallen. Haar ogen probeerden weg te rennen.

'Zeg,' zei Solange tegen het meisje. 'Zeg, je bent…' Solange raakte haar eigen zwangere buik aan. 'Net als ik.'

In een opwelling greep Osa Solanges hand vast. 'We praten?' zei ze. 'We praten?'

Solange vocht tegen de opwelling het vet van haar hand te vegen en hield haar hoofd scheef. Ze spraken tien minuten lang met elkaar – twee aanstaande moeders – totdat Osa ophield met beven en haar blik rustiger werd. Toen Solange zei dat ze moest gaan, doopte de gastvrije Osa een kommetje in de terrine en bood dat haar gaste aan. Voorzichtig en weloverwogen pakte Solange met haar vingers één grijsbruine garnaal en at die overdreven genietend op. Osa straalde.

'We zijn allebei vluchtelingen,' zei Solange. 'Savannah kan zo wreed zijn.' Ze veegde haar vingers af aan het tafelkleed. 'Vluchtelingen moeten iemand worden die ze niet waren.'

Ruth droeg Pauline naar het rijtuig. Omdat Wesley heel erg dronken was, legde Solange Pauline op het voorste bankje en ging Ruth bovenop naast de koetsier zitten. Ruth was niet moe, helemaal niet. De wintersterren waren zo fel.

De volgende morgen was het koud in huis, totdat mammy Ruth de haard in de salon aanmaakte. De kokkin maakte havermout. Solange kwam gapend naar beneden. Haar haar was ongekamd, ze had haar gezicht niet gewassen, en de maquillage van de avond ervoor was uitgesmeerd als – Ruth giechelde niet – de oorlogskleuren van een indiaan. Solange nam Ruths havermout in beslag en eiste koffie – 'kook er cichorei in mee' – en de ochtendkrant.

Solange was met haar tweede kopje bezig toen ze snoof en op een advertentie met een zwart kader tikte. 'Lieve moeder van God.' Ze schudde vol ongeloof haar hoofd.

Ze las hardop de advertentie van de president van Haïti voor, die gratis land beloofde aan alle Amerikaanse vrije gekleurde ambachtslieden die bereid waren te emigreren. 'O, hemel. O hemeltje, Ruth. Moet ik nu bang zijn dat jij en je meester-trappenmaker naar Haïti gaan?'

Ruth glimlachte. Bijna. 'Dank u, nee, mevrouw. Ik ben mammy Ruth Fornier. Ik ben Amerikaans.'

Solange wreef over haar voorhoofd. 'Ja, ik neem aan van wel.' Ze vouwde de krant op en legde die neer. 'Ze is intelligent, weet je dat?'

'Mevrouw Robillard?'

'Ze heeft geen dokter. Die kennen ze bij haar volk niet, of in elk geval niet ons soort dokters. Aan Philippe heeft ze niets. Ik zal dokter Michaels vragen of hij haar bezoekt.'

Ze wendde zich fel tot Ruth. 'Heb je gezien hoe wreed mensen zijn? Hoe vreselijk wreed? Osa is de vrouw van de rijkste Fransman in Savannah, maar o, wat zitten de gegoede dames vanmorgen te giechelen bij hun thee en toast. Prinses Osa. "Die arme, arme prinses Osa. Onbeschaafd en zó indiaans!"' Ze veegde een lok haar van haar voorhoofd. 'Mijn dierbare Pauline. Hoe zal zij zich gedragen wanneer ze net zo oud is als Osa? Zal ze uit de pas lopen, excentriek zijn, worden bespot? Of zal mijn dochter een van de gelukkigen zijn die de toon zet voor anderen?'

Ruth zei tegen haar meesteres: 'Mammy Cerise zegt dat we allemaal liefde nodig hebben. Liefde is het antwoord op alles.'

Solange legde haar handen tegen haar voorhoofd. 'Mammy Cerise! Mammy Cerise! Het toonbeeld van goede smaak en decorum! O hemel, o hemel.'

'Mevrouw, wat is er verder…'

'Pauline wordt geen bediende, Ruth. Ze gaat niet voor de kinderen van een ander zorgen. Ze zal iemand met een behoorlijk inkomen trouwen, of iemand van wie wordt verwacht dat hij dat gaat verdienen. Mijn Pauline en…' Solange raakte met een teder gebaar haar buik aan. '…en dit kleintje zullen gelukkig tussen hun gelijken leven, de voordelen van beschaving kennen en goede daden verrichten voor de minderbedeelden. Pauline moet zichzelf zijn, maar ze mag niet opvallen – niet zoals die arme Osa, of zoals ik toen ik hier pas woonde. Wat hebben ze gefluisterd: "Die arme vrouw! Nog zo'n 'tragische' vluchtelinge van Saint-Domingue!" Ze bleven fluisteren totdat ik mijn geld had gekregen.'

'Maar mevrouw. U valt altijd op.'

Solange veegde dat compliment met een handgebaar van tafel. 'Mammy, ik moet je op de hoogte stellen van de regels, nee, de gebóden, van de gegoede kringen.' Ze boog haar hoofd, alsof ze zat te bidden. 'Als je iemand wilt zijn…' Ze zocht naar woorden. '… moet je eerst de indruk wekken dat je iemand bent. Osa's vader is een dwingeland. Daarom is hij qua gedrag, kleding en taalgebruik precies zoals zijn wilde onderdanen denken dat een dwingeland zich gedraagt. Begrijp je dat?'

'Ik heb nooit geen dwing… Ik heb nooit niks gezien, mevrouw.'

'Ah, dat heb je wel. Wanneer Wesley naar beneden strompelt, lijkt hij wellicht geen dwingeland, maar dat wordt hij wel zodra hij naar buiten stapt om zaken te doen. Meneer Haversham, met zijn o zo dure, o zo zwarte pak, dat is een dwingeland. En Pierre Robillard is er ook eentje, ondanks zijn ouderwetse gewoonten en maniertjes. Ze zijn dwingelanden omdat ze passen bij ons idee over wat ze zouden moeten zijn. Als Paulines onderwijzeres moet je bedacht zijn op alles wat een jongedame onderscheidt van simpelweg een vrouw of een…' Ze kromp even ineen. '… een sloerie of een del. Dat onderscheid is even belangrijk als precair. Degenen die op een goede afkomst en verfijnde manieren kunnen bogen, onderscheiden zich door het vertoon van decorum.'

'"Decorum", mevrouw?' Hoewel Ruth niet wist wat dat was, zou ze doen wat haar werd gezegd.

Solange was te geslepen om tekenen aan de wand te negeren. Een voor-aanstaande katoenhandelaar, een volle neef van mevrouw Sevier van vaderskant, werd dood aangetroffen in zijn kantoor, waar hij zich van het leven had beroofd door een dosis bittere arsenicum op te lossen in een glas bijzonder oude en bijzonder goede bourbon. Katoen van hoogstaande kwaliteit bracht vier cent per pond op – als er al een koper te vinden was. Een veldslaaf, gezond en gehoorzaam, kon voor vierhonderd dollar worden verkregen, de helft van wat hij een jaar eerder had gekost. De kade stond vol katoen, als een verzameling schimmelende sneeuwhopen, in de steek gelaten door planters uit de Upcountry die het niet hadden kunnen verkopen en terug naar huis waren gegaan.

Misschien omdat ze niet aan die sneeuwhopen wilde denken, las Solange voor aan Pauline (die luisterde wanneer haar pop of jonge poesje niet haar aandacht opeiste) en aan Ruth, die gefascineerd was door de zelfverzekerde verboden uit het kleine etiquetteboek.

'"Een dame spreekt niet over zichzelf. Ze laat anderen haar prijzen."'

'Maar als ze nou iets bijzonders heeft gedaan?'

'"Anderen kunnen door vragen te stellen op de hoogte worden gebracht van haar verrichtingen." Pauline, je moet populaire uitspraken vermijden. "U kunt op mij rekenen" is een duidelijk teken van bedrog. "Kort gezegd" is de voorbode van een ellenlang verhaal. En "Ik wil niet opscheppen" zijn de woorden van een pocher.'

Op elke regenachtige, winterse dag die Pauline binnenshuis hield, haalde Ruth het etiquetteboek tevoorschijn.

'"Mocht een dame iets ongepasts ter ore komen, dan dient zij de spreker onmiddellijk te onderbreken en deze van repliek te dienen. Is de spreker niet in toom te houden, dan mag de dame zich verwijderen zonder dat haar waardigheid is geschonden. De chaperonne van een jongere dame mag tussenbeide komen indien ongepast gedrag louter onbeleefdheid is."'

Enzovoort.

Wesley gebruikte de maaltijden met zijn familie en was lief tegen Solange en Pauline, maar na het eten keerde hij terug naar kantoor en sliep daar, grappend dat zijn aanwezigheid 'de deurwaarders uit de buurt' hield.

Ruth sliep slecht. Er hing te veel nevel over de familie, er klonken te veel stemmen van geesten.

Het was of decorum de prijs die de fabrieken voor katoen betaalden kon doen stijgen en de stapels katoen van de kade kon laten verdwijnen, zo meedogenloos zette Solange haar lessen voort. '"Een dame dient haar kleding te variëren om te voorkomen dat zij die niets beters te doen hebben haar met hun beschrijving van haar japon verwarren. In gegoede kringen waardeert men de vrouw die niet onmiddellijk de laatste mode volgt, maar zich richt naar wat hoger geplaatsten doen."'

'U bedoelt dat ze aantrekt wat die andere dames aantrekken.'

'Inderdaad. "Een jonge dame kleedt zich in japonnen met een bescheiden snit, zonder een overdaad aan versieringen, zodat haar bewonderaars niet zullen denken dat ze van luxe houdt."'

Tijdens het avondeten zei Wesley: 'Haversham vraagt om terugbetaling van leningen. Het is niet zijn eigen idee, dat moet je hem nageven. Maar hij is het sloofje van Philadelphia. Toch is het verrekte jammer.'

'Hoort de Bank of the United States niet juist te lenen? Om de handel aan te moedigen, bedoel ik.'

Wesleys glimlach was veelbetekenend en bitter. 'Een halfjaar geleden kon iedere man die in volle zonneschijn een schaduw had een lening krijgen. "Meneer, hebt u echt niet méér nodig?" Een goede reputatie en krediet betekenden niets. De bank stak geld in dwaze types die onder de prijs van eerlijke mannen zaten. Nu wil de bank dat die dwaze types alles terugbetalen. En omdat zij niet kunnen betalen wordt hun mislukking onze mislukking.'

De volgende morgen legde Solange uit waarom een ongetrouwde dame niet te veel mocht eten. '"Ze mag niet de indruk wekken dat haar lusten niet te bevredigen zijn."'

'Maar als haar maag nou rammelt?'

'Een meisje mag eetlust hebben. Een meisje zál ook eetlust hebben. Maar daar moet ze niet aan toegeven. Geïnteresseerde heren geloven niet dat keurige meisjes lusten hebben, en alleen roekeloze meisjes zullen hen uit de droom helpen.'

Solange noemde de voorspoed van de O'Hara's als een les. 'Voorzichtigheid, Ruth, is het machtigste gereedschap van een dame.'

Pauline lette niet echt op, maar Ruth was bijzonder leergierig. Ze moest doorgaans de meeste dingen zelf ontdekken, en onderwezen worden was een zeldzaam genoegen.

Wesley had het Roze Huis in het nieuwe jaar nog niet bezocht.

Toen Solange meneer Jameson vertelde dat die het werk aan het huis moest staken, wierp hij tegen dat het binnen zestig dagen voltooid kon zijn.

'Ik kan uw laatste rekening betalen,' zei Solange, 'maar daarna niet meer.'

Jameson vertelde haar dat het reservoir in de zolder wel was geïnstalleerd, maar niet op de leidingen was aangesloten, dat de lambriseringslijsten in de centrale hal nog niet waren bevestigd, dat de wenteltrap geen balustrades en leuningen had en nog niet was gelakt. Het Roze Huis was, kortom, nog niet af.

Solange wist een glimlach op te lepelen. 'Als u dat zegt, meneer. Maar we hebben niet langer de middelen om het af te maken.'

Meneer Jameson maakte boze tegenwerpingen. Hij vroeg of ze wel had gedacht aan de werklieden die hij had opgetrommeld, mannen zoals hij, die een gezin te onderhouden hadden.

'U kunt hen opnieuw optrommelen als de tijden beter zijn,' zei ze.

Deze zwangerschap was moeizamer dan Solanges eerste, en de lenteregens hielden haar vaak binnenshuis. Op een bewolkte dag, toen Solange een bezoek bracht aan het Roze Huis, waren de bouwvakkers bezig steigers af te breken en laadde Jehu een gammele wagen vol hout. Er daalde zo'n somberheid over Solange neer dat ze zich op een vat vol spijkers liet zakken, uit alle macht proberend niet flauw te vallen.

Toen ze haar ogen opende, stond Jehu voor haar. 'Wilt u water, mevrouw? Kan ik iets doen?'

'Nee, nee.'

'Meneer Jameson komt hier niet meer. Moet ik meester Wesley halen?'

'Nee, het gaat wel. Duizelig, meer niet.'

Hij hielp haar overeind. Wat deed haar rug toch pijn. Wat zou ze blij zijn als dit allemaal voorbij was.

Jehu schraapte zijn keel. 'Ik wilde nog met u praten, mevrouw. Over dat meidje Ruth.'

'Niet nu,' zei Solange. 'Niet nu.'

Drie dagen later, op een zondagmorgen vol beierende kerkklokken, stond Nehemiah op het stoepje bij haar voordeur met zijn hoed in zijn hand en een uitdrukking op zijn gezicht die ze nooit eerder had gezien. Hij barstte van het nieuws dat hij liever niet wilde delen. Nadat hij het had verteld, hielp hij haar het huis in, waar Solange flauwviel.

Vanaf de Factors Walk, een meter of dertien boven hem, zag Wesley eruit als een dode merel met zijn mantelvleugels uitgespreid over natte kasseien, een merel die tegen een ruit was gevlogen en fladderend en stervend op de kade eronder was gevallen.

'Het was vreselijk glad, mevrouw,' luidde Nehemiahs verklaring voor Wesleys val. 'Niemand kan zijn evenwicht bewaren. Nat katoenafval, dat is gladder dan wagensmeer.'

Plukken van het waardeloze pluis bedekten het trottoir, de trappen, de goten; het was overal. De rivier bulderde en smeet vuil schuim tegen de kaden. Wesley was nooit stil geweest. De mensen die kalm om hem heen dromden, waren niet zo stil als Wesley nu was. Waar was Wesleys beweging gebleven? Solange sloeg een kruis. Gingen methodisten naar de hemel? Daar had ze nooit over nagedacht.

'Hoe?'

'Dat heb niemand gezien, mevrouw.'

Een toeschouwer zag Solange en Nehemiah op de Walk staan, en de cirkel werd wijder om de nieuwe weduwe een beter zicht te bieden. Solange begon te huiveren en was blij dat het huiveren opeens vanzelf weer ophield.

'Wil mevrouw...?'

Die trappen, die kaden: ze moest honderden keren zijn afgedaald zonder ook maar een keer te merken hoe hard en krassend de meeuwen krijsten. Toen Solange de leuning losliet, deed haar hand pijn.

Mannen namen hoeden af en stapten mompelend en ritselend opzij. Wesleys hoofd was in een onnatuurlijke hoek gedraaid, en zijn haar was voor zijn ogen gevallen. Zijn wang lag in een plasje donker vocht.

Na een tijdje pakte Nehemiah haar bij de arm. Wat zou Ruth denken? En de arme Pauline? En wie was weduwe Solange? Wanhopig greep ze Nehemiahs vriendelijke arm vast.

Pierres nieuwe rijtuig bracht Solange, Pauline en Ruth naar de methodistenkapel. Ze reden, mogelijk op verzoek van Pierre, door Abercorn Street, waar de slappe rouwband aan de voordeur van Philippe Robillard getuigde van het verdriet om Osa's doodgeboren baby. Er was geen katholieke begrafenis geweest. Sommigen zeiden dat de baby door de Muscogee was begraven.

Pierre had de kistenmaker ingehuurd en Pierre deelde vóór de dienst de aandenkens uit: zwarte glacéhandschoenen voor de dames, donkere zakdoeken voor de heren. De aanwezigen waren Pierres vrienden en zakenlieden die Solange amper kende. In hun kerkbank zaten de in het zwart geklede Philippe en Osa dicht tegen elkaar aan. De O'Hara's stonden achter in de kerk.

Solanges gedachten gingen van de bloemen op het altaar via de met fluweel afgewerkte toga van de dominee naar de geur van de waskaarsen. Ze kon zich geen voorstelling van de volgende dag maken. Wesley en Solange: hun 'is' was een 'was' geworden.

Aan de rand van het graf gaf ze Pauline een roos die ze op de kist van haar vader kon leggen, en Ruth schoof iets gewikkeld in blauwe stof tussen de bloemen. Solange liet zanderige aarde op de doos vallen.

De hemel had de kleur van Spaans mos.

Terug in Pierres rijtuig maakte de stank van pas gelooid leer en klauwenvet Solange misselijk. Ze slikte. Het zwarte kant van haar rouwjapon spande zich als ankerkettingen over haar uitpuilende buik.

Bij Pierre thuis gaven mannen en vrouwen die ze wel en niet kende haar klopjes op haar hand en boden hun deelneming aan. Waarom zou ze hen geloven? Hun geliefden leefden nog! De gebroeders O'Hara deden in elk geval geen poging haar aan te raken. 'We vinden het heel erg voor u, ma'am.'

De drinkers dronken, de hongerigen stelden zich op bij het buffet. Philippe kon geen woord uitbrengen: zijn verdriet om zijn doodgeboren kind had de overhand. Twee andere gasten waren geheel in rouwkleding gehuld; andere droegen rouwbanden, weer andere heren hadden rouwlinten in hun knoopsgat. Antonia Sevier omhelsde haar. Had Antonia niet onlangs een zuster verloren? Degenen die waren gekomen vanwege de dood van haar Wesley waren als een klif die in zee stortte, meter voor meter, geliefde voor geliefde. De cognac die Nehemiah haar gaf, smaakte naar water.

Ruth voerde Pauline taart en beschermde haar tegen de uitvoerige condoleances van de volwassenen die het kind aan het snikken maakten.

Solanges ogen lekten.

Wat moest ze beginnen? Wat te doen? Ze had altijd iets gedáán. Iets. Ze had altijd iets gedáán.

Alles was een waas. Waarom kon ze niet door die verrekte nevel heen kijken?

Ze greep Pierre Robillard bij zijn arm. 'Pierre, mijn beste Pierre. Je moet me helpen. Ik moet de zaak verkopen.'

Hij gaf haar een klopje op haar hand. 'Ja, mijn beste Solange.'

'Ik heb weldra geld nodig. Nu Wesley er niet meer is…'

'Arme Wesley, mijn goede, goede vriend.' Pierre snikte. Hij trok een veel te grote zakdoek uit zijn mouw en snoot luidruchtig zijn neus. Solange strekte haar lege hand uit.

'Pierre. Je moet me helpen Wesleys zaak te verkopen.'

'O, mijn beste. O, mijn beste…'

Solange vocht tegen de neiging hem te troosten. Pierre was zo hulpeloos. Meneer Haversham condoleerde haar. Zijn vrouw stond bij de deur, klaar om te gaan. Droeg mevrouw Haversham nu een rouwbroche? Een geliefde neef? Solange had iets vernomen…

Het gezicht van meneer Haversham zag grauw, en zijn voorheen zo vlezige wangen hingen als bij een bloedhond aan zijn jukbeenderen. Zijn ogen waren bloeddoorlopen, zo felrood dat het pijnlijk moest zijn.

'Wat aardig dat u kon komen,' zei Solange.

Toen ze waren vertrokken, vroeg Solange aan Pierre: 'De neef van mevrouw Haversham?'

'John Whitemore, ja. John was een van de vrijwilligers van generaal Jackson. Zijn oorlogswonden…'

'We rouwen allemaal, iedereen hier…'

Die gedachte zorgde bij Pierre voor verse tranen.

'Je dierbare Louisa, je geliefde Clara. Je mist hen vast zo erg.'

'O, zeker! Zeker!'

'Pierre, ik moet ons huis verkopen. Ik trek in het Roze Huis.'

'Wát?' Hij veegde zijn ogen af.

'Ik kan me geen twee onderkomens veroorloven.'

'Hemeltje. Hemeltje. Solange. Maar uw Roze Huis is niet af.'

'Het sanitair niet, nee, maar ik heb mijn hele leven zonder gedaan, ik red me wel.'

'De slaapkamers?'

'Nog niet af. Maar het dak is nieuw, de buitenkant is af; de deuren en ramen zitten erin. Ik heb zelfs een fraaie mahoniehouten wenteltrap. Of in elk geval een deel ervan…'

Waarna ze beiden huilden om hun geliefden en mooie dromen die tot niets hadden geleid.

De volgende morgen vroeg kwam Nehemiah langs met wagens en ver- huisden mannen van O'Hara Solange naar het Roze Huis. Zij, Ruth en Pauline reden met de eerste vracht mee, en Pauline rende door het grote, lege huis, haar verdriet vergeten.

De mannen van O'Hara zetten banken en kastjes in de salon. De on- voltooide salon moest als Solanges slaapkamer dienen, en Ruth en Pau- line zouden de kleinere kamer delen die Wesleys kantoor had moeten worden.

'Meester Wesley zal nu wel lachen,' meende Ruth. 'Als hij Pauline en mij hier ziet!'

'Lachen?' Woedend. 'Hoezo, wat bedoel je?'

'O, meester Wesley, die wilde alles uit mekaar houden. Hij met zijn za- ken op de zaak. Nu gaan we snurken tussen zijn zaken.' Ruth grinnikte.

'Hoe weet jij nu wat Wesley denkt? Dacht?'

Ruth liep naar een porseleinkast met een glazen deurtje die onvoor- zichtig naar binnen werd gedragen en antwoordde afwezig: 'O, ik praat met hem. En met meester Augustin.' Tegen de mannen van O'Hara zei ze: 'Pas op daarmee! Dat is glas!' Haar ogen vonkten. 'Ze geven om u, me- vrouw. Allebei uw mannen zorgen voor u.'

Solange bespeurde een ongewoon licht langs de randen van haar ogen en de kalmte die voorafging aan hevige hoofdpijn. Ze slikte gal weg. Vro- lijker dan ze zich voelde, zei ze: 'Hier zullen we gelukkig zijn. Zodra ik ons andere huis heb verkocht zullen we ons goed kunnen redden.'

Nu de betovering was verbroken, antwoordde Ruth met haar gebrui- kelijke vrolijkheid: 'Ja, mevrouw. Dat zeker. U hebt u altijd kunnen red- den, dat blijft zo.' Ze bewoog haar vinger waarschuwend voor de mannen heen en weer. 'Doe daar voorzichtig mee. Dat is niet van jou, en als 't breekt, moet je het betalen en dat kun je niet.'

Solanges vertrouwde meubels leken op drift in de veel grotere kamer, en haar vloerkleden waren eilanden in een zee van gele grenen vloeren. De gedachte 'We hadden hier gelukkig kunnen worden' kwam bij haar op, onuitgenodigd, en ze knipperde die weg en beval de mannen van O'Hara haar hemelbed (haar bed, niet hun bed) tegen een andere muur te plaat- sen.

Ruth nam Pauline mee voor haar dutje.

Enige tijd later, toen Solange op dat bed zat met haar hoofd vol rondtollende gedachten, kwam Ruth naar haar toe, van streek.

'Wat nu?'

'Mevrouw. U moet mee naar het koetshuis. Kom alstublieft.'

'Maar…'

'Iemand wil met u praten. Hij wacht in het koetshuis.'

'Later, Ruth. Ik moet even rusten. Zeg maar dat ze later terugkomen.'

'Dat kan-ie niet! Hij gaat weg!'

Solange zag twee flikkerende Ruths naast elkaar, die zich van elkaar losmaakten en weer bij elkaar kwamen. Ze was bang dat ze zou gaan braken.

'Goed dan. Als het zo belangrijk is. Haal een glas water voor me.'

Terwijl Ruth deed wat haar werd gevraagd, liep Solange naar het koetshuis. Het lege deurkozijn trilde. De ongewassen ruiten glansden onheilspellend.

Jehu Glen was op de lege werkbank beitels aan het slijpen. Rasp, wrijf, rasp, wrijf, rasp, wrijf. Hij druppelde olie op de steen.

'Waarom ben je hier? Heeft meneer Jameson je niet betaald?'

Jehu draaide zich plotseling met een ruk om, te plotseling, en trok zijn hoed van zijn hoofd. 'Pardon, mevrouw, ik hoorde u niet komen aansluipen. Dit zijn beitels van Sheffield-staal en ik moet er goed voor zorgen.' Hij streelde een houten handvat.

Solange had zin om te schreeuwen. Ze likte haar droge lippen af. 'Je bent hier klaar.'

'Ja, meesteres. Ik kom terug als u de trap wilt afmaken. Ik heb nog maar twee weken nodig.'

'Niet nu.'

'Ja, mevrouw, dat weet ik. De trap kan altijd afgemaakt. U zegt het maar en ik kom.'

'Jehu. Ik voel me niet goed en je moet gaan. Nu.'

'Meesteres Evans, ik kan pas gaan als ik u mijn voorstel heb gedaan. Ik zit al de hele dag te wachten.'

'Je voorstel… dat… dat kan wachten.'

'Nee, meesteres, dat gaat niet meer. Ik heb mijn wagen volgeladen, mijn muilezel gekocht, en ik ben klaar om te gaan. Ik was gisteren al klaar.'

Solange voelde iets koels tegen haar hand. Ruth was haar water komen brengen. Ze bracht het glas naar haar lippen en slikte.

'Ik heb het hout gekocht dat meneer Jameson niet meer nodig heeft. Ze betalen in Charleston goed voor walnoot en kersen.' Jehu schudde zijn hoofd vanwege dat verbazingwekkende gegeven. 'Hier heb ik de factuur van meneer Jameson.'

Solange zag dat het papier dat hij uit de zak van zijn vest haalde beschreven was. Ze herkende de handtekening van Jameson.

'Het spijt me van meneer Evans. Hij was…' Hij zocht naar een woord. 'Hij was echt erg aardig.'

'Ja, dat was hij.'

Jehu zette zijn hoed op, maar rukte die toen weer van zijn hoofd, alsof zijn hand hem had verraden.

Ruth zei: 'Jehu…'

'Ik wil met juffrouw Ruth trouwen.'

Solange kneep haar ogen dicht, maar deed ze weer open toen ze begon te wankelen. 'Je wilt over de bezem springen. Omdat Ruth mijn bediende is en jij een vrije zwarte, zorgt dat voor problemen die we moeten oplossen als jij naar de stad terugkeert.'

'Ik kom niet terug.' Toen, opgewekter: 'Pas als meneer Jameson me laat komen. Prachtige trap, mevrouw. Nog maar veertien dagen werk.'

Solange gaf Ruth het lege glas aan. 'Later,' zei ze. 'Kom later terug.'

'We springen niet over de bezem, mevrouw. Ruth en ik willen in de kerk trouwen. Waar iedereen bij is. Totdat de dood ons scheidt.'

'Dat zal niet gaan. Ruth is mijn… Ruth hoort bij mij.'

Zijn blik was zo verhit, zo vastberaden! Jehu's gezicht werd vaag, en Solange hoorde zijn stem alsof hij onder water sprak. 'Ik ben goed met mijn handen.'

Solange dacht, stom: o. Je bent goed met je handen.

'Maar ik ben geen prater.'

Solange dacht: dat klopt.

Hij zei: 'Ik koop Ruth. Ik heb geld.'

Naast haar fluisterde Ruth: 'Toe maar, Jehu. Laat mevrouw je geld maar zien.'

Ruth – haar Ruth – was een gedaante: een zwarte, vage gedaante. Solange moest een koel, donker plekje zoeken. De ramen van het Roze Huis hadden geen gordijnen. Er waren geen donkere kamers waar ze kon gaan liggen terwijl Ruth een koude doek op haar voorhoofd legde. 'Morgen. Ik zal hier morgen over nadenken.'

'Mevrouw Evans, met al die regen staat het water in de rivieren steeds hoger en ik moet gaan. Ik ga, met of zonder Ruth. Ruth zei dat geld nu wel welkom is.'

De man knoopte een leren buidel aan zijn riem los, legde die op de werkbank en telde zorgvuldig munten van tien dollar uit, *gold eagles*, acht stapels van vijf. Hij hurkte neer om elke stapeltje van dichtbij te bekijken, om te zien of ze allemaal even hoog waren. 'Ik had vorig jaar misschien vijfhonderd kunnen geven, maar de prijzen zijn gezakt en vierhonderd is meer dan redelijk. Gisteravond nog bracht een meisje als Ruth – maar minder aantrekkelijk – driehonderd op in het veilinghuis. Vierhonderd is meer dan redelijk.'

Solange vroeg met schorre stem: 'Ruth?'

Ruth kneep haar hard in haar hand. 'U bent goed voor me geweest, mevrouw. Ik zal u en Pauline missen. Ik wil weg. Ik wil mevrouw Jehu Glen worden.'

Solange jammerde: 'Maar wie moet er dan voor mij zorgen?'

Zoals je je voordoet, zo ga je worden

*T*erwijl de zonsopgang het moerasgras verguldde, verlieten een slungelige koffiekleurige man en een bijzonder zwarte vrouw Savannah via de King's Highway. Zij zat op een gereedschapskist in een afgetakelde wagen naast een stapel planken kersen-, walnoten- en mahoniehout in verschillende lengten. De man voerde een oude muilezel mee, die geneigd was tot veelvuldig balken.

Ruth genoot van de voorjaarsbloemen, van de kleine kikkers die piepten, van de grote kikkers die kwaakten, en van al die vogels die boven de lisdodden en de jonge haver vlogen en duikelden. Ruth wist precies hoe ze zich voelden, omdat zij zich ook zo voelde!

De King's Highway was niet geschikt voor een koning; het was een smal zandpad met hier en daar wat schelpen, en op plekken waar de weg een beekje kruiste, waren planken of balken neergelegd. Soms moest Jehu zijn broekspijpen oprollen en door het water waden, de balkende muilezel met zich meetrekkend.

Ze zochten de berm op om andere wagens en ruiters te laten passeren, en ook een rij van tweeëntwintig aan elkaar geketende slaven, met aan het hoofd een slavenhandelaar die zat te knikkebollen in het zadel en als hekkensluiter een stevige neger met een lange zweep op zijn schouder. De slaven hadden geen oog voor Ruth en Jehu of de moerasvogels of de lisdodden. Zij zagen alleen de deinende billen van het paard van de handelaar of de rug van de slaaf voor hen. Hun voeten bewogen met een zoevend geluid door het zand, hun ketens rinkelden, een van hen ademde luid en raspend en een ander kermde.

Toen ze passeerden, namen ze het licht met zich mee, en het duurde even voordat Ruth weer om zich heen keek. Ze hoorde het geklop van de hoeven van de muilezel en het eentonige, voorspelbare gekraak van een as die moest worden gesmeerd. De hemel was grijs geworden, het moeras strekte zich uit naar een rechte horizon, en die wegschietende vogels doodden en verslonden elk wezen dat ze zagen. Ruth huiverde en trok haar omslagdoek om zich heen.

Ze reden verder totdat de schemering inviel, en toen ze halthielden, deelden ze een brood en een stuk harde kaas. Jehu spande de muilezel uit en kluisterde hem, en ze gingen onder de wagen liggen slapen. Jehu was te moe om te praten en Ruth durfde het niet. Eén verkeerd woord kon tot van alles en nog wat leiden. Van alles! Ze vlijde zich tegen Jehu's rug aan, drukte haar knieën in zijn knieholten en sliep.

De volgende morgen bereikten de pelgrims de uitgestrekte Port Royal Sound. Een ver stipje werd uiteindelijk een veerboot met een vergeeld driehoekig zeil. De veerman riep vanuit zijn zitplaats bij de boeg aanwijzingen naar twee slaven zonder hemd wier gescheurde broeken de spot dreven met de goede zeden. De veerman spuugde zijn sigarenpeuk uit terwijl de stuurman het roer losliet en naar voren rende om het vaartuig vast te maken aan de drijvende steiger.

Snel stapte de kapitein aan land en vroeg om papieren. 'Ik heb vorig jaar vier weglopers gepakt.' Hij liet zijn vinger over Jehu's verklaring van vrijlating glijden. 'Vijftig dollar beloning voor de veldslaaf, dertig voor de huisslaaf, twintig voor haar jong. Natuurlijk moest ik dat delen met de slavenjager,' bekende de man somber, 'maar het was gemakkelijk verdiend. Niemand wilde de oude wegloper hebben, dus die legde het loodje. Een slaaf kan maar beter oppassen als hij wegloopt, want misschien wil zijn meester 'm niet meer terug. Dienstmeid, ben jij ook bevrijd?'

Hij bestudeerde de verkoopovereenkomst voor Ruth. 'Zo, dus je bent nou een meester? Meester Jehu Glen?' De veerman lachte kakelend. 'Hier in de buurt kun je altijd wel een weggelopen nikker vinden. Alleen hier kun je de Port Royal Sound oversteken, of je moet honderdvijftig kilometer stroomopwaarts of stroomafwaarts willen gaan. Of je moet kunnen zwemmen als een vis!' Tevreden over die vertrouwde zin herhaalde hij het nog eens. 'Als een vís!'

Jehu's gezicht verraadde niets, maar zijn blik verliet geen moment de kostbare papieren in de handen van de kapitein, die uitlegden wie hij en Ruth waren in deze harteloze wereld. Ten slotte rolde de veerman ze slordig op en gaf ze terug aan Jehu, die ze opnieuw opvouwde, langs de oorspronkelijke vouwen, en ze boven op elkaar in zijn map van wasdoek stopte, die hij in de binnenzak van zijn leren vest stak, boven zijn kloppende hart. Hij zei: 'Ik en de vrouw willen oversteken, meester. Wat kost dat?'

Hij wreef nadenkend over zijn kin. 'Tien cent voor jou, tien voor haar. Vijfentwintig cent voor je wagen en die muilezel.'

'Meester, dat is een halve dag loon.'

De man grijnsde. 'Ik zei het al, honderdvijftig kilometer naar de volgende oversteek.'

Een stofwolk uit de richting van Savannah bleek een roodharige veedrijver te zijn, met twintig Ayrshire-runderen in zwart en roodbruin.

De kapitein begroette de veedrijver als een oude bekende. 'Rustig dagje, Tom,' zei hij. 'Niet zoals de vorige keer.'

'Meester…' zei Jehu.

'Ik kom terug voor jullie als ik Tom aan de overkant heb gezet.' Hij grinnikte. 'Als je tenminste vijfenveertig cent voor me hebt.'

'O, dat geld heb ik wel. Meester, er is meer dan genoeg ruimte…'

De kapitein lachte kakelend. 'Ja, maar die Ayrshires zijn een-ken-nig.' Hij lachte bulderend, maar de roodharige veedrijver leek zich te schamen.

De runderen lieten hun koppen hangen en verzetten zich tegen de gladde loopplanken, maar de drijver was overal met zijn zweep, en al snel stonden ze aan boord.

Het zeil draaide krakend rond, en de jonge slaaf gooide de trossen van de meerpalen en rende naar het roer, terwijl beide mannen wachtten totdat de stroom het vaartuig te pakken kreeg voordat ze zich kreunend op het roer stortten en daarmee de vaarrichting bepaalden.

Jehu ging op de wagen zitten toen de veerboot de Sound overstak. Toen Ruth een hand op zijn schouder legde, zei Jehu: 'Niet nu.'

Ze deelden een kapje brood. Ze lieten de muilezel grazen. Ze wachtten terwijl de zon op Savannah afstevende en in het moeras verdween. Uit het niets kwamen wolken muggen opzetten. Schelle moerasvogels genoten van een feestmaal.

Er kwam een licht rijtuigje met een in het zwart geklede man en een vrouw aangereden. Ruth vermoedde dat hij een predikant was. De koetsier zei geen enkele keer iets, en wanneer de vrouw iets tegen hem zei, boog ze zich voorover en fluisterde. Misschien is-ie helemaal geen predikant, dacht Ruth. Misschien zijn ze weggelopen! Die gedachte monterde haar op. Er verscheen een sjofel geklede boer met twee speenvarkens aan touwen. De boer leunde tegen het rijtuigje van de predikant, en de blanke mannen voerden een gesprek.

Toen de veerboot de oever naderde, keek Jehu even om zich heen, zoekend naar reizigers die hun plaats zouden kunnen innemen, maar hij zei niets tegen Ruth, en hoewel Ruth ook keek, zei ze evenmin iets. De veerman beet in Jehu's zilveren muntje van vijfentwintig cent voordat hij hen na de predikant, de boer en de speenvarkens aan boord dirigeerde. Er stond een lichte bries en de boot dreef even rond voordat het driehoekige zeil de wind ving en bol ging staan.

Jehu bleef met de sjofele slaven bij de achtersteven staan. De oudere man lachte kakelend om iets wat Jehu zei. De predikant en de vrouw voerden een gesprek. Een speenvarken schuifelde knorrend heen en weer. De jonge slaaf stuurde en de oude sloeg zijn armen om zijn knieën en dommelde in. De oever in het westen veranderde in een vlakke lijn en de oever in het oosten werd steeds duidelijker zichtbaar.

De zon was een gele streep toen hun wagen krakend het droge op reed. 'Nu ben je in Carolina,' zei Jehu.

'Hetzelfde als Georgia,' zei Ruth. Dezelfde kleine palmen, dezelfde groenblijvende eiken, dezelfde zanderige bodem, hetzelfde hangende mos.

Boven op een lage heuvel brandden kaarsen voor de ramen van de Shellpoint Inn. De predikant gaf zijn leidsels aan een zwarte jongen en bracht de vrouw naar binnen. De boer en de speenvarkens sjokten verder over de weg. Jehu liep naar de achterkant van de herberg, waar de kok zei dat ze voor tien cent in de schuur mochten slapen, plus vijf cent voor voer voor de muilezel. Twee cent voor een kom bonen met ham. Ze zetten de kom tussen hen in en deelden het eten, lepel voor lepel. Jehu stond erop dat Ruth het laatste hapje uit de kom schraapte.

Een nachtzwaluw dook door het lamplicht toen de kok de keukendeur opende. Gerammel van pannen. Binnen zei iemand iets.

Jehu spande de muilezel uit en kluisterde hem zo dat hij bij zijn hooi en water kon komen. Zwak licht piepte tussen de balken door. De muilezel stak briesend zijn snuit in zijn emmer water.

Aan niets was te zien dat hier eerder zwarten hadden geslapen, maar dat zei niets. Zwarten hebben geen bezittingen die ze achter kunnen laten. Jehu droeg zijn gereedschap en zijn gereedschapskist een paardenbox in. Hij legde hun deken boven op het hooi dat uit een krib was gevallen. Hij trok zijn hemd uit. In het zwakke licht glansde zijn huid als nat staal.

Jehu keek naar Ruth. 'Je bent nu van mij. Ik kan met je doen wat ik wil.'

Ze stapte zijn brede glimlach in.

Ze zei: 'O, meester, doe dat toch niet! Ik heb nog nooit eerder een man gehad.'

Ze zei: 'O nee, meester,' toen zijn mooie handen haar borsten bevrijdden.

Ze zei: 'Ja, meester,' toen hij bij haar binnenkwam.

Charleston leek op Savannah, maar was rijker, drukker en zwarter. De stad strekte zich uit op een smal schiereiland, daar waar de rivieren de Ashley en de Cooper bij elkaar kwamen. Schepen meerden aan, voeren af, hesen de zeilen, zorgden voor boeggolven en deden al die dingen die grote en kleine schepen geacht worden te doen. De stadshuizen van Charleston waren groter dan die in Savannah, en afgezien van White Point had Charleston geen nuttige openbare parken of pleinen. De belangrijkste avenues liepen van noord naar zuid, en White Point, op het puntje van het schiereiland, was bijna de enige plek in Charleston waar meer blanken dan zwarten waren omdat zwarten er niet mochten komen. De blanke meesters van Charleston waren arroganter dan die van Savannah en grepen sneller naar het riet of de zweep.

Gevoelige blanke meesters konden ongehoorzame bedienden naar het werkhuis sturen zodat ze daar konden worden gegeseld. Er werd dan gezegd dat ze 'om suiker werden gestuurd', omdat het werkhuis een voormalig suikerpakhuis was.

Jehu verkocht zijn hout, wagen en muilezel en huurde een hutje met twee kamers achter het pakhuis van een rijsthandelaar vlak bij Anson Street. Beide kamers hadden een vensteropening zonder ruiten of luiken, zodat het briesje erdoorheen kon waaien, en op het heetst van de dag lag het dak in de schaduw. Ruth liet Jehu zijn schoenen uittrekken voordat hij op de houten vloer stapte die ze had geboend totdat hij glad als glas was en daarna wit had gebleekt. Ze verfde het deurkozijn en de vensterbanken blauw om de geesten af te weren en hing eikenmos, gele zuring en eendevoet op om het lekker te laten ruiken (en ervoor te zorgen dat Jehu bleef denken aan de vrouw aan wie hij hoorde te denken). Rond zonsondergang, wanneer er een briesje vanaf de rivier waaide, aten ze rijst en bonen of gebakken groenten, soms met een stukje gezouten varkensvlees. Dan nam Jehu vaak een whisky, maar niet meer dan eentje, en Ruth dronk nooit. Dat was hun gelegenheid om met elkaar te praten, maar ze zeiden nooit veel.

Jehu had meer werk dan hij aankon. Zijn trappen en kasten hadden hem een goede naam opgeleverd, hoewel zijn klanten graag zeiden dat Jehu 'de gezel van de Engelsman' was.

Jehu had het grootste deel van zijn Kapitaal besteed aan het kopen van Ruth. Soms vroeg hij zich af of hij minder had moeten bieden.

'Wat ben ik je waard?'

'Ik bedoelde er niets mee. Geld kun je voor je laten werken, als je slim bent.'

'Ik heb geld nog nooit iets zien doen. Die tien cent, die ligt daar gewoon. "Dubbeltje, ga mijn vloer eens vegen. Dat kun je niet? Dat kun je niet?" Dan moet ik het zelf maar weer doen.'

'Kapitaal kan een man bevrijden,' predikte Jehu. 'Met genoeg Kapitaal kunnen we elke avond vlees eten. Met Kapitaal heb ik dit huis voor je kunnen huren.'

Giechelend kroop ze op zijn schoot. 'Hier ben ik.'

Ruth vond werk bij een marktkraampje dat verse groenten verkocht. Ze was de talen uit haar jeugd vergeten, maar wist wel hoe ze moest onderhandelen.

Toen ze haar bescheiden verdiensten aan Jehu gaf, zei hij: 'We doen wel alsof je Jehu's slaaf bent, maar we weten wie de slaaf van wie is, hè?'

In Charleston gingen de meeste vrije negers met een lichte huid naar St. Philip's Episcopal, een kerk waar ook blanken kwamen. Ze moesten vijftig dollar betalen om mee te mogen doen in de Brown Fellowship Society, een vereniging voor lichte zwarten en mulatten, en daarna betaalden ze contributie. Sommigen van de lichtere zwarten hadden slaven, en een paar rijke leden bezaten er wel tien.

Net als de meeste negers gingen Jehu en Ruth naar de African Methodist Episcopalian Church in Cow Alley in het noorden van de stad. Het was een groot, nieuw gebouw, aan de binnen- en buitenkant witgekalkt; je moest niet met je zondagse goed tegen een muur leunen omdat het jonge hout nog altijd hars afgaf, door de witkalk heen. De banken hadden geen rugleuningen en de preekstoel was niet versierd, maar Jehu Glen had de voordeur, die dominee Morris Brown met een grote ijzeren sleutel opende en afsloot, van het beste kersenhout gemaakt.

Dominee Brown was als vrije zwarte laarzenmaker geweest voordat hij de roep van de Heer had gehoord en naar het noorden was getrokken, waar hij in Philadelphia was opgeleid en ingewijd. In Browns drukke kerk werd getrouwd, gedoopt, begraven en gezegend; er waren Bijbelstudies voor bedienden die het Boek zelf niet konden lezen, en er was een zondagsschool voor hun kinderen.

Deze kerk, die was opgericht door vrije zwarten, bekende ambachtslieden, was een duidelijk bewijs dat negers in deze wereld vooruit konden komen en in de volgende gelijkwaardig zouden zijn.

De African Church was de enige plaats in de Lowcountry waar zwarten bij elkaar konden komen zonder dat er blanken bij waren, de enige deur die ze op slot konden doen. De Brown Fellowship Society en de kerk in Cow Alley waren de twee polen van de zwarte gemeenschap in een drukke havenstad met drieëntwintigduizend inwoners.

Pearl, Ruths vriendin uit de kerk, grapte: 'Je hebt wat je zou moeten hebben en het meeste van wat ik ook zou moeten hebben.' Daar zat iets in. Pearls gezichtje ging schuil onder haar hoofddoek, en ze was recht en plat, als een jongen. Ze was geboren op de plantage van Ravanel, toen 'ze daar nog indigo verbouwden. Voordat de rijst kwam, weet je wel,' en ze was de dochter van een huisslaaf en zelf ook huisslaaf geworden. 'Mevrouw Ravanel, die moet niks van de stad hebben,' zei Pearl tegen Ruth. 'Maar kolonel Ravanel wel. Dus we zitten meestal in de stad. Kolonel Ravanel is beroemd vanwege de paarden!'

Mevrouw Ravanel had een mammy nodig voor haar kleine Penny, maar ze had geen zin om er eentje te kopen. 'Stel dat de mammy niet goed is? Je vindt niet zomaar een goeie mammy op de slavenmarkt. Stel dat de meesteres een mammy koopt die zegt dat ze van alles kan maar er niets van bakt, wat moet de meesteres dan? Dan moet ze haar verkopen, en hoe moet het dan met juffrouw Penny?'

'Waarom ben jij geen mammy?'

'Omdat ik geen kinders moet. Kinders zijn lastpakken!'

'Waarom vertel je mij dit?'

'Vanwege mevrouw Ravanel, die zoekt een mammy. Ze wil een mammy die ze kan ontslaan als ze haar werk niet doet, dat is minder lastig dan doorverkopen. Jij was toch ooit mammy?'

Ruth lachte. 'Ik was mammy Ruth voordat ik mevrouw Glen werd.'

'Je bent nog geen mevrouw Glen.' Pearl giechelde. 'Je leeft in zonde.'

'Niet lang meer,' verbeterde Ruth haar.

Frances Ravanel huurde Ruth op aanbeveling van Pearl in. Penelope (Penny) Ravanel was twee jaar oud en 'lastig', maar Ruth raakte op het kind gesteld.'Jij en ik zijn niet zo anders, liefje. We luisteren naar niemand, alleen naar onszelf,' zei Ruth tegen haar. Wat in het geval van Ruth niet helemaal waar was, maar in het geval van juffrouw Penny beslist wel.

Jehu was niet echt blij met Ruths nieuwe werk.'Je bent weer een dienstmeid!'

'Jij verdient twee dollar, elke dag dat je werkt. Mevrouw Ravanel betaalt mij vijftig cent. We blijven eten zoals we nu eten en betalen onze huur maar we kopen geen whisky of tabak...' Ze zweeg even.

'Ga verder.'

'We leven van mijn loon, dan kan jouw geld ons Kapitaal zijn.'

'En de kerk?'

'Elke zondag vijf cent voor de collecte.'

'Ik zal erover nadenken.'

Ruth wist dat het nadenken al had plaatsgevonden.

Kolonel Ravanel had onder Andrew Jackson gevochten in de slag bij Horseshoe Bend, en hoewel kolonel Jack zijn licht nooit onder de korenmaat stak, schepte hij daar niet over op. De meeste planters uit de Lowcountry hadden de oorlog gemeden, en Jack was, als een van de weinige helden uit de Lowcountry, gevraagd zich kandidaat te stellen voor de volksvertegenwoordiging.

Dat lachte hij weg. 'Niemand wil een senator die zo veel van paarden weet als ik. Die galoppeert er misschien wel vandoor.'

Toen gouverneur Bennett het hem zelf kwam vragen, zei kolonel Jack tegen hem:'We hebben die indianen als een stel varkens in een abattoir afgeslacht. Ik geloof niet dat afslachten me geschikt maakt voor het bedenken van wetten.'

Omdat Jacks vrouw Frances vaak zijn scherpe tong en humeur wist te verzachten, zei James Petigru: 'Jammer dat Frances niet in Jacks plaats kandidaat kan zijn,' een opmerking die al snel als een lopend vuurtje in het rond ging.

Jacks weigering en minachting jegens 'het abattoir' vraten aan de welwillendheid die zijn heldhaftigheid had opgeleverd, en hij werd nooit meer gevraagd zich kandidaat te stellen.

Het kon Jack niet schelen. Hij was het gelukkigst in het zadel, tijdens het trainen en het wedden en het kopen en het racen, en sommigen beweerden dat de enige mens die Jack ooit had gemogen zijn vrouw was en dat Jack zich gelukkig mocht prijzen dat Frances zijn vrouw was.

Frances was een van die gelukkigen die waardigheid konden aannemen of laten vallen zoals een ander een hoed op- of afzet. Het decorum dat ze in St. Philip's of tijdens de wandelingen in Bay Street tentoonspreidde, veranderde in meisjesachtig gegiechel wanneer haar man een grove, goedbedoelde grap maakte, en ze liet zich door Jack heimelijk strelen wanneer ze dacht dat de bedienden niet keken.

Nadat Ruth Jehu zijn twee eieren, havermout en het kapje van het brood van een dag eerder had gegeven, liep ze naar het huis van Ravanel om juffrouw Penny aan te kleden en haar haar ontbijt te geven. Tussen de middag, wanneer het kind een dutje deed, bracht Ruth Jehu zijn emmertje met eten. Omringd door welriekende houtkrullen en de indringende geur van hoevenlijm at Jehu zijn kaas en appel en vroeg Ruth zich af waarom Le Bon Dieu haar zo had gezegend.

Op een dag, toen Jehu zijn mond afveegde en zijn gereedschap opraapte, zei Ruth tegen hem dat ze getrouwd wilde zijn wanneer het kindje kwam.

'Waarom...' zei Jehu. 'Ik... Kindje?' Hij tilde Ruth op en omhelsde haar, alleen haar bovenlijf, zodat hij niet haar kostbare buik raakte.

Jehu vroeg Denmark Vesey of die getuige wilde zijn. Tientallen jaren geleden was Denmark de hutjongen van kapitein Vesey geweest (sommigen fluisterden dat de knappe jongen meer was dan dat), maar Vesey had hem aan een planter op Saint-Domingue verkocht. Toen de jongen op de plantage was aangekomen, was hij opeens getroffen door de vallende ziekte: hij kronkelde in het rond, sloeg wartaal uit, had schuim om de mond en spuugde en beet zo heftig dat de planter hem vol walging terugstuurde naar het schip en zijn geld terugeiste.

Ondanks dat ongunstige voorval wist de jongen opnieuw het vertrouwen van de kapitein te winnen, en nadat hij had leren lezen en schrijven werd hij de klerk van de kapitein. Toen de kapitein de zee vaarwel zei en een handel in scheepsbenodigdheden in East Bay begon, verrichtte Denmark Vesey de taken die een blanke bedrijfsleider zou hebben verricht. '1884,' zei Jehu geestdriftig. '1884 was het lotnummer waarmee Denmark volgens God moest spelen. Meisje, weet je hoeveel Denmark won?'

Ruth had het verhaal al eerder gehoord, maar vroeg gehoorzaam: 'Hoeveel won hij?'

'Vijftienhonderd dollar.'

'Zo veel?'

'Denmark kocht zichzelf vrij. Niemand heeft Denmark Vesey vrijge-maakt. Hij heeft zichzelf vrijgemaakt.'

'Denmark zijn vrouw, Susan, is die vrij? En zijn kinders?'

'Denmark kan overal gaan wonen,' zei Jehu. 'Overal ter wereld. Hij kan naar Liberia of Haïti of Canada. Hij kan weggaan uit de Lowcountry en in Philadelphia gaan wonen. In Philadelphia heb je geen slaven.'

'Kunnen zijn vrouw en kinderen ook gaan?'

'Nee, dat kan niet. Denmark gaat niet omdat hij niet wíl, en zij gaan niet omdat ze niet kúnnen.'

De zestigjarige bijzonder grote en bijzonder zwarte timmerman gaf op dinsdag- en vrijdagavond Bijbelstudie bij hem thuis.

Dominee Morris Brown, de officiële predikant van de kerk in Cow Al-ley, was bruin, net als Jehu. Het beetje haar dat Brown nog had, stak aan de achterkant van zijn glanzende, kale schedel omhoog en leek zich schrap te zetten in de wind, ook als het niet waaide. Brown was een tikje doof en begreep, ondanks zijn beleefde geknik, niet altijd wat er werd gezegd. Browns vriendelijke, christelijke ogen keken vooral naar het nieuwere, liefdevolle Testament, terwijl Vesey, Browns officieuze tegenhanger, vrijwel nooit afweek van de hardere, oudere variant.

Meesters, zelfs conservatieve meesters die elke samenscholing van negers wantrouwden, zagen geen kwaad in Brown en hoopten, christelijk als ze waren, dat ze de predikant en hun andere bedienden opnieuw zouden ontmoeten in het Paradijs, waar ze hen misschien nog nodig zouden hebben.

De stralende dominee Brown verbond meneer en mevrouw Jehu Glen ten overstaan van zijn gemeente in de echt en vroeg God hun verbintenis te zegenen. Ruth had nooit gedacht dat ze zo gelukkig kon zijn. Ze zweefde, licht als een veertje.

Ruths blauwe hemdjurk viel losjes om haar heen, zodat haar buik niet eerder trouwde dan zij, en Jehu zag er in een afgedankte overjas van kolonel Jack en een hoge hoed die door een paard was vertrapt echt uit als een meester-trappenmaker. Ruth had met het geld dat mevrouw Ravanel haar voor haar bruiloft had gegeven een halsdoek van wit linnen voor Jehu gekocht.

Pearl stond naast haar voor het altaar en hield de trouwring die Jehu van een Spaanse zilveren munt had geslagen stevig vast. Denmark Vesey torende als Goliath boven Jehu uit. Nadat Pearl de ring aan Jehu had gegeven en Jehu hem aan Ruths vinger had geschoven (wat was hij zwaar!) verklaarde dominee Brown hen man en vrouw en mocht Jehu haar kussen, en terwijl Jehu dat deed, nam Denmark Vesey het woord: 'Deze man en vrouw zijn nu één, en met Gods wil zullen ze dat blijven. Geen mens, slaaf noch vrije zwarte noch meester, kan hen ooit van elkaar scheiden.'

Dominee Brown was niet de enige volwassen man die Denmark Vesey ruimte gaf. Het grijze haar van de man was kortgeknipt, maar door zijn lengte en zijn volle, grijze baard deed hij denken aan Abraham of koning Saul of een andere heerser uit de Bijbel. Wanneer Vesey aan kwam lopen, staken sommige blanken liever de straat over dan dat ze voor hem opzij gingen.

Toen meneer en mevrouw Glen door het middenpad liepen, klapte Gullah Jack, de voodooman, in zijn handen en danste om hen heen onder het roepen van: 'God heeft ze één gemaakt, laat de geesten dit huwelijk zegenen. Laat de geesten liefde over hen uitstorten!'

Het echtpaar bleef even staan toen Gullah Jack zijn kalebasratel liet ratelen. Hij schudde ermee in de richting van Ruth, en zijn ogen rolden bijna uit hun kassen. 'Wie ben je, vrouw? Van wie ben je?'

Ruth greep Jehu's arm vast. 'Ik ben nu van hem. Heb je dat niet gehoord?'

Alsof Ruth een vraag had beantwoord die hij niet had gesteld, bleef Gullah Jack haar aanstaren totdat de mensen ongedurig werden en dominee Brown 'Jack! Zo is het genoeg!' zei.

Jack flapte eruit: 'Vrouw, je weet wat ik bedoel. Jij en de geesten weten dat,' en tolde ervandoor.

Jehu gaf Ruth een kneepje haar hand om aan te geven dat hij haar naar huis wilde brengen.

Vesey mompelde, zo zacht dat alleen zij het konden horen: 'Gullah Jack heeft wel krachten, maar geen verstand.'

Jehu en Ruth glimlachten. Vesey gaf Jehu een klopje op zijn schouder en zei, zo luid dat de hele gemeente het kon horen: 'Je hebt een goede vent gevonden. Jehu is bruin genoeg voor de Brown Fellowship Society, maar Jehu is ook even zwart als ik.'

Zijn blik gleed over de luisteraars. 'Bruinen, die hebben te veel te verliezen.'

Ruth zei: 'Denmark, waarom al dat gepreek op mijn trouwdag?'

Hij liet de lach van een grote man horen, maar hij liet het er niet bij.

'Bruinen hopen tot blank te verbleken. Ze hebben de gewoonten van de blanken, doen net zoals de blanken, gaan met de blanken naar St. Philip's. Ze zitten daar helemaal bovenin, want daar zitten de donkere lui, maar hemel nog aan toe, wat doen ze er moeilijk over. Ze vinden het zo erg dat ze niet door het middenpad kunnen lopen om te zeggen dat ze zo van Jezus houden, maar ze hebben er geen bezwaar tegen om een paar negers te bezitten. En die zijn natuurlijk zwart, niet bruin. Bruinen willen verbleken totdat ze op een dag helemaal geen zwart meer in zich hebben en zo wit zijn als sneeuw.'

Jehu stemde in met alles wat de man zei, en dus porde Ruth hem in zijn zij om hem eraan te herinneren waarom ze hier waren. Vanuit haar ooghoeken zag Ruth predikant Brown vertrekken, bijna alsof hij ertussenuit kneep.

En dus maakte ze zich los van haar man en zijn vrienden en liep ze naar haar vriendin, Pearl, die haar (voorzichtig) omhelsde en zei dat Ruth de mooiste bruid was die ze ooit had gezien, en Ruth glimlachte omdat ze wist dat het waar was.

Pearl stelde Ruth voor aan Thomas Bonneau, wiens handen en gezicht ruw waren van het zeezout en het water. Zijn glimlach glansde.

'Ik heb je al eens op de markt gezien. Je bent die visser!'

'Vooral oesters, maar ik weet ook waar de platvissen zich verstoppen. Ik heb jou ook gezien, juffrouw Ruth. Zo'n meidje zie je niet snel over het hoofd.'

'Thomas!' zei Pearl waarschuwend, en toen giechelde ze. 'Hij doet wel heel wild, maar Thomas is zo mak als een lammetje.'

'Jij bent de enige die me kan temmen,' beweerde Thomas.

Pearl zei: 'Kijk nu toch eens. Mevrouw Glen. Dat ben je nu.'

'Ik ben zo lang Ruth geweest. Ik weet niet meer wie ik daarvoor was.'

Pluizige wolkjes sierden de onverschillige hemel boven de zwarten die op het erf bij de kerk in Cow Alley een verfrissing gebruikten. Meneer en mevrouw Glen zaten naast Thomas Bonneau en Pearl op het stoepje.

'Jehu,' fluisterde Ruth. 'Ik voel me zo belangrijk. Als een koningin of zo.'

'Thomas, ga je me niet voorstellen?'

De brutale jongen was een jaar of wat jonger dan Ruth. Hij was bruin en mooi.

'Dit is Hercules. Hij denkt dat hij heel wat van paarden weet.'

'"Denkt", visser?' Ongelovige wenkbrauwen en een flitsende grijns. 'Op een dag win ik de trofee van de Jockey Club. Daar durf ik heel wat om te verwedden!'

'Volgens mij ken ik een neger die veel te verwaand is.'

'Natuurlijk, natuurlijk. Meisje, nu we elkaar kennen, stel ik voor dat je die timmerman laat voor wat-ie is en je er met mij vandoor gaat. We gaan in het noorden ons geluk zoeken.'

Ruth moest wel lachen. 'Ik ben vandaag getrouwd! Vind je niet dat ik wat langer getrouwd moet blijven?'

'Ik geef je een week.' Hercules stak een vinger op. 'Dan kom ik je halen!'

Zwarten in smetteloze, perfect gestreken zondagse kleren feliciteerden het jonge stel dat als chrístenen een gezin ging stichten, baden dat het stel gelukkig mocht worden, dat hun kinderen de eerste jaren zouden overleven en niet zouden worden verkocht en hun ouders konden bijstaan als die oud zouden zijn. Dat was wat ze, in hun onschuld en met hun ervaring, wensten voor Jehu en Ruth Glen; ze baden dat Le Bon Dieu dat gebed zou verhoren.

Soms zaten er officieren van de wacht achter in de kerk in Cow Alley wanneer dominee Brown predikte over de liefde van Jezus en geduld en de beloning van het eeuwige leven, maar er kwamen nooit blanken naar de Bijbelstudie van Denmark Vesey.

Drie weken na de bruiloft van Jehu en Ruth liep Pearl achter haar vriendin aan toen die Denmark Veseys huis in Bull Street verliet. Ruth wuifde zichzelf koelte toe. 'Is het ooit koel in Charleston? Je kunt de hitte met een mes snijden.'

'Liefje, het is niet zo heet. Jij hebt het heet.'

'Uh-huh. Als ik niet… Het is te warm om na te denken!'

'Binnen was het warm.'

'Hij was de hele tijd aan het preken over Mozes. Mozes! Mozes! Mozes! God nog aan toe, ik wou dat ik zelf kon lezen. Wat heeft die Mozes met zwarten van doen? Maria let op ons katholieken, en de heiligen doen dat ook, en voodoo geeft ons allerlei geesten die oppassen, maar hier is het voortdurend Mozes, Mozes en nog eens Mozes!'

'Denmark is een goeie predikant.'

'O ja. Maar soms vraag ik me af waarom hij zijn familie niet vrijkoopt en naar het noorden vertrekt. Waarom hij niet vaker aan hen denkt. Ik denk dat hij alleen maar om Mozes geeft!'

Pearl veranderde van onderwerp. 'Wanneer komt het kindje?'

'Zodra ze wil! Wanneer ga je trouwen?'

'Ze?'

'Ze. Wanneer gaan Thomas en jij trouwen?'

'Als Thomas genoeg heeft gespaard om me te kunnen kopen. Mevrouw Ravanel laat me voor tweehonderd gaan.'

'Tweehonderd dollar?'

'Ze zei dat ze me zo wel vrij wil laten, zonder dat ze er geld voor krijgt, maar kolonel Jack, die kreeg zijn rijst niet zo goed gepeld als ie had gewild, zodat het niet veel opbracht, en toen hij heeft weer een snel paard gekocht, en dat kostte een flinke duit.'

'Mevrouw Ravanel heeft een goed karakter.'

'De kolonel is ook niet beroerd,' bekende Pearl, 'behalve als hij heeft gedronken. Als meesteres niet thuis is en kolonel Jack aan het drinken is, zet ik een stoel onder de deurklink. Ik moet lachen als juffrouw Frances tegen hem tekeergaat. Grote oorlogsheld, kolonel van de infanterie, en die meid pakt hem helemaal in. Kolonel Jack laat als een klein jongetje zijn hoofd hangen. Kom, dan gaan we weer naar binnen. Die ouwe Mozes zal geen kip kwaad doen. Hij is al zo lang de pijp uit.'

Ruth zei: 'Die Egyptenaren zetten je aan het nadenken. Ze waren niet zo heel anders dan het volk van Mozes. Sommigen hadden met de vrouwen van Mozes gelegen, en misschien hadden sommige Israëlieten wel met de faraovrouwen gelegen. Maar Le Bon Dieu, die had het hart van de farao laten verstenen, en dus kon de farao de lui van Mozes niet laten gaan. Dat kan hij niet, omdat Le Bon Dieu het niet goed vindt. Le Bon Dieu maakt de farao steeds harder, en Le Bon Dieu stuurt plagen en sprinkhanen en doodt ten slotte alle eerstgeboren zonen van Egypte en de eigen zoon van de farao. Dus de farao is kapot van verdriet en laat Mozes gaan. De farao is blij dat hij van die lui af is. Maar Le Bon Dieu maakt zijn hart nog harder en de farao stuurt zijn soldaten erachteraan. Ze zijn een hele tijd onderweg en komen dan bij het water, en dat heeft Mozes gescheiden. Muur van water aan de ene kant. Water aan de andere kant. Als de generaal "Voorwaarts!" zegt, moeten ze gehoorzamen, en dus galopperen ze tussen die muren van water door, al zijn hun paarden bang en lopen ze te briesen. Ik denk dat ik blij moet zijn dat de Israëlieten veilig aan de andere kant zitten, maar Pearl, soms voel ik me net als die Egyptenaren. Net of ik onder muren van water wordt bedolven.'

'Je bent bang omdat je een kindje krijgt.'

'O ja. Dat heb ik nog nooit meegemaakt.'

'Ik ook niet. Maar als geen vrouw ooit een kindje had gehad, stonden jij en ik hier niet die lucht in te ademen die je met een mes kunt snijden.'

Ruth grinnikte en ze liepen terug naar de Bijbelstudie, Denmark Vesey en Mozes.

In tegenstelling tot de meeste gegoede burgers van Charleston bleef de familie Ravanel de hele zomer in de bloedhete stad. Jack hield zich wel aan de voor de hand liggende regel om de plantage nooit tussen zonsondergang en zonsopgang te bezoeken. Iedereen wist dat de gele koorts 's nachts dodelijk was.

In hun huis in de stad hadden de Ravanels wel een kok, maar geen butler of koetsier, en Frances' jongere vriendin Eleanor Baldwin Puryear drong er bij Frances op aan dat ze meer bedienden moest aanschaffen. 'Hemeltje,' zei Eleanor, 'zo kun je toch nooit gasten ontvangen?'

De jonge mevrouw Puryear was er zeker van dat de rijkdom die ze had geërfd niet betekende dat de Schepper haar voortrok. Het was een teken dat de Schepper haar waardeerde.

'Gasten?' Frances zuchtte. 'We zitten op zaterdag vaker op de Jockey Club dan me lief is. Mijn beste Eleanor, een snel renpaard kost veel meer dan zijn jockey.'

De man van Eleanor, Cathecarte, schreef gedichten, en in de *Charleston Courier* waren al verschillende odes aan zijn echtgenote (smaakvol vermomd als een Grieks-Romeinse godin) verschenen. De gedichten maakten Eleanor aan het blozen, en hoewel ze er 'amper een blik' op beweerde te werpen, kende ze ze wel allemaal uit het hoofd.

Cathecarte liep soms met een paarse halsdoek rond en was zo trots op zijn op maat gemaakte uniform van de Charleston Rangers dat hij dat bij elke sociale gelegenheid droeg. Mevrouw Puryear had, hoewel ze tot nog toe kinderloos was, zo haar mening over de opvoeding van kinderen, die ze met Ruth deelde wanneer die juffrouw Penny meenam naar de salon zodat ze de vriendinnen van mevrouw Ravanel kon vermaken. Ruth knikte en glimlachte. 'Ja, meesteres Puryear.'

Na een bijzonder heftige oratie ging juffrouw Eleanor eindelijk naar huis, hoewel Frances nog 'Mijn beste Eleanor, ga je ons nu al verlaten?' zei. Zodra Frances de deur achter haar vriendin sloot, liet ze zich ertegenaan vallen en zei met een zucht: 'Ik moet niet vergeten dat Eleanor het goed bedoelt.'

Ruth kon een giechel niet onderdrukken, en dat werkte weer aanstekelijk op Penny en daarna op haar moeder, en ze bleven alle drie staan lachen totdat ze hun handen voor hun mond sloegen.

In januari, toen de rijstoogst was verkocht en de negers van de plantage zoals elk jaar nieuwe kleding hadden gekregen en een dag lang kerst hadden mogen vieren, kwamen hun meesters naar de stad voor het vrolijkste uitgaansseizoen van Amerika. De bals van de Jockey Club en de St. Cecilia Society werden omlijst door grootse soirees, soms twee of drie op een avond. Roddels aangedikt door intriges, opnieuw opvlammende rivaliteit, stromen whisky en de prikkelbaarheid van de Lowcountry veranderden al snel in kwesties waarin de eer op het spel stond. Er waren elke dag, behalve op zondag, paardenrennen, en het was niet ongewoon dat weddenschappen tot een volledige ondergang leidden.

Jehu ergerde zich. Degenen die zijn werk konden betalen, waren aan het feesten. In hun huizen was het een komen en gaan van gasten, en niemand zat te wachten op een ambachtsman die de feestelijkheden kwam verstoren. Jehu was gedwongen zijn trots opzij te zetten en 'los werk in de stad' aan te nemen, waar hij vijftig cent per dag verdiende met het lossen van hout op de kaden langs de Ashley.

De verzwakte Middleton Butler, de indigoplanter en patriot uit de Onafhankelijkheidsoorlog, verliet zelden zijn huis aan King Street. Tegen het einde van februari, toen de planters terugkeerden naar hun plantages omdat er in het voorjaar werd gezaaid, huurde hij Jehu in om de lambrisering van zijn huis te vervangen.

Ruth was zo zwaar dat het haar moeite kostte om Jehu's eetemmertje naar de Butlers te brengen, en Frances Ravanel stelde voor dat Jehu tot aan de geboorte van het kindje misschien zijn eigen eten kon dragen.

'Maar juffrouw,' zei Ruth, 'ik zie hem altijd graag eten.'

Die zaterdagavond, toen Jehu net thuis was gekomen en Ruth bezig was hun zondagse kleren klaar te leggen, boog ze zich opeens voorover en kermde: 'Kind komt.'

Jehu, die had zitten denken aan de predikanten uit Philadelphia die die avond in de kerk aan Cow Alley zouden spreken, knipperde even en keek zijn vrouw met open mond aan. Ruth was nat, alsof ze haar plas niet had kunnen ophouden. 'O,' zei Jehu. Maar hij rende de straat op om een huurkoets aan te houden, en niet lang daarna bonkte Jehu Glen op de deur van het keukenhuis van de familie Ravanel. Boven zijn hoofd ging een luik open, en Pearl stak haar hoofd naar buiten. Toen ze zag wie het waren, klapte ze in haar handen en rende de trap af. Jehu droeg Ruth naar boven, naar Pearls bed.

'Leg oude lappen voor me neer,' fluisterde Ruth. 'Ik lek.'

'Maak je niet druk, lieverd,' zei Pearl. 'We hebben zeep.'

Meesteres Frances stuurde Jehu naar de familie Butler om Dolly te halen, die vroedvrouw was (en voodoopriesteres, volgens sommigen). In de koets probeerde Jehu vragen te stellen, maar na Dolly's afgemeten antwoorden hield hij zijn mond.

Pearls kamertje stond vol vrouwen die de meester-trappenmaker als een groot, ongewenst meubelstuk behandelden.

Pearl zei: 'Wat doe je hier nog? Wil je soms in de weg staan als je vrouw ligt te jammeren?'

Ruth zei: 'Jehu, ga jij maar naar de kerk. Je wilde toch al gaan. Ik red me wel. Juffrouw Frances en Pearl en Dolly zorgen voor me.'

Ja, Jehu wilde blijven, maar toen hij die kamer vol vrouwen verliet, voelde hij zich heel vrij.

Ruths wangen en voorhoofd glommen van het zweet. Dolly hield haar mond vlak bij Ruths oor. 'Soms zie je dingen, hè?'

'Soms,' zei ze hijgend.

'Soms zie ik ook dingen. Het komt goed met het kindje.'

'Ik geloof je. Maar ik ben bang.'

'Natuurlijk ben je dat. Dat zou iedereen zijn.'

Alle vrouwen baden, al was Frances Ravanel er niet helemaal zeker van dat zij en de zwarte vrouwen tot dezelfde god baden. Ze wachtten af. Meesteres Ravanel had haar naaimandje meegebracht, en Pearl keek naar elke beweging van het kleine naaldje. Pearl wenste dat haar vingers niet zo dik waren en merkte op dat alleen blanke dames sierlijk genoeg waren om zulke sierlijke steekjes te maken. Meesteres Ravanel glimlachte alleen maar.

Toen het vlakke, grijze licht van vlak voor zonsopgang door het raampje naar binnen sijpelde, wasten ze Ruth, wreven ze olie op haar buik en pijnlijke borsten en trokken ze een schoon, versteld linnen laken over haar heen. Ze hadden het vooral over de verscheidenheid en de kwaliteit van de vis en groenten die in dit seizoen op de markt werden aangeboden. Maar soms lieten ze de veilige onderwerpen voor wat die waren en maakte Pearl, die tactloos kon zijn, een opmerking over dat vreselijke ongeluk, 'midden op Meeting Street, zaterdagavond zo laat dat het geen zaterdag meer was, het was de morgen van de sabbat!' toen een erg dronken jonge meester William Bee zijn lijfknecht Hector had vertrapt onder de hoeven van zijn paard.

'Wat een vreselijke tragedie.' Juffrouw Ravanel schaarde de gebeurtenis sneller onder 'overmacht' dan Pearl zou willen. Pearl had een eigen mening die ze nog niet had geuit.

Ze hielden Ruth stevig vast toen die boven de po hurkte, die Pearl daarna naar het gemak op het erf droeg. Frances Ravanel las troostende psalmen voor, en Dolly droeg de psalmen voor die ze uit haar hoofd had geleerd. Het werd lichter, en ze hoorden de kokkin rondscharrelen in de keuken en met een zoevend geluid de haard aansteken. Pearl liep naar beneden om hete thee te halen. Ze druppelde vreselijk toen ze de thee inschonk omdat de tuit van de theepot was gebroken. Mevrouw Ravanel kreeg de mok met het oortje. Toen Ruths borsten warm, hard en pijnlijk werden, molk Dolly haar boven een kom. Ze wasten Ruths gezicht en hielden haar overeind, zodat ze water kon drinken. Ze gaven haar een leren riem om in te bijten wanneer de pijn te hevig werd en depten het zweet van haar af. Toen het hoofdje zichtbaar werd, trok Dolly zachtjes totdat ze een vinger in de oksel kon haken, en toen gleed de baby er zo uit. Pearl stond met grote ogen te kijken. Dolly maakte het mondje schoon en veegde het neusje af, en het rood besmeurde borstkasje zwol op voor een woedend 'Waaa', een geluid dat ze onvoorstelbaar mooi vonden. Dolly knipte de navelstreng door en wikkelde die in een reep blauwe katoen terwijl meesteres Ravanel het verwarde, roze gezichtje van het kindje depte. Het kindje zwaaide met haar vuistjes en trok haar neusje op. Dolly legde haar op Ruths borst en duwde Ruths tepel in het mondje, waarna er een schok die bijna even hevig was als de eerste ademhaling door het kindje heen ging: de eerste voeding.

Pearl en Dolly en meesteres Ravanel stonden als bezeten te grijnzen. Ruths glimlach was vermoeid en vredig. 'Ik weet hoe ze moet heten,' zei ze. 'Martine. Kleine Martine.'

De zon was al een tijd op toen Pearl en meesteres Ravanel het erf op kwamen, waar de wasvrouw in een dampende ketel roerde en een staljongen het paard dat hij aan het voeren was streng toesprak. Pearl stak haar magere armen omhoog en rekte zich uit.

Meesteres Ravanel zei: 'De kolonel komt waarschijnlijk morgen thuis. Dan hebben we er vast weer een paard of twee bij.' Ze draaide haar hoofd heen en weer, liet het kraken op de stengel van haar nek en strekte haar vingers uit. 'Penny vraagt zich vast af waar ik blijf. Pearl, ga jij de man van Ruth halen? Als Dolly naar huis gaat, kun jij met hem voor Ruth zorgen. En later vandaag kun je mijn bed verschonen.'

'Ja, meesteres.'

Frances Ravanel sloeg haar armen om zichzelf heen. 'De goedheid van God.'

'Ja, mevrouw.'

Toen haar meesteres was vertrokken, spitste Pearl haar oren, maar Martine huilde niet. Pearls opwinding gonsde boven op haar vermoeidheid. Ze wilde het dolgraag aan Jehu vertellen. Op deze zachte, stille zondagmorgen waren er veel te weinig zwarten op straat, die bovendien onrustig waren, en dus werd Pearl zelf ook onrustig. Ze hield een vrouw staande die ze kende. 'Ik heb de hele nacht bij een bevalling gezeten. Wat is er aan de hand?'

Snel en gedetailleerd vertelde de vrouw met gedempte stem dat er, rond negen uur de avond ervoor, vlak nadat de dienst was begonnen, wachters door Jehu's kersenhouten deur de kerk in Cow Alley binnen waren gestormd en iedereen hadden opgepakt.

Er was weliswaar een verordening die samenscholingen van zwarten tussen zonsondergang en zonsopgang verbood, maar die was nooit gehandhaafd. De bezoekende predikanten uit Philadelphia waren samen met dominee Brown, Denmark Vesey, Jehu Glen en honderdveertig anderen opgesloten in het werkhuis.

'O hemel,' zei Pearl, die terug rende naar het huis van Ravanel. Ze wachtte zo lang als ze kon voordat ze aan Ruth vertelde dat haar echtgenoot gevangen was genomen.

De gemeenteraad van Charleston veroordeelde dominee Brown en vier ouderlingen, vrije zwarten, 'tot een maand werkhuis, of de staat verlaten'. Brown en Vesey kozen voor de gevangenis. De predikanten uit Philadelphia werden naar Philadelphia gedeporteerd.

Tien leden van de gemeente, onder wie Jehu Glen, werden veroordeeld tot het betalen van vijf dollar of een geseling van tien zweepslagen. Jehu zei tegen de man met de zweep: 'Ik heb net een dochtertje gekregen, dus die vijf dollar kan ik niet missen.'

'Goed,' zei hij, zijn zweep uitrollend.

Totdat hun predikant werd vrijgelaten werden de diensten op zondagmorgen door leken geleid, en zodra Jehu weer kon werken, repareerde hij de deur.

Alles werd weer normaal, en Charleston genoot van een rustige zomer. Als het weer op zondagmiddag aangenaam was, ontvluchtten de Glens de hitte van de stad aan boord van Thomas Bonneaus bootje. Dat rook weliswaar een beetje naar vis, maar Ruth voelde zich heel voornaam wanneer ze met Martine in haar armen in het kleine vaartuig zat dat langs barkentijnen, kitsen, schoeners en allerlei andere soorten schepen gleed, waarvan sommige zelfs hele oceanen waren overgestoken. De stroom voerde hen mee naar het lapje grond dat Thomas Bonneaus blanke vader hem bij akte had geschonken. Thomas Bonneau was trots op zijn met stenen bezaaide twintig are, alsof die het domein van een meester waren, en nadat Thomas had aangemeerd hielp hij Jehu, Ruth en Pearl zijn steiger op. 'Welkom bij mij thuis,' zei hij elke keer weer.

Thomas woonde in een vissershut, maar was bezig een steviger huis te bouwen. De vier vrienden verbrandden oesterschelpen en vermaalden die, zodat ze vermengd met zand en water de grijsgestreepte muren van een vierkant huisje konden vormen. 'Dit huis zal er over honderd jaar nog staan,' schepte Thomas op. 'De wind en het getij en een orkaan zullen het huis van Bonneau niet omver kunnen krijgen.'

'Honderd jaar,' zei Ruth. 'Zo'n lange tijd kan ik me niet voorstellen.'

'Mijn trappen…' begon Jehu, maar Ruths flitsende lach veranderde zijn snoeverij in een glimlach.

Terwijl haar ouders werkten en lachten, lag Martine onder een palm in het mooie wiegje dat Jehu had gemaakt. Martine was een kirrend, blij kind.

De striemen van de zweepslagen vormden een ladder op Jehu's pezige rug. 'Het enige stuk van Jehu Glen dat blank is,' grapte hij.

Rond het middaguur haalde Ruth groenten tevoorschijn en Pearl een brood voor bij de vangst van Thomas. Nadat ze hadden gegeten deden ze twee aan twee een dutje in de lome middag. Thomas en Pearl zochten het bosje achter het nieuwe huis op en Ruth en Jehu zaten op Thomas' steiger en lieten hun voeten in het koele water bungelen terwijl ongrijpbare, kalme zeilen de haven van Charleston in en uit voeren.

'Heb je nooit zin om ergens anders te zijn?' vroeg Ruth.

'Ze kennen me alleen hier. De aannemers van de Lowcountry hebben van Jehu Glen gehoord.'

Ruth zei: 'Ik snap niet dat blanke lui hun kinderen aan een mammy kunnen geven. Er is niks mooiers dan een kind.'

'Omdat de kinderen nog geen meesters zijn. Kinderen zijn te zwak om een zweep te hanteren.'

Toen Jehu dat zei, verdween de zon die al die tijd zo fel had geschenen achter een wolk.

Op werkdagen bracht Ruth Jehu's etensemmer naar het werk bij Butler en nam ze ook Martine mee, zodat haar vader haar kon bewonderen.

Langston Butler, de neef van de oude Middleton, zou na de dood van Middleton meester worden en hield nu toezicht op de plantage en de meeste zaken in het huis in de stad. Als het aan Langston had gelegen, had hij geen 'veel te dure ambachtsman ingehuurd om de nog altijd uitstekende grenen lambrisering eruit te halen en te vervangen door peperduur kersenhout afgewerkt met lambriseringslatten van Hondurees mahonie'. Zijn oom Middleton kon soms erg 'zonderling' zijn.

Jehu, Ruth en Martine aten vaak samen met Hercules, gezeten op omgekeerde emmers op het erf. Hercules was de zoon van Middleton, maar daar werd niet over gesproken. Zijn moeder was verkocht zodra de jongen van de borst af was – volgens sommigen naar Georgia, volgens anderen naar Alabama. 'Meester Langston, die kan niet wachten totdat de oude man dood is. Elke dag dat oom nog ademt, is voor hem een verspilling. Zo denkt Langston. Als ik meester Middleton was,' Hercules liet zijn stem dalen, 'dan zou ik niks vertrouwen van wat Langston me te eten gaf.' Hij trakteerde zijn luisteraars op zijn vetste, onschuldigste knipoog. 'Als je begrijpt wat ik bedoel.'

Bedienden zien wat we niet voor hen verborgen houden, want als we onze geheimen moeten verbergen, zouden bedienden niet langer onze ondergeschikten zijn, in een positie die ze verdienen. Hercules beschreef de ambities van Langston Butler zo openlijk dat de jonge meester bezorgd zou zijn geweest als een blanke van gelijke rang evenveel had geweten als Hercules.

'Meester Langston zal alles op zijn kop zetten. Meester Middleton geeft graag geld uit. Het enige waar meester Langston geld aan uitgeeft, zijn paarden, en hij is niet zoals kolonel Jack. Kolonel Jack, die houdt van paarden. Meester Langston, die koopt paarden omdat heren uit de Lowcountry dat nu eenmaal doen.'

Langston Butler vond het vreselijk dat zijn oom zo spilziek was en geen aandacht schonk aan Broughton, hun plantage aan de Ashley. Langston wilde de rijstoogst vergroten, maar toen hij aangrenzende grond van de Ravanels probeerde te kopen, zei kolonel Jack: 'Weet je oom Middleton van die plannen?'

Dat wist Middleton niet – en dat wist Jack heel goed, en het was heel goed mogelijk dat Jack van Langstons nederlaag genoot. Hercules zei: 'Blanken willen altijd meer. Ze waren ooit zelf ook zwart, maar toen heeft de hebzucht ze wit gebleekt.'

Jehu was het met hem eens. 'Meester Langston vraagt: hoeveel kost dit hout? Wat doe je met de restjes? Ik maak wel een stapel van al die waardeloze eindjes. Dan moet hij maar zien wat hij ermee doet.'

Hercules lachte. 'De kok kookt het eten op zijn mooie kersenhout.'

Ruth zei: 'Als iemand altijd zegt dat hij door iedereen wordt bedrogen, dan weet je dat hij zelf ook een bedrieger is. Net een schorpioen die zijn staart opsteekt, zo waarschuwt hij.'

'Meid?' Hercules lachte breed. 'Waar haal je zulke ideeën vandaan?'

'Sinds wanneer ben jij zo brutaal?'

'Zo ben ik. Ze sturen mij niet om suiker, want ik weet hoe ik met de paarden moet praten.'

Ruth dacht dat Hercules gewoon een beetje aan het opscheppen was, zoals mooie jongemannen nu eenmaal doen, maar Jehu werd jaloers en dus aten ze niet meer op het erf.

Meester Langston Butler zag Hercules' brutaliteit door de vingers, maar er was iets aan Jehu dat hem niet beviel. Hij bestudeerde Jehu's werk aandachtig en argwanend. 'Deze kamer zal door dames gebruikt worden.'

'Ja, meneer.' (Jehu vond het vreselijk om mannen meester te noemen.)

'Ze zullen niets over de slechte kwaliteit zeggen, maar ik wel.' Meester Butler schuifelde op zijn knieën langs de lambrisering, tikte op de plekjes waar de lak iets lichter leek en probeerde een nagel onder de lijst te schuiven. Hij stond op en veegde de knieën van zijn broek af. Veeg, veeg, veeg. Toen Jehu Butlers glimlach zag, had hij zin om te vragen: 'Wat moet je van me? Waarom val je me lastig?' maar natuurlijk kon hij dat niet doen.

'Je werk is bijna net zo goed als dat van een Ier.'

Jehu kon zich niet inhouden. 'Een zwarte wil ook met opgeheven hoofd door het leven gaan.'

De jonge meester Langston grijnsde naar een volwassen man van zijn eigen leeftijd, een meester in werk dat Butler niet kon doen; een man met een vrouw en een klein kind en een goede naam. Met zijn grijns maakte Langston Butler Jehu duidelijk dat hij hem kon neerslaan – misschien met een pook, die hij hier voor het grijpen had – of een pistool kon pakken om hem dood te schieten, met als enige gevolg bloed op het parket en de lastige taak om het lichaam van een dode nikker de straat op te slepen.

Ondanks Butlers vreselijke grijns likte Jehu zijn lippen af en herhaalde: 'Ook een zwarte wil met opgeheven hoofd door het leven gaan.' Toen Jehu's laatste woorden in de lucht bleven hangen, grapte hij: 'Of in elk geval met net zo'n opgeheven hoofd als een Ier.'

Toen Jehu later over het gesprek vertelde, ging er een rilling door Ruth heen. 'Je mag niet brutaal zijn, Jehu. Je bent niet de bastaard van zijn oom, en je weet niets van paarden. Voor mij en Martine ben je alles.'

Jehu liet de munten in zijn zak rinkelen. 'Nou, hij heeft me betaald, hè?' zei hij. 'Zoals het hoort.'

Nadat Thomas Bonneau Pearl van mevrouw Ravanel had gekocht, werkte Pearl voor vijfentwintig cent per dag voor haar oude meesteres. Toen dominee Brown Pearl en Thomas in de echt verbond, woonde Frances Ravanel de dienst bij, maar ze bleef niet voor het feest.

Het was niet gemakkelijk slaven officieel vrij te krijgen, maar kolonel Jack hielp Thomas Bonneau bij het vrijkopen van zijn bruid. Toen Pearl aan Jehu vroeg waarom hij dat niet voor Ruth had gedaan, grapte Jehu: 'Dat kost me te veel Kapitaal.'

Bijna een maand lang ontzegde Ruth hem de toegang tot het echtelijk bed, totdat haar eigen behoeften dat onmogelijk maakten.

'Nu het aantal vrije negers en mulatten in deze staat ten gevolge van migratie en emancipatie snel toeneemt, acht de wetgever zich genoodzaakt de emancipatie van slaven in te perken... Hiermede

wordt bepaald, door de eerbiedwaardige Senaat en het Huis van Afgevaardigden die thans de algemene vergadering vormen, dat vanaf
dit moment geen enkele slaaf zal worden vrijgemaakt, hetzij ten gevolge van een wetswijziging.'
Senaat en Huis van Afgevaardigden van South Carolina, 20 december 1820

In Meeting Street, waar de koetsen achter hem een opstopping vormden
en kwade koetsiers begonnen te schreeuwen, vertelde Hercules Ruth het
slechte nieuws. Hij nam zijn hoed af en flirtte niet. Martine vroeg: 'Mama
ziek?'

Het avondeten verliep in stilte. Toen ze naar de Bijbelstudie bij Denmark Vesey liepen, zei Ruth niets, en toen Jehu haar hand wilde vasthouden, kreeg hij die niet te pakken. Het kleine houten huis van Vesey was
stil. Buiten hingen geen zwarten rond, alleen Gullah Jack zat op het stoepje hout te snijden.

'Mooie avond,' zei Jehu.

'Als de wacht niet langskomt.' Jack trok op een komische manier zijn
dikke wenkbrauwen op. 'Hé, mama, de geesten hebben naar je gevraagd.'

Ruth kneep haar lippen op elkaar en baande zich een weg naar binnen.
Voor de deuropening en de ramen hingen dekens, en er zaten te veel lijven
in de kleine kamer gepropt. Jehu en Ruth vonden achterin een plekje op
de vloer. Het was benauwd, warm en muf.

De bijbel van Denmark Vesey lag op een krukje, en Veseys lippen bewogen terwijl hij er zwijgend in las. Ruth vroeg zich af waarom bij sommige mensen hun lippen bewogen als ze lazen en bij andere niet.

Sommige aanwezigen droegen mutsen of hoofddoeken. Sommige
hoofden waren onbedekt, glanzend of dof, zwart, kaal of grijs. Ruth dacht:
de lui die niet vrij zijn, kunnen dat nooit worden.

Ze zat nog steeds na te denken toen Denmark Vesey zijn vinger op het
boek legde om te onthouden waar hij was gebleven en zei: 'Er komt een
dag dat de Heer zal ingrijpen, Jeruzalem, dat de buit binnen je muren
wordt verdeeld.' Hij tikte met zijn dikke timmermansvinger op de pagina.
'Denken jullie dat Zacharia het over ons negers heeft? Denken jullie dat
God op ons neerkijkt en ziet hoeveel buit negers hebben? Nee, hij heeft
het niet tegen ons. Hij heeft het tegen de meesters. "Er komt een dag dat
de Heer zal ingrijpen." Hoe ga je je daarop voorbereiden? Blijf je in de

weg staan of ga je een handje helpen? "Er komt een dag dat de Heer zal ingrijpen..."'

Ondanks de mufheid en de warme, keer op keer ingeademde lucht voelde Ruth een koude rilling langs haar schouders trekken. De Heer zal ingrijpen.

Denmark Vesey ging verder, met zijn wijsvinger over de lange zinnen. 'Er komt een dag,' fluisterde hij.

Het was zo stil in de kamer dat zijn gefluister als een oude vriend tussen hen door glipte. 'Vertel eens, broeders... Hoeveel van jullie buigen voor een meester op straat? Hoeveel?'

Een paar staarden naar de vloer. Anderen keken op. 'Dus, niemand van jullie buigt voor de meester?' Hij likte zijn lippen af. 'Is dat echt zo? Nu weten jullie, en nu weet ik, dat de blanke meesters wrede zuiplappen zijn, overspelig en ongelovig. Jullie en ik weten wat ze zijn. Maar jullie buigen toch voor ze omdat – vermoed ik – zij beter zijn dan jullie. Hmm.' Hij legde bedachtzaam zijn wijsvinger tegen zijn kin. 'Goeie genade! Zwarten zijn erger dan overspeligen en ongelovigen en wrede zuiplappen. Ik vermoed dat jullie allemaal verdoemd zijn. Op weg naar de eeuwige verdoemenis.' Gespeelde verbazing schoot over zijn geharde, zwarte gezicht. 'Jezus Christus heeft de meesters gered, maar maakte zich niet druk over jullie.

Als die meester jullie op straat ziet, ziet hij dan dat jullie buigen en knikken, of loopt hij voorbij alsof jullie niet meer zijn dan een paal of een paardenvijg in het stof?

Steek jullie handen op. Hoeveel van jullie buigen? Hoeveel van jullie stappen opzij om de meester door te laten?'

Martine bewoog onrustig in Ruths armen.

'Een leugenaar, dat vindt de Heer nog het ergste! Daar heeft Hij een hekel aan!'

Hoofden werden gebogen, alsof die niets te maken hadden met de handen die werden opgestoken.

Gespeelde verbazing. 'Nou, dat zijn de meesten van jullie. Nou, nou...' Vesey glimlachte alsof hij een lieve oom was. Hij las zwijgend, met bewegende lippen, en tikte met zijn vinger op de tekst voordat hij opkeek, blijkbaar verbaasd dat er zo veel mensen in zijn huis stonden. 'Hoeveel van jullie "gekleurde heren" doen alsof jullie net zo dom zijn als die oude melkkoe die jullie van de meester moeten melken? Hoeveel vrouwen slaan hun ogen ten hemel en zuchten en zeggen "Meester, ik ben maar een slavin, ik snap dit allemaal niet"?'

Gemompel en gezoem, als in een bijenkorf, met luide, klapperende vleugels.

'Hoeveel van jullie leren je kinderen dat ze naar hun voeten moeten kijken als de meester iets vraagt? "Als je het antwoord weet, moet je het zeggen. Als je het niet weet, zeg dan toch iets. Nikkers krijgen eerder met de zweep omdat ze iets niet weten dan omdat ze iets verkeerds zeggen." Jullie zeggen tegen je kinderen: "Kijk niet op naar die blanke man, en wat je ook doet, heb geen grote mond." Hoeveel van jullie zeggen dat?'

Hij zette zijn bril af en wreef over de brug van zijn neus. 'Mama's en papa's, hoeveel van jullie zeggen dat?'

Thomas Bonneau stond op en zei: 'Als we dat niet zeggen, worden de kinderen gestraft.'

'Ah, meneer Bonneau. Ik hoor graag uw mening over de Bijbel. Maar u hebt gelijk, de meester kan de slaaf verkopen, de meester heeft het geweer en het werkhuis en meneer Zweep. Maar er komt een dag dat de Heer zal ingrijpen, meneer Bonneau. Er komt een dag…'

Hij maakte een grote vuist en keek ernaar. 'Ik ben al heel lang timmerman. Ik werk met lood en waterpas, net als iedere blanke. Ik weet hoe een lood werkt en hoe ik moet meten of iets waterpas is. Die bruine neger hier, Jehu Glen, die is de beste trappenmaker in de Lowcountry, beter dan welke blanke dan ook. Dat weet jij, dat weet hij, dat weet de blanke. Waarom moet Jehu dan buigen op straat?'

'Jullie hebben over die Thomas Jefferson gehoord, die blanke meester die president was? Dat was hij. President van de Verenigde Staten. Vorige week werkte ik bij meester Bee aan de wanden van zijn binnenplaats, want die waren van binnenuit aan het rotten. Blanke timmerlieden hadden de goten van Bee in die muren gestopt in plaats van aan de buitenkant, want zo deed Thomas Jefferson het ook. Nou, ik durf er tien cent om te verwedden dat de muren van Thomas Jefferson ook wegrotten. Er is in de hele Lowcountry geen nikkertimmerman die stom genoeg is om de goten in de wanden te stoppen waar ze kunnen verstoppen en je ze niet kunt schoonmaken. Dat is echt iets voor een blanke!' Meewarig schudde hij zijn hoofd. 'Soms denk ik dat de meesters voor ons zouden moeten buigen.'

Het gelach begon als gegrinnik achter in de kamer en veranderde in een diep keelgeluid voordat hij iedereen stil kreeg. 'Ik was bezig die goten eruit te trekken, zodat ik ze aan de buitenkant kon ophangen, waar je ze kunt schoonmaken als ze verstopt raken, maar die oude bediende van meester Bee, Archimedes – die kennen jullie wel, zo'n bruine vent die naar St. Philip's Episcopal gaat – Archimedes liep steeds moeilijk te doen. "Dat moet je niet doen," zei hij. "Dat heeft een blanke man zo opgehangen. Dan moet het goed zijn."

Goten kunnen niet lekken omdat een blanke ze heeft opgehangen? Goeie genade!

Archimedes, die is net zo begonnen als jij en ik. Kreeg zijn eerste lessen op de knie van zijn mama. Daarna heeft zijn meester hem dit verteld en hem dat verteld. De meester zegt tegen Archimedes "Je weet helemaal niets", en wie gaat er tegen de meester in als die de geweren en de werkhuizen en de zwepen heeft!'

Hij zweeg even, met de houding van een man die de waarheid in pacht heeft, en fluisterde: 'Dat je een meester bent, geeft je nog geen gelijk! Dat je een slaaf bent, maakt je nog niet minder!'

Vesey richtte zijn blik op het lage plankenplafond boven hem, alsof hij het niet tegen hen had, alsof hij niet tegen iemand in de kamer sprak. 'Ik ga op straat niet opzij voor een blanke. Dat weten jullie. Ik ben twee keer "om suiker gestuurd". Ik heb twee keer die oude zweep gevoeld.

Maar ik ben niet stom en ik ben niet lui en ik ben geen jongen. Ik ben een man in de bloei van zijn leven.' Zijn lach klonk snuivend. 'Nou, misschien ben ik een beetje over die bloei heen.'

Er werd gegrinnikt om Veseys zelfkennis. Sommige verkrampte spieren bewogen, en een oude man kuchte.

Hij stak zijn wijsvinger uit als de staf van Mozes. 'Je kunt niet doen alsof je een jongen bent zonder een jongen te worden. Je kunt niet doen of je dommer bent dan de blanke zonder dommer te worden dan de blanke is. Zoals je je voordoet, zo ga je worden.

De neger die voor een meester op straat buigt, die doet of hij dom is, die vergeet wie hij is – die man is een slaaf.' Hij sloeg zijn bijbel dicht. 'Die verdient een slaaf te zijn!'

Hij fluisterde tegen de stilte: 'De Heer zal ingrijpen.'

Ze glipten in groepjes van twee en drie naar buiten. Om de hoek greep Thomas Bonneau Jehu's mouw vast. 'We moeten ons wel zo voordoen. Als we dat niet doen, krijgen we met de zweep, of erger. Soms denk ik dat Denmark Vesey ons dood wil hebben.'

Jehu antwoordde, volgens Ruth tamelijk zelfvoldaan: 'Zoals je je voordoet, zo ga je worden.'

Thomas Bonneau liet Jehu's mouw los en keek hem aandachtig aan voordat hij langzaam, en niet boos, knikte. De Bonneaus kwamen nooit meer naar Bijbelstudie of naar de kerk aan Cow Alley, en de Glens zeilden nooit meer mee in Thomas' bootje en aten niet meer bij hen, en Thomas maakte het grijsgestreepte huis zonder hun hulp af. Jehu, Ruth en Martine aten op zondag na de kerk aan de oever van de rivier, maar nooit bij White Point, waar alleen blanken mochten komen.

Die winter was het sociale seizoen teleurstellend. Er was niet veel geld en de prijs van rijst viel tegen. De familie Ravanel had minder werk voor Ruth. Frances Ravanel had Ruth bij mevrouw Puryear aanbevolen, en mevrouw Puryear had Ruth na een lang vraaggesprek verteld waarop ze kon bezuinigen. 'Men hoeft niet bij elke maaltijd rundvlees te eten,' raadde ze aan. 'Sokken kunnen worden versteld.' Hoewel Middleton Jehu had gevraagd tekeningen te maken voor de verbouwing van het huis op de plantage Broughton en Jehu daar wekenlang mee bezig was, besloot Langston Butler uiteindelijk niet te verbouwen en kreeg Jehu, omdat er geen werk volgde, niets betaald. Toen Jehu bezwaar maakte, zei de jonge Butler tegen hem dat hij hem, als hij ophield met jammeren, misschien opnieuw zou inhuren als de rijst weer meer opbracht.

Geen werk betekende meer Bijbelstudie, en Jehu kwam vaak pas na twaalven 's avonds thuis. De wacht kende de bezoekers van de Bijbelstudie inmiddels van gezicht en vroeg niet om hun pasjes.

Hercules ging niet. 'Die Vesey, die doet me veel te ingewikkeld,' zei hij tegen Ruth. 'Hij kan gelijk hebben, maar misschien ook niet. Bovendien moet ik een hengstveulen africhten; dat gaat een winnaar worden.'

'Hercules...' Ruth wilde erover praten.

'Dat veulen, dat is heel bijzonder. Het is net of we een tweeling zijn, hij en ik.'

Pearl beviel in februari. Ruth, Dolly en mevrouw Ravanel hielpen bij de geboorte, maar Pearls kindje stierf na een paar uur. En met het arme kleine ding stierf ook de hechte band tussen Ruth en Pearl. Pearl ging weg bij de Ravanels en verhuisde naar haar grijsgestreepte huisje aan de overkant van de rivier. Ruth zag de Bonneaus bijna nooit meer.

Omdat de Bijbelstudie op de late avond te veel was voor Martine gingen Ruth en haar dochter niet meer.

Er kwamen toch al niet veel vrouwen, en Ruth was de laatste geweest. Jehu was opgelucht. 'De Bijbel bestuderen,' zei hij, 'dat is mannenwerk.'

Wanneer Jehu zo laat thuiskwam, deed Ruth net alsof ze niet wakker werd. Ze deed net alsof ze Jehu niet hoorde ijsberen en mompelen in de kamer ernaast.

Maar ze was blij wanneer haar man er weer was, want dat maakte een einde aan haar bekende droom waarin ze ineengedoken in een maniokmand zat en het bloed door het weefpatroon sijpelde.

Schoenen voor naar de kerk

*D*e zon stond hoog aan de hemel, de beste groenten waren verkocht en de marktkooplui laadden alles in om naar huis te gaan.

Ruth had haar oog laten vallen op een mollige zoete aardappel die eerdere klanten over het hoofd hadden gezien. Soms lagen goede groenten verborgen achter minder goede; soms hielden kooplieden een mooie zoete aardappel te lang achter. De zoete aardappel van Ruth had geen vlekjes of deukjes. Hij was vakkundig uitgegraven.

'Je moet kiezen.' Er stonden al lege manden in de kruiwagen van de groenteverkoopster. 'Anders ben ik pas met het donker thuis.'

'Hoeveel vraag je voor die kleine onrijpe aardappel?' vroeg Ruth voor de derde keer.

'Vijf cent.'

'Voor vijf cent kan ik beter krijgen.'

De verkoopster gaapte en hield haar hand voor haar mond. Ze zette haar mand met onverkochte pepers boven op de lege manden.

'Het zijn zware tijden, mevrouw,' zei Ruth. 'Mijn man heeft sinds kerst niet meer gewerkt. Ik geef er twee cent voor.'

De vrouw kneep haar lippen opeen, en zonder Ruth aan te kijken legde ze drie onverkochte kolen in de mand met pepers, die ze door elkaar schudde zodat de pepers bovenop kwamen te liggen. Ze legde er twee minder begerenswaardige zoete aardappels bij. 'Ik moet de kruiwagen nog helemaal naar huis rijden en hem voor zonsopgang weer terugrijden. Deze aardappel is morgen nog net zo goed. Morgen kan hij tien cent opbrengen. Ik heb kinderen en een man met honger. Als jij hem niet koopt, maak ik hem misschien zelf wel klaar!'

Ruth tastte naar de muntjes in de zak van haar schort. Ze kon hem koken, in stukjes snijden voor Jehu en Martine, en zelf de schil opeten. Ze wilde die zoete aardappel heel graag hebben.

En dus draaide ze zich niet om toen er werd geroepen. Dat gebeurde wel vaker. Maar toen er werd geschreeuwd draaide ze met een ruk haar hoofd om. Geschreeuw was de Angst die ze had verwacht. Angst kwam eraan! Vandaag was Angst er!

Angst was een blanke ruiter die in volle vaart tussen de rijen kraampjes door galoppeerde. Toen zijn paard over een kruiwagen sprong, raakte een hoef de wagen, zodat die omviel en de rode aardappels over de kasseien rolden en tolden. Zwarten schoten weg naar een veilige plek. Een wagenmenner trok aan een muilezel die bokte in zijn lamoen en tegen de wagen schopte: bons-bonk.

De ruiter hield de manen van zijn paard in zijn ene hand en zijn sabel in de andere, en hij galoppeerde recht op Ruth af, alsof zij degene was voor wie hij kwam. Bijna te laat duwde hij zijn hakken in de stijgbeugels naar beneden en trok aan de teugels, en zijn dikke witte paard liet zijn achterkant zakken en bleef staan. Blanke jongen op een dik wit paard. Het paard was bedekt met zweet en de blik in de opengesperde ogen van de ruiter was onscherp. 'Ho!' Zijn kreet begon schril en krakend. 'Ho! Keer terug naar jullie meesters! Ho! Bevel van gouverneur Bennett!'

Zijn groene jasje van de Charleston Rangers zat scheef dichtgeknoopt en het pistool met het handvat in de vorm van een vogel leek zijn koppel elk moment te kunnen te verlaten. 'Terug naar je meesters!' schreeuwde hij opnieuw. 'Alle nikkers die op straat lopen, worden als vogelvrij gezien!' Hij ging in zijn stijgbeugels staan en zwaaide met zijn sabel boven zijn hoofd.

Ruths maag draaide zich om, maar ze wist te glimlachen. 'Jonge meester Puryear, hoe is het met u?'

Cathecarte Puryear keek kwaad, alsof er een geheim was verraden.

'Ik ben Ruth, jonge meester, de mammy van juffrouw Penny Ravanel.'

Hij hoorde haar niet. Misschien kon hij dat niet. Zijn blik dwaalde naar overal en nergens. Zijn witte knokkels klemden zich om het gevest van een fonkelende sabel die verlangde naar vlees om in te bijten. Op een akelig vlakke toon zei hij: 'Waarom willen jullie ons vermoorden?'

'Vermoorden, meester? Ik ken u niet eens.'

'Ik ben een goede meester,' beweerde Cathecarte. 'Ik heb nog nooit een bediende "om suiker gestuurd". Nooit. Ik heb nooit een nikkermeid tegen haar wil genomen.' Zweet glansde op zijn wangen. De punt van zijn sabel bewoog als de tong van een slang. Ruth voelde ineens een leegte in haar rug, als een koel briesje. De groenteverkoopster had haar kruiwagen in de steek gelaten en was verdwenen.

Ruth durfde haar blik niet van de jonge militieman los te maken. Zijn dikke paard lette niet op waar hij zijn hoeven neerzette, maar Ruth durfde niet terug te deinzen.

'Ho!' riep Cathecarte Puryear tegen de lege markt. 'Keer terug naar jullie meesters!'

Kruiwagens lagen op hun kop. Een muilezel zonder voerman had zijn kar naar een plek gesleept waar hij op gemorste bonen kon knabbelen. Palmbladeren hingen slap in de hitte.

Het zweet liep Ruths oksel uit en droop koud langs haar zij. 'Waren er vanmorgen problemen, meester Cathecarte?' vroeg ze opgewekt.

'Problemen! Godverdomme, ja!' (Nadenkend) 'Excuses voor mijn taalgebruik.' Hij stak zijn sabel terug in de schede, haalde diep en huiverend adem en citeerde: '"Een soldaat kijkt de dood in de ogen voor een fraaie rouwkrans"…' Zijn vingers dwaalden over zijn verkeerd dichtgeknoopte jasje. 'Keer terug naar je meester,' zei hij kalm.

'Meesteres Ravanel?'

'Wie? Naar je verdraaide meesteres, wie ze ook is. Een nikker die op straat wordt aangetroffen zal… zal.' Hij maakte een knoop los en deed hem weer vast.

'U moet bij het begin beginnen, meester,' zei Ruth.

Hij keek naar haar, maar zag haar niet.

'Met de knopen, bedoel ik. U moet ze een voor een vastmaken, van beneden naar boven.' Haar hand kronkelde naar voren om die mollige zoete aardappel te pakken en hem in de zak van haar schort te proppen. 'Ik heb hiervoor betaald,' loog Ruth. 'Dit is mijn aardappel.'

'Een aardappel,' zei hij. Na een korte stilte merkte hij nadenkend op: 'Vandaag, in eenzame grootsheid, een zoete aardappel…'

'Meester?'

'Poëzie. De voortreffelijke Byron gecorrumpeerd door een nederige rijmelaar uit Charleston.'

'Meester, u moet niet bang zijn. Ik zal u niks doen.'

Hij schudde de spinnenwebben uit zijn hoofd. 'Jij? Mij iets doen? "Al wat we zien, is een droom in een droom"? Ga. Er zijn grenzen aan mijn geduld.'

Met haar schort tot aan haar heupen opgetrokken holde Ruth zo snel als ze kon door de stad, en ze was niet de enige die rende. Zwarten en blanken ontvluchtten openbare ruimtes. Gezadelde, opgetuigde paarden werden stallen in getrokken, deuren sloegen dicht achter koetsen, luiken werden gesloten en grendels werden voor deuren geschoven.

De zoete aardappel zou haar gezin voeden, en Ruth had nog zeven cent over. Ruth voelde de sterke neiging de zoete aardappel weg te gooien. Ja, die had ze gestolen, maar de verkoopster kwam niet meer terug. Ze had toch haar kruiwagen in de steek gelaten? Ruth had wel meer kunnen stelen, maar dat had ze niet gedaan. Ruth sloeg Anson Street in. De zoete aardappel in de zak van haar schort was schuldig zwaar, als een baksteen.

Ze zou de Angst geen naam geven. De geesten hadden al gewaarschuwd dat Angst zou komen, maar ze was niet gezwicht. Nu mompelde ze: 'We redden ons wel, zoals altijd,' maar haar mond was droog als beenderen.

Ruth bleef aarzelend bij de deur staan. Haar eigen deur! Door de zon was de blauwe verf rond het deurkozijn gaan barsten en bladderen. Waarom had ze verzuimd het opnieuw te verven? Ze onderdrukte een kreun en drukte haar voorhoofd tegen warm, ruw hout.

Haar hand ging aarzelend naar de klink. In haar hele leven was Ruth voor niets banger geweest dan voor het opendoen van haar eigen deur. Binnen wachtte Angst.

Het zonlicht dat door het raam viel, vormde een geelwitte rechthoek op de achterste muur. Jehu zat met zijn rug in de hoek, zijn handen voor zijn gezicht geslagen. Martine klampte zich vast aan haar vaders knie.

Toen Ruths blik die van haar man kruiste, wilde ze ineenkrimpen. Tranen welden op.

'Wij. Alle zwarten,' zei Jehu dromerig. 'Vrij. Denk daar eens aan, lieverd. Mijn eigen werkplaats. Misschien wel een leerjongen. Rijke lui in Haïti hebben ook trappen nodig, toch? Niet meer buigen en knikken omdat hij blank is en ik een nikker. Blanke en zwarte, allemaal hetzelfde. De harde werker komt vooruit, de luiaard niet.' Jehu zweeg even en zei op de bekende toon van Denmark Vesey: 'We worden vrij.'

'O, Jehu,' zei Ruth. 'Maar je bent vrij.'

'Vrije zwarten zijn niet vrij. We komen in opstand, net als Mozes, en we gaan aan boord van schepen zoals de ark van Noach en we varen naar Haïti. Iedereen, zwart en bruin, zal vrij zijn. De Heer zal ingrijpen...'

'Wie wil je doden?' fluisterde Ruth.

'Meesters zijn net als de farao. De farao wilde het volk van Mozes niet laten gaan.'

'Meesteres Ravanel? Kolonel Jack?'

'Ik weet waar Langston Burton slaapt.'

Gehaast legde Ruth hun pan, vorken en lepels, tinnen bekers, Martines andere hemd, Jehu's jasje voor naar de kerk en haar schoenen voor naar de kerk op een deken en bond die vast. 'Jij draagt Martine. Je gereedschap moet hier blijven.'

'Nee!' riep hij uit. 'Het heeft me zes jaar gekost om dat bij elkaar te krijgen, en ik laat het niet achter.'

'Nou, we laten Martine zeker niet achter!'

Toen Martine kermde, drukte Ruth een kus boven op haar hoofdje. 'Liefje, je bent helemaal nat. Papa heeft niet goed voor je gezorgd.'

Jehu's blik was leeg, alsof hij niet wist wie Ruth was.

Ze slaagde erin te glimlachen. 'Lieve man, we moeten gaan. We moeten weg uit Charleston. Snel!'

'Maar Ruth,' legde hij geduldig uit, 'dat kunnen we niet. Gullah Jack kwam net langs. Iemand heeft het aan de meesters verteld, en ze hebben de militie bijeengeroepen, en de mannen van de militie bewaken de stadspoorten. Denmark probeerde te vluchten, maar hij kwam niet weg. Ze hebben ons te pakken, Ruth. Ze hebben ons te pakken.'

Ze had zin hem een klap in zijn gezicht te geven. 'Je bent nog nooit in Haïti geweest. Ik wel!' Ze vond een schone luier. 'Liefje, ik ga je verschonen en dan gaan we een lekkere zoete aardappel eten.'

Met zachtere stem zei Ruth: 'De aardewerken pot kan niet tegen de ijzeren pot vechten, Jehu. Je bent al vrij. Waarom doe je dit?'

De man van wie ze hield zei: 'Ik kon niet meer doen alsof.'

Op zondag gingen ze niet naar de kerk en maakte Ruth haver klaar. Omdat Jehu geen hap door zijn keel kreeg, zette ze zijn kom voor later weg.

Jehu sleep zijn beitels en schaven. Martine klampte zich aan haar vast; warm, bezweet en bang. Toen Martine eindelijk was ingedommeld, liep Ruth naar de andere kant van de stad; ze was de enige zwarte op straat. Hoewel de militiemannen haar argwanend aankeken, liep ze snel, met haar ogen neergeslagen, en ze hielden haar niet tegen. Ze kon iets gemakkelijker ademhalen toen ze eenmaal een vertrouwd steegje achter het erf van Ravanel had bereikt. Ze klopte op de achterdeur.

Misschien hadden ze het niet gehoord. Ze klopte harder.

Een hele tijd later klonk het geluid van voetstappen, gerammel, het geklik van metaal. 'Wie is daar?'

'Ik, Ruth. Kolonel Jack, ik moet u iets vragen.'

De deur ging zo ver open dat kolonel Jacks bloeddoorlopen oog haar kon aankijken. Toen hij er zeker van was dat Ruth alleen was, deed hij de deur open en liet de haan van zijn pistool los. 'Ruth.'

'Ik moet met u praten.'

'O ja? Waarover?'

'Dat weet u vast wel.'

'Nee, dat weet ik vast niet. Ik heb gehoord dat onze bedienden van plan zijn in opstand te komen. Ik heb gehoord dat ze ons in onze slaap willen vermoorden. Misschien heb je daar ook iets over gehoord?'

Ruth knikte bedeesd en liet haar hoofd hangen, wachtend op zijn verwijten, maar in plaats daarvan zuchtte hij, schudde zijn hoofd en liet haar binnen. 'Stelletje dwazen. Waar waren ze in godsnaam mee bezig?'

De laarzenkamer puilde uit van de jachtjassen en rijlaarzen en rook naar leervet. Kolonel Jack nam een slok uit een veldfles en ademde de dampen over haar uit. 'Een geheim is geen geheim meer als meer dan één ervan weet,' zei hij, alsof hij het tegen een kind had.

'Wat gaat er...'

'O, die eindigen aan de galg. Geen twijfel mogelijk. Je kunt niet zomaar je meesters vermoorden, begrijp je. Frances en Penny komen niet buiten, en ik kom nergens zonder mijn pistolen. De vader van Cook, Jarod, was tijdens de oorlog mijn lijfknecht, maar ik heb haar op haar kamer opgesloten en we leven van biscuits uit blik. Wie kunnen we vertrouwen, Ruth? Wie? Wat kom jij hier doen? Zwarten kunnen niet veilig rondlopen...' Kolonel Jack hapte naar adem. 'Goeie God. Niet jouw Jehu...'

'Kolonel Jack...'

Hij stak een hand op om haar tot stilte te manen. 'Niet doen. Zeg niets wat een rechter niet zou mogen horen.'

'Maar kolonel...'

'Ruth, je bent een prima mammy. Frances is vol lof over je. Ja, ik weet het, ik weet het... Maar breng me niet in een positie... Ik kan niet in een positie...'

'Meester Jack, wat moet ik nu doen?'

Kolonel Jack nam nog een slok, veegde de hals van de veldfles af en stak die haar toe. 'Beste medicijn dat er is.'

Ruth knipperde met haar ogen. 'Ik ben geheelonthouder, meester.'

'Gerst doet meer dan Milton wanneer je God wilt begrijpen... Ruth, het spijt me als... Nee! Niks zeggen. Ik kan toch niks doen, en ik wíl het niet weten!' Hij liet een scheve glimlach zien. 'Nu je toch hier bent, zou je misschien... Penny is doodsbang...'

In de benauwde zitkamer rende kleine Penny naar Ruth toe en klampte zich aan haar benen vast. De luiken waren vergrendeld, de gordijnen dicht, en de kamer stonk naar een nachtspiegel die moest worden geleegd. Op alle stoelen lagen kleren, vies en schoon, en de koppel en musket van kolonel Jack lagen op tafel.

Frances Ravanel had rode ogen van het huilen.

'Mijn Jehu...'

Kolonel Jack beet haar toe: 'Geen woord meer.'

'Ik –'

'Ruth, jij? Nee, toch niet jij!' Frances hapte naar adem.

'Nee, mevrouw, ik heb niet... Nee, ik weet nergens niks van.' Ze jammerde: 'Hij heeft me nooit niks verteld!' Ruths wijsvinger draaide als vanzelf een krul in Penny's haar.

'Zijn ze dan geen christenen?' vroeg juffrouw Frances. 'Ik zei tegen Jack dat ze christenen zijn en niet... In de warme maanden verlaten zo veel blanken de stad. De familie Bee zit in Southern Pines, mijn neven en nichten in Table Rock, North Carolina, zo veel vriendinnen zijn weg. Denk je dat de samenzweerders op hun afwezigheid hadden gerekend? Wat slim! Wie had kunnen denken dat zwarten die niet eens kunnen lezen zoiets kunnen beramen? Of dat zouden willen? Zijn ze in een christelijke kerk op dat idee gekomen? Ik vermoed dat ze aardig wilden zijn: als ze in opstand komen wanneer de meeste blanken niet in Charleston zitten, hoeven ze er minder te... vermoorden.'

'Mevrouw...'

'Rolla, van gouverneur Bennett; ken je Rolla?'

'Nee. Ik heb hem wel in de kerk gezien, maar we hebben nooit met elkaar gepraat.'

'Rolla is van gouverneur Bennett. Als het aan Jack lag, bestond ons sociale leven uit de renbaan en de Jockey Club, maar soms wil ik er ook wel eens uit, en Jack gunt me dat plezier. Rolla heeft me tijdens diners bij gouverneur Bennett bediend. "Neemt u nog wat ham, mevrouw Ravanel, dat vindt u altijd zo lekker." Gouverneur Bennett is erg op Rolla gesteld. Hij beschouwt hem als deel van de familie! Toen Rolla werd gearresteerd, bekende hij wat zijn aandeel was. Blijkbaar…' Meester Ravanel fronste. 'Blijkbaar is Rolla op de gouverneur gesteld, want Rolla zei dat hij de gouverneur niet eigenhandig kon doden. Hij zou een ander hebben gevraagd dat te doen.'

De Ravanels waren zo verbijsterd dat ze zich niet konden bewegen. Stel je eens voor. Stel je zoiets eens voor.

Ruth fluisterde: 'Ik heb nooit…'

Frances gebruikte haar zakdoek om Ruths wangen te drogen. 'Ik draag mijn tweede kind. Dat heb ik je niet verteld omdat… omdat… Vermoedde je het wel?'

'Nee, meesteres.'

'Ik heb twee keer een miskraam gehad. Ik wil Penny dolgraag een zusje of broertje schenken om mee te spelen. Ik vraag me af wie was aangewezen om Penny en mij te doden.'

'Ja, meesteres.' Ruths hand viel slap langs haar zij neer, en Penny stopte haar duim in haar mond en begon te huilen.

Op de tweede juli zijn Peter Poyas, Ned Bennett, Rolla Bennett, Betteau Bennett, Denmark Vesey en Jess Blackwood opgehangen.

Dagen verstreken. Lange dagen verstreken. Ruth verkocht haar trouwring zodat ze geld voor eten had. Martine huilde niet, was niet lastig. Ze gingen niet de deur uit. Ze spraken op een fluistertoon.

Jehu zei tegen Ruth: 'Sommige mannen ontdekken nooit wat ze kunnen zijn. Ik heb geluk gehad.' Ruth liep naar de andere kamer zodat hij haar niet kon horen huilen.

Zonder over hoop te spreken omdat die nog te pril was, begonnen ze hoop te koesteren.

Hoewel de militie in de straten patrouilleerde en de kerk in Cow Alley gesloten bleef, ging men op de plantages langs de rivier weer aan het werk. De sluizen werden opengezet en de rijstvelden werden onder water gezet om de rijst te laten ontkiemen. De markt ging weer open, al patrouilleerden de Charleston Rangers daar ook en bleven zwarten na het kopen en verkopen niet hangen.

Op dinsdag kwamen ze voor de man van Ruth. De deur zat op slot, maar ze trapten hem in en liepen langs het blauwe deurkozijn alsof het er allemaal niet toe deed. Zeven blanken, gewapend met zwaarden en pistolen: bang voor één ongewapende neger. Hun leider vroeg: 'Jehu Glen?'

'Jehu Glen, trappenmaker.'

'Waarom zou ons dat iets kunnen schelen?'

Jehu hief zijn hoofd op, en een trots moment lang was hij opnieuw haar Jehu. 'Omdat het mij iets kan schelen.'

Toen ze haar papa meenamen, snikte Martine zo hulpeloos dat Ruth dacht dat haar hart zou breken. 'Je moet lachen,' zei ze. 'Dan zijn de mensen aardiger tegen je. Je moet niet laten merken wat je echt voelt, kind. Ze maken je dood als je niet lacht.'

Die avond, toen de maan hoog aan de hemel stond, liet Ruth de slapende Martine alleen en sloop ze door Charleston naar het erf van Butler. Paarden briesten en schraapten met hun hoeven in de stal. Ruth deed een krakende deur open en liep een smalle trap op, het donker in.

De kamer boven baadde in het maanlicht en lag vol slapende mannen op stromatten. 'Hercules?' fluisterde ze.

De dichtstbijzijnde man kwam overeind. Zijn borstkas glansde in het maanlicht. 'Verdomme, jongen,' bromde hij. 'Nu komen je vrouwen ook al hier!' Hij liet zich met een grom achterovervallen.

Een gestalte veranderde in Hercules, naakt, op een lap na die hij tegen zijn kruis gedrukt hield. 'Verdomme, meid.'

'Ik…'

'Ik heb het gehoord, van Jehu. Erg voor je.'

'Hij wilde alleen maar –'

Hercules snauwde: 'Dat willen we allemaal!'

Ze knikte in de richting van de slapende mannen. 'Toe.'

Hij liep achter haar aan naar beneden, waar het erf verdronk in maanlicht.

Ze zocht in Hercules' gezicht naar die brutale jongen, maar die jongen was verdwenen.

'Ik kan niks voor je doen, Ruth. Je moet Jehu's gereedschap verkopen…'

'Dat heeft Jehu nodig als hij thuiskomt.'

Hercules blies zijn adem uit en zei: 'Ik heb wat verstopt. Ik ga het halen.'

Terwijl hij rondscharrelde, zei iemand kermend: 'Hoe kan een mens nou slapen met al die rotherrie?'

Een andere stem zei: 'Doe verdomme die deur dicht. De nachtlucht brengt koorts mee.'

Toen Hercules weer naar beneden kwam, droeg hij een versleten kniebroek. 'Wat heb je gehoord?' vroeg Ruth.

'Ze hebben prediker Vesey opgehangen, en Peter Poyas...'

'Dat weet ik al. Dat weet iedereen. Wat heb je gehoord?'

Hercules zweeg even. 'De blanken zijn bang. Ze weten niet wie er bij Vesey hoorde en wie niet. Ze zijn bang. Meester Langston slaapt met pistolen naast zijn bed. Dat heeft hij me verteld, zodat ik iedere nikker die hem wil doden kan waarschuwen.' Hercules toonde een onverwacht jongensachtige glimlach. 'Ik zeg: "Niemand van ons wil meester Butler doden. We zijn tevreden nikkers."'

'Wat heb je gehoord?' vroeg Ruth weer.

'In het suikerhuis vroegen ze wie er allemaal met Vesey meededen. De meesten zeggen niks. Vesey heeft geen woord losgelaten. Peter Poyas ook niet, zelfs niet toen ze hem zo met de zweep gaven dat hij niet meer overeind kon blijven. Gullah Jack zegt alles wat ze willen horen.'

Benauwd en warm. Een nachtvogel riep. Vuurvliegjes verspreidden knipperend vreugdeloze boodschappen.

Hercules zei: 'Misschien dat ze er een paar verkopen in plaats van op te knopen. Meester Langston zegt dat je geld ophangt als je zwarten ophangt.'

'Wat dachten ze wel niet? Ze dachten in elk geval niet aan mijn Martine of aan hun vrouwen en kinderen. Zeker niet.'

Hercules haalde zijn schouders op. 'Ik, ik hou van paarden.'

Op de twaalfde juli zijn Jack (Gullah Jack) Pritchard en Monday Gell opgehangen.

Ruth wist niet of ze schoenen durfde te dragen. Haar eenvoudige schoenen voor naar de kerk waren even onopgesmukt als een zondagmorgen, maar...

Haar kleine houten crucifix: ze wist wel beter dan die te dragen. Charleston was de laatste tijd geen goede plek voor christelijke negers.

Veel meesters hadden zich ongemakkelijk gevoeld bij het christelijk geloof van hun slaven. Ja, ze wilden dat ze hun heidense bijgeloof zouden loslaten, en als belijdende protestantse meesters wilden ze dat iedere christen de Bijbel kon lezen, maar negers die konden lezen waren gevaarlijk.

Een paar vrome planters wisten hun angsten te overwinnen, maar de meeste stelden zich tevreden met preken tegen ongeletterden. Een geliefde tekst was die van Paulus: 'Slaven, gehoorzaam uw aardse meester zoals u Christus gehoorzaamt, met ontzag, respect en oprechtheid.'

Inwoners van Philadelphia die de kerk van dominee Brown in Cow Alley hadden gesteund, waren, zoals de *Charleston Courier* opmerkte, 'filantropische, blanke geestelijken met een groot hart, die onder onze negers een gevoel van ontevredenheid en verzet opwekten'. De meesters van de Lowcountry haalden opgelucht adem toen de kerk in Cow Alley werd afgebroken.

In minder angstige tijden zouden Ruths schoenen voor naar de kerk (en haar crucifix) een teken zijn geweest van de volgzaamheid die meester Butler verwachtte. Ze kon het zwart niet van haar huid schrobben, maar door zich schoon te boenen kon ze wel aangeven dat dat haar verlangen was. Ruths gesteven, witte blouse was zo stijf als een plank, haar geruite hoofddoek was smetteloos. Haar wijde rok was muisbruin, en ze liep op blote voeten. Martine meenemen was een risico – stel dat het kind drukte zou maken? Het kind kon echter ook Genade opwekken, en Ruths enige hoop was Genade. Het deed er niet toe dat de jonge meester Langston nog nooit van zijn leven ook maar één genadige gedachte had gekoesterd. Het deed er niet toe wat er was gebeurd! Wat ertoe deed, was wat er kon gebeuren!

Zwarten konden niet voor andere zwarten getuigen, alleen tegen hen. De meeste samenzweerders rond Vesey hielden hun mond, maar Gullah Jack was niet de enige die namen had genoemd in de hoop de galg te ontlopen.

Ruth haatte die mannen nog meer dan ze de mannen haatte die Vesey hadden opgehangen en Jehu op deze morgen zouden berechten.

Ruth mocht niet in de rechtbank getuigen, maar ze kon wel buiten de rechtbank getuigen! Martine was geboend tot ze glom en haar haar was in keurige vlechtjes plat op haar hoofd gevlochten. Blanken vonden zwarten in mooie kleren brutaal, maar Martine was aandoenlijk. Blanken die een neger tot bloedens toe konden geselen zouden vertederd worden door dit kind.

Ze wachtten in Meeting Street, vlak bij de voordeur van de familie Butler. Martine zat op de stoeprand en gaf aanwijzingen aan haar lappenpop, Silly. Een dag eerder had Ruth Martine waarschuwend horen zeggen: 'Silly, braaf zijn! Stoute nikkers worden opgehangen!'

Het bakstenen trottoir hield de koelte van de nacht vast totdat de ochtendzon de hemel verschroeide. In de stadshuizen liepen de bedienden op hun tenen van de ene kamer naar de andere om de luiken aan de zonzijde te sluiten en die aan de schaduwzijde te openen om een verdwaald briesje binnen te laten. Wat moeten de blanke lui zonder ons, vroeg Ruth zich af. Wie moet al die luiken open- en dichtdoen als wij er niet zouden zijn?

Hij moest nu wel snel komen. Hij zou niet te laat zijn. Belangrijke meesters zouden wel wachten op Langstons oom Middleton, maar zijn neef, die zich nog niet had bewezen, moest op tijd zijn.

Ruth dacht niet dat hij zich haar zou herinneren, hoewel ze vaak met Jehu's etensemmer in zijn huis was geweest. Ze moest niet aan Jehu denken, want dan zou ze gaan huilen.

Martine zong voor haar pop: 'La, la, la.' Ruth had het gevoel dat haar ziel was verschrompeld tot een onvolgroeide maïskolf.

Butler kwam zo snel tevoorschijn dat het leek alsof hij er altijd al was geweest. In een oogwenk was Ruths prooi aangekomen! 'Martine.' Haar dochter stak haar duim in haar mond. 'Vergeet Silly niet.'

De jonge meester droeg een ouderwetse overjas en een strakke, grijze broek. Hij raadpleegde zijn horloge.

Hercules had beloofd dat hij vijf minuten te laat zou zijn. Hij had Ruth een zoen op haar voorhoofd gegeven. 'Ik train Valentine voor de paardenrennen op de Jockey Club, en ik ben de enige die dat paard aankan. Meester Langston wil het paard van kolonel Jack verslaan. Hij zal wel denken dat ik met opzet te laat ben, maar hij zal me pas na de race met de zweep geven. Als hij wint, vergeet hij dat hij een zweep heeft. Als hij niet wint, krijg ik met de zweep omdat ik jou heb geholpen.' Hercules haalde zijn schouders op. 'Ik regel vijf minuten voor je, Ruth. Maak er het beste van.'

Toen Ruth voor Langston Butler stond, keek hij door haar heen alsof ze van glas was. Ruth flapte eruit: 'Meester Butler!'

Toen hij geen antwoord gaf, wauwelde ze: 'Meester Butler, ik ben Ruth, de vrouw van Jehu Glen. U weet het vast niet meer, maar ik kwam altijd Jehu's eten brengen toen hij aan uw mooie salon werkte. Meester Butler, u gaat vandaag mijn Jehu berechten.'

Zijn ogen waren even koud en vlak als die van een slang. Hij bekeek haar van top tot teen. Hij fronste. Vanwege haar blote voeten?

Ruth smeekte: 'Jehu Glen is een goed man, meester. De papa van kleine Martine. Jehu probeerde het goed te doen, maar die Vesey... die Vesey...' Ruth schudde vol walging haar hoofd. 'Vesey heeft Jehu gek gemaakt. Mijn Jehu is doodsbang voor die ouwe man.'

De jonge meester klapte zijn horloge dicht en keek aandachtig naar de hoek waar zijn koets diende te verschijnen.

'U kent mijn Jehu, meester. Hij heeft uw lambriseringslijsten gemaakt. Hij heeft de tekeningen voor uw plantagehuis gemaakt. Mijn Jehu is een waardevolle neger, meester. Als u Jehu kon verkopen, zou u vast zeven-, misschien wel achthonderd dollar voor hem krijgen. Ik weet dat hij iets verkeerd heeft gedaan. Ik vraag u niet hem te laten gaan. Nee, meneer. Nee, meneer. Maar hij kan achthonderd dollar waard zijn, meester. Dat vraag ik u, meester. Verkoop hem. Laat u geen achthonderd dollar door de neus boren.'

Alsof hij door haar smeekbede was geroerd, stak de jonge meester Butler zijn vinger uit naar haar kin, en zijn harde, blauwe ogen keken onderzoekend in haar bange bruine. 'Als ik te laat op de rechtbank kom, laat ik jou voor straf geselen.' Zijn zachte stem was het hardste dat Ruth ooit had gehoord. Hoewel de zon op haar schouders brandde, kreeg ze het koud van zijn stem.

Het geratel achter haar was Hercules met de koets. 'Kom op, stelletje boeven!' riep hij, alsof hij kwaad was op de paarden die zogenaamd de oorzaak van zijn vertraging waren.

Wanhopig tilde Ruth Martine op, alsof haar levende kind een argument was. 'Ze houdt van haar papa,' zei ze smekend. 'Haar papa is alles wat ze heeft.'

Martine schrok zo dat ze stilviel. Toen begon ze te jammeren.

Walging tekende zich af op het bleke, blanke gezicht van de jonge meester Butler. 'Als je man zo waardevol is,' zei hij, 'bedenk dan eens hoeveel waardevoller jij bent: een fokmerrie met het bewijs van haar vruchtbaarheid aan haar zijde.'

Ruth hapte naar adem. Langston Butler zette zijn voet op de treeplank en keek op naar Hercules, om hem duidelijk te maken dat hij wist hoe de vork in de steel zat.

Hij sloot het portier en keek glimlachend op Ruth neer. 'Je man...

Jehu? Die wilde toch met opgeheven hoofd door het leven gaan?' Hij knikte. 'Ik denk dat we dat wel kunnen regelen.'

Langston Butler grinnikte toen hij wegreed.

Ruth vroeg zich nog jarenlang af of ze iets anders had moeten zeggen, of het dan anders was gelopen. Misschien had ze haar schoenen voor naar de kerk moeten dragen.

Martine

Op de zesentwintigste juli zijn Mingo Harth, Lot Forrester, Joe Jorre, Julius Forrest, Tom Russell, Smart Anderson, John Robertson, Polydore Faber, Bacchus Hammett, Dick Simms, Pharaoh Thompson, Jemmy Clement, Jerry Cohen, Dean Mitchell, Jack Purcell, Bellisle Yates, Naphur Yates, Adam Yates, Jehu Glen, Charles Billings, Jack McNeil, Caesar Smith, Jacob Stagg en Tom Scott opgehangen.

'We worden van elkaar gescheiden, liefje. Er is niks aan te doen,' zei Ruth tegen Martine. Haar dochter droeg de beste oude kleren die Ruth had, en de avond ervoor had Ruth in de slavengevangenis haar eten geruild tegen de groene linten die door Martines glanzende haar waren gevlochten. 'Je bent zo mooi, kindje,' zei Ruth tegen haar. 'Ze zullen zien hoe mooi je bent. Mijn Martine. Ze zullen net zo veel van je houden als ik. De nieuwe meesteres zal je zo lief vinden.'

Samen met de andere slaven wachtten Ruth en haar kind op het houten platform naast de trappen van het Exchange House, waar de douane en het postkantoor van Charleston waren gevestigd. Na de slaven zouden er paarden worden geveild. Diverse goederen – halsters, zadels, handbediende graanmolens, klein gereedschap en twee felgroene valiezen – kwamen als laatste aan de beurt.

Op de ochtend van de dag waarop Jehu werd opgehangen, had de wacht beleefd op Ruths kapotte, blauwe deur geklopt. Charlestons spaarzame autoriteiten wilden de kosten terugverdienen en namen Jehu's gereedschap, Jehu's slaaf en haar jong mee. Zijn schaven, beitels en meetinstrumenten werden aan een aannemer verkocht, en Jehu's menselijke Kapitaal werd bij het werkhuis afgeleverd om te worden geveild.

Ruth vertelde niet aan Martine wat er met haar vader was gebeurd, maar steeds als ze haar vermoeide ogen sloot, zag ze het voor zich.

De autoriteiten wilden met de ophanging een voorbeeld stellen, en aangezien de galgen geen plaats boden aan vierentwintig man in één keer,

werden ze naar de lange stenen muur gebracht die de stad in 1812 tegen de
Britten had beschermd. Vierentwintig stukken henneptouw werden over
de muur gehangen en erachter vastgemaakt voordat de veroordeelden op
lange bankjes voor de muur werden gezet. Een drukke menigte van alle
rassen duwde tegen de soldaten van de militie aan toen de beul de lussen
om de nekken hing. Toen hij de bankjes wegschopte, bleek de afstand niet
groot genoeg om nekken te breken en werden de vierentwintig mannen
gewurgd. De meesten dansten, schopten, draaiden en kregen stuiptrek-
kingen. Bacchus Hammett trok zijn knieën op om zijn kwelling minder
lang te laten duren, en de beul gaf een paar langzame stervenden de gena-
deslag. Cicero, de jonge zoon van Jeremy Clement, probeerde naar zijn
vader toe te rennen, maar Cicero kreeg een trap van een paard van een mi-
litiesoldaat en overleed later die avond.

De man die Ruth moest veilen, was een bebaarde heer met een linnen jas
en een breedgerande, brandschone hoed die de veilingdocumenten stond
te bestuderen terwijl kopers en lummelende nieuwsgierigen zijn handel
inspecteerden. Op verzoek van een planter rende een jonge neger op zijn
plek, draaide met zijn armen en hurkte en sprong op om te laten zien dat
hij fit genoeg was om op de akkers te werken. De jonge vrouw met de bruine huid die naast Ruth stond, ontblootte haar tanden en draaide van links
naar rechts. Toen een jonge knaap vroeg of ze haar hemdjurk wilde optil-
len, kwam de veilingmeester tussenbeide: 'Wil je wat kopen, jongen? Of
wil je gluren zonder te betalen?'
   De veilingmeester maakte een stapeltje van zijn papieren, schraapte
zijn keel en begon zijn verhaal op te dreunen: 'Met deze jongen gaat u echt
geld verdienen! G-e-l-d: geld! Deze knaap kan zaaien, wieden, oogsten en
dorsen. Hij komt van de plantage van Anderson, dus hij heeft als geen ander verstand van de gouden rijst uit Carolina.'
   Ruth voelde niets. In tegenstelling tot de hel zou er aan deze dag wel
een einde komen.
   Nadat de veldslaaf en de jonge vrouw met de lichte huid waren verkocht, trok het hulpje van de veilingmeester Ruth en Martine op het blok.
Ruth was weliswaar eigendom geweest van Fornier, Evans en Jehu, maar
ze was niet echt eigendom geweest. Ze was Ruth geweest, en mammy
Ruth, en dat was niet hetzelfde als eigendom. Nu was ze teruggebracht tot
iets eenvoudigs.

Op nog geen zes meter afstand van Ruth en haar dochter liep een planter het Exchange House binnen. Hij ging zeker een bekendmaking lezen, een akte ondertekenen; misschien wilde hij een brief versturen. Hij zag hen niet. Als Ruth iets had geroepen, was hij misschien geschrokken of had hij geërgerd gereageerd voordat hij verderging met waar hij mee bezig was. Ruth, Jehu, haar geliefde Martine: hoe hadden ze bestaan? Als het niet in de ogen van andere mensen was geweest, dan misschien in een klein, onopvallend hoekje van het hart van Le Bon Dieu?

De veilingmeester vervolgde: 'Heren, ik vraag uw aandacht voor deze huisslaaf! Ongeveer twintig jaar oud, in opperbeste gezondheid, een ervaren mammy en dienstmeid, gehoorzaam en hardwerkend. Heren: ze kan in geen enkele taal een opruiend woord lezen! Geen dag in haar leven ziek geweest, een kind van vijf jaar aan haar zijde. Het kind is goed gevoed, geen littekens of zweren, en haar moeder heeft bewezen vruchtbaar te zijn. Een of allebei: hoeveel voor dit tweetal? Tweehonderdvijftig dollar; een mooi begin, meneer, tweehonderdvijftig. Meneer Smalls heeft twee vijftig geboden. Echt, heren, dat is een koopje. Twee vijftig? Kijk eens naar die ogen, naar die rechte ledematen. Zal ik twee zestig zeggen? Stelt u zich eens voor dat deze jonge vrouw uw slaapkamer, eh, schoonmaakt.'

Veelbetekenend gelach golfde door de groep.

'Ja, meneer, ik zie het! Twee zestig. Er is twee zestig geboden. Heb ik twee vijfenzeventig? Heren, dit is een dienstmeid van vijfhonderd dollar, dat weet ik gewoon. Goed, twee tachtig voor de beste mammy in de Lowcountry? Bedenk eens hoe dankbaar uw echtgenotes voor haar diensten zullen zijn!'

De nadruk die hij op het woord 'diensten' legde, zorgde voor een nieuwe golf van veelbetekenend gelach, iets wat sommige christenen een bewijs van slechte smaak vonden.

'Moet ik dit stel voor tweehonderdtachtig dollar verkopen? Driehonderd. Dank u, meneer, ik heb driehonderd…'

Een boertje van buiten stapte naar voren. 'Ze is een van die duivels van Vesey. Haar eigen man is afgelopen dinsdag opgehangen. Die slet heeft samen met hem plannen gemaakt om blanken de keel door te snijden! Zij en hij en die duivel van een Vesey. Meneer, denkt u dat mijn vrouw blij zal zijn als ik deze adder aan de lelieblanke boezems van onze onschuldige kindertjes druk?'

Achter in de menigte waren een paar vrolijke ruiters aangekomen. Ze hadden meer belangstelling voor plezier maken dan voor de veiling, en terwijl een van hen zijn veldfles leegdronk, zocht de ander voor de zekerheid steun bij zijn zadel.

De veilingmeester beet de boer toe: 'Meneer! Bieden, graag. Ik heb driehonderd...'

'Dacht het niet!' riep de hoogste bieder uit. 'Je zei niet dat het er eentje van Vesey was!'

'Meneer, ik heb veertig trouwe bedienden geveild die bij die ongelukkige zaak betrokken waren. Ze zijn allemaal grondig ondervraagd en wisten niets van de plannen van Vesey. Als we onze negers hun gang laten gaan en ze niet worden opgeruid, zijn ze gelukkig en tonen ze respect. Deze vrouw heeft bij voorname families in Savannah en Charleston gediend. Ze is geen Judas! Er waren geen vrouwen betrokken bij de samenzwering van Vesey. Dat kan toch ook niet? Is de vrouw niet brozer dan wij?'

De man die driehonderd had geboden draaide zich om en liep weg. Een van de pas aangekomen ruiters steeg af om een kiezelsteentje uit zijn laars te kunnen schudden terwijl zijn vrienden hem van goede raad voorzagen.

De veilingmeester had al eerder kennisgemaakt met 'bezwaren tegen Vesey'. Hij tuitte zijn lippen. 'Vrouw, draai je om en trek je hemd uit.'

Ruths hemd gleed van haar schouders, licht als het zwakste briesje. De slaven tegenover haar staarden naar hun voeten.

'Zien jullie littekens op haar rug?' vroeg de veilingmeester. 'Is ze gegeseld? Nee! En ik zal jullie zeggen waarom niet. Omdat deze vrouw haar plaats kent, hoewel haar man een rebel was! Draai je om.'

Jonge jongens grinnikten. Iemand lachte ruw.

'Deze dienstmeid is weliswaar niet licht genoeg voor een bijzit, al heb ik van voorname heren begrepen dat je in het donker niks ziet van dat zwart. Ik had driehonderd. Ik begin opnieuw. Wie heeft er twee vijftig over voor deze jonge negerin met een jong erbij? Twee vijftig? Hoor ik daar twee vijftig?'

'Ik geef veertig voor het jong,' zei de boer die hem eerder had onderbroken op zangerige toon. 'Mijn kok heeft het hare verloren en ik word gek van dat gejammer.'

'Ik heb veertig, veertig. U achteraan, meneer. Wilt u tot vijfenveertig gaan? Goed, dan is het veertig. Verkocht aan nummer zestien. Meneer, u kunt betalen en de factuur verkrijgen bij mijn compagnon, de heer Mullen.'

Ruths hand was volkomen gevoelloos zodat ze niet voelde dat Martines hand eruit werd getrokken. Ze hoorde Martine niet jammeren. Ze zag haar niet weglopen. Ruth vertoonde decorum: alles wat ze niet aanraakte of hoorde of zag of voelde, bestond niet.

Een moment waarop alles zwart werd, een paar seconden dood, voor altijd littekens op haar hart; meer was het niet.

Een blanke man brulde: 'Het is noen, meneer Smithers! Ik kom hier voor een paard. Waar zijn die verdraaide paarden?'

'Geduld, Jack. Ik verkoop eerst de nikkers en dan de paarden.'

'God nog aan toe, god nog aan toe!' Kolonel Jack steeg af en baande zich een weg naar het blok. 'Smithers, wat ben je toch een rottige... Ruth! Mijn god, jij bent het! Wat is hier aan de hand?'

Ruth fluisterde: 'Martine.'

'Krijg nou wat, krijg nou wat. Weet Frances hiervan?'

Ruth schudde haar hoofd.

Jack sloeg zijn portefeuille open en telde zijn geld. 'Smithers, hoeveel kreeg je nog van me?'

'Jack...'

'Hoeveel sta ik bij je in de schuld?'

'Je hebt die bruine merrie nog niet betaald. Weet je nog? Witte sok aan het voorbeen. En ook niet dat zwarte hengstveulen dat je in december hebt gekocht. Jack, jij en ik weten allebei dat je dat veulen hebt gestolen.'

Jack prikte met een vinger in zijn borst. 'Een hengstveulen stelen? Smithers, wil je beweren dat Jack Ravanel een paardendief is?'

Jacks vrienden lachten, en de man die de teugels van Jacks paard vasthield, merkte op: 'Wis en waarachtig, Jack, dat ben je zeker.'

Na enig heen-en-weergepraat werd vastgesteld dat Jack pas een aankoop kon doen indien hij achterstallige rekeningen had vereffend of voor onderpand zorgde in de vorm van bepaalde rijstakkers, in welk geval Smithers en Zonen, veilinghuis voor slaven, paarden en algemene goederen, bereid was hem, met genoegen zelfs, op afbetaling te laten kopen.

'Frances maakt me af,' zei Jack.

Ruth vroeg zich af hoeveel woorden er bestonden en waarom het er zo veel waren.

Kolonel Jack bewerkte zijn paardenvrienden met smeekbeden en geruststellingen. Hij beriep zich op Frances.

Gewoonlijk zou de tweehonderdzeventien dollar die Jack bij elkaar wist te sprokkelen niet voldoende zijn voor een jonge vrouw met kind, maar de naam van de vrouw was besmeurd, de markt was verzadigd, de veilingmeesters wilden voortmaken en het kind was afzonderlijk verkocht.

Zeventig jaar eerder had Jack Ravanels overgrootvader Nathaniel het geld dat hij met de handel in hertenvellen had verdiend in indigoakkers langs de Ashley gestoken. Jacks grootvader Josiah was achttien toen hij tijdens een duel werd gedood, en zijn broer, William, ging rijst verbouwen op de landerijen van de Ravanels en liet op de hoger gelegen grond aan de overkant van de rivier een groot boerenhuis van cipressenhout optrekken. Carolina Gold, de rijstsoort die in deze streek werd verbouwd, was licht, gemakkelijk te vervoeren en bleef heel lang goed. De kwartiermeesters van Napoleon en Wellington staken veel geld in de Lowcountry, waar pas rijk geworden planters hun koetsen vergulden en de boerenhuizen van hun grootvaders afbraken om 'plantagehuizen' in de Georgiaanse stijl neer te zetten. De Ravanels waren gelukkig in hun ruime, allerminst modieuze boerenhuis van cipressenhout dat tussen de weg langs de rivier en de rivier zelf lag, weggestopt achter de hoge oever waar stormwinden overheen waaiden zonder schade aan te richten. Wanneer Jack in de stad met zijn paardenvrienden de bloemetjes buitenzette, bleef Frances liever op de plek waar ze, zo zei ze zelf, de vogels en de termieten kon horen zingen. De woonvertrekken van de familie waren vrolijk, gevuld met snuisterijen, en de wand van de eetkamer was bedekt met dekens van de Creekindianen in felrode, groene en oranje patronen. Achttien veldslaven voor hele en halve dagtaken zwoegden langs de rivier in Jacks rijstvelden, en alleen Cook en mammy Ruth woonden in het huis. Jacks staljongens en jockeys sliepen in het bijgebouw van de stal met twaalf boxen.

Kolonel Jack was geen enthousiaste en ook geen voorzichtige planter en hij behandelde zijn negers op dezelfde manier als hij blanke militiesoldaten behandelde. Het gevolg was dat ze onder Jacks toeziend oog hard zwoegden, maar dat ze bij afwezigheid van de meester in hun eigen tuintjes werkten en gingen jagen en vissen. Jacks vrienden raadden hem aan opzichters in te huren, maar de een was te toegeeflijk, de volgende te streng, en geen enkele opzichter hield het langer dan een maand of twee vol.

Omdat Jack vaak weg was om paarden te kopen waren Frances en haar dochter Penny elkaars beste gezelschap.

Toen Jack thuiskwam met Ruth op de rug van een van zijn paarden was zijn blik strak van de hoofdpijn en zag Ruth grauw als dweilwater. Haar zwakke glimlach was verschrikkelijk.

'We hebben er een bediende bij,' zei Jack. 'Ik weet het, ik had dit niet moeten doen, maar ik kon toch niet toestaan dat ze Ruth zouden verkopen?'

'Verkopen? Verkopen? Waar? Natuurlijk kon je dat niet, mijn lieve Jack. Kom binnen, Ruth, je bent uitgeput.'

Penny, die naar buiten was gerend om haar mammy en haar vriendin Martine te begroeten, stak haar duim in haar mond.

'Mooi huis,' wist Ruth uit te brengen.

'Het is een oude bouwval, maar het is thuis.' Toen ze een vragende blik op haar echtgenoot wierp, maakte Jack haar met een frons duidelijk dat ze niet naar Martine moest vragen.

Ruth zat als verdoofd op een schommelbank op de veranda totdat Penny zich bij haar mammy op schoot nestelde. Een hele tijd later begon Ruth haar over haar haar te strelen.

Die avond knielde Penny naast haar bed en bad dat Martine het goed maakte en gelukkig was. Ruths blik liefkoosde het kind zo heftig en teder dat Frances het niet kon aanzien.

De volgende morgen vertrok Jack naar Beaufort, waar een weduwe mogelijk de paarden van haar man wilde verkopen.

Aan het einde van die week kon Ruth eindelijk slapen, soms wel een halfuur achter elkaar.

Jack was dapper genoeg om kogels onder ogen te komen, maar dit kon hij niet aanzien. Wanneer kolonel Ravanel niet hoefde te reizen, bleef hij in de stad.

Ruth deed alles wat Frances van haar vroeg en leek te versmelten met haar saaie, bruine hemdjurk en versleten, groene hoofddoek. Het gebeurde meer dan eens dat Frances opkeek en zich afvroeg wanneer Ruth de kamer in was gelopen en hoe lang ze daar al zat.

Ze lokte geen opmerkingen uit, en wanneer Frances een gesprek probeerde aan te knopen, onderdrukte Ruths zwakke glimlach haar poging even verstikkend als een deken die vlammen smoort. Alleen Penny noemde de naam van Martine, tijdens haar gebedjes voor het slapengaan. Geen van de grote mensen zei hier iets over, maar ze zouden het hebben gemerkt als Penny het een keer vergat.

De koorts bleek vaak fataal voor nieuwkomers in de Lowcountry. Inheemse blanken en zwarten wier voorouders de koorts in Afrika hadden gekend liepen vaak een afgezwakte vorm van de ziekte op. Ze hadden er allemaal wel eens aan geleden, en toen Penny op een ochtend niet uit bed wilde komen en een gloeiend heet voorhoofd had, verwachtte Frances dat ze zich twee tot drie dagen beroerd zou voelen, totdat de koorts weer was gezakt.

Ruth diende haar thee van kinineschors en een aftreksel van radijsbladeren toe, en drie dagen lang was Penny aan de beterende hand. De volgende dag, toen Frances dacht dat Penny uit bed kon komen, klaagde haar dochtertje over hoofdpijn en was de koorts terug. Tegen de avond was het kind zo verzwakt dat ze naar de po moest worden gedragen.

Frances liet Jack en de dokter halen. 'Vooral voor kinderen is de koorts erg gevaarlijk,' zei de dokter, die hun daarmee vertelde wat iedere ouder in de Lowcountry al wist.

Penny lag te gloeien in haar bed. Haar moeder, Ruth en Jack wasten haar om beurten met koele lappen.

Na een lange nacht met zijn kind trof Jack Ruth met een wezenloos gezicht in de keuken aan en barstte hij uit: 'Een gezonde, jonge vrouw kan het niet zomaar opgeven. Frances heeft je nodig, Ruth.'

Ruths ogen waren troebel en vlak.

'Godverdomme!' Jack fluisterde zijn kreet. 'Penny heeft je nodig!'

Ruth liet hem haar al te vertrouwde, vreselijke glimlach zien. 'O, kolonel Jack. Er zijn er zo veel die me nodig hebben.'

Haar ouders of Ruth zaten dag en nacht aan Penny's bed, en als het kind niet door hun gebeden was genezen, dan was er iets anders geweest, want in december genoot een bleke juffrouw Penny Ravanel van een bedaard kerstfeest en een nieuw hobbelpaard dat ze Gabby noemde.

Jack keerde terug naar de stad voor de paardenrennen, waarin Langston Butlers Valentine de favoriet versloeg en waarna Butler Valentines trainer meenam naar het clubhuis, waar James Petigru op hem dronk. 'Zwarten begrijpen paarden beter dan wij omdat zwarten een dierlijk karakter hebben.' Hercules was geen sociaal succes. Een zwarte, ook al was hij de grappige paardentrainer, gaf de meesters een ongemakkelijk gevoel, en meester Butler stuurde zijn slaaf terug naar de stallen.

Jack keerde voor de zaaitijd terug naar de plantage en liep in huis in de weg. Hij zei tegen Frances dat hij zich 'hier net een extra speen' voelde.

'Als je wat vaker "hier" zou zijn, was je misschien een noodzakelijker aanhangsel.'

Frances lachte met Jack mee.

Hij drukte zijn neus in de nek van zijn vrouw. 'Ons huis is nog nooit zo somber geweest. Waarom zijn we niet gelukkig? Komt het door Ruth?'

'Ruth is nog geen jaar hier. Ze doet meer dan ik van haar vraag en klaagt nooit. Penny is dol op haar. Onze dochter leest Ruth elke avond voor.'

'Ja, maar…'

'Onze vrienden hebben haar man opgehangen en haar kind verkocht.'

Jack haalde zijn schouders op. 'Vesey zou iedere blanke in Charleston hebben afgemaakt. Ook jou en Penny.'

'Martine?'

'Madame, dat was betreurenswaardig, maar zo is het altijd al gegaan.' Hij bood Frances een glas sherry aan, waar ze nee tegen zei, en ze zei ook nee tegen haar echtgenoot.

Zware lenteregens deden de Ashley buiten zijn oevers treden. Dijken braken en sluizen spoelden weg. Jack werkte zo hard als hij kon, totdat hij over een hengst in Virginia hoorde die op de mijl zes seconden sneller was dan Valentine. Hij bleef nog drie dagen lang aan de reparaties werken. Werk op de plantage dat bij zijn vertrek niet was gedaan, zou nooit worden gedaan.

Penny liet Ruth niet met rust. 'Ruth, zie je die eenden? Waarom vliegen ze in een v?' 'Ruth, als Gabby echt een paard was, hoe snel zou hij dan zijn? Ik wéét dat hij geen echt paard is, gekkie!'

Net zoals haar moeder haar had voorgelezen toen ze nog klein was, las Penny nu, voordat ze haar gebedje zei, de zwijgende zwarte vrouw naast haar bed voor.

'Boer Goedbedoeld, de vader van de kleine Margery en haar broertje Tommy, was jarenlang een rijk man. Hij bezat een grote boerderij, en goede graanakkers, en kuddes schapen, en heel veel geld. Maar zijn geluk liet hem in de steek, en hij werd arm. Hij moest geld van anderen lenen om de huur van zijn huis en het loon van de knechten op zijn boerderij te kunnen betalen.

Het ging steeds slechter met de arme boer. Toen hij het geld dat hij had geleend moest terugbetalen, kon hij dat niet. Al snel moest hij zijn boerderij verkopen, maar dat leverde niet genoeg op, en dus was hij er nog erger aan toe dan eerst.

Hij ging naar een ander dorp en nam zijn vrouw en twee kleine kinderen mee. Maar hoewel hij daar veilig was voor Graaier en Grijpgraag werden de problemen en zorgen waaronder hij gebukt ging de arme man te veel. Hij werd ziek en maakte zich zo veel zorgen over zijn vrouw en kinderen dat hij steeds zieker werd en een paar dagen later overleed. Zijn vrouw kon het verlies van haar geliefde man niet verdragen. Ze werd ook ziek, en binnen drie dagen was ze dood.

En dus waren Margery en Tommy helemaal alleen, zonder vader en moeder die van hen konden houden en voor hen konden zorgen. Hun ouders waren samen in een graf gelegd, en nu leek niemand anders dan de Vader der wezen, die in de hemelen woont, voor de kinderen zonder huis of ouders te kunnen zorgen.'

Penny kroop dieper weg in haar bed. 'Mammy, waarom laat God zulke dingen gebeuren!'

Een tijdlang kon mammy geen woord uitbrengen. 'Het is maar een boek, lieverd. Mensen zetten van alles in boeken dat nooit echt gebeurt.'

'Maar het kán wel gebeuren, toch?'

Als iemand die een halfvergeten gedicht opzegt, fluisterde Ruth: 'Je bent zo mooi, kindje... Ze zullen zien hoe mooi je bent... Ze zullen je zo lief vinden.'

Na een diepe stilte sloeg Penny vastbesloten haar boek dicht. 'Geef me een zoen, Mammy. Geef me mooie dromen.'

Toen Frances inlichtingen over Martine inwon, bleken de omstandigheden niet bepaald rooskleurig. Naar het scheen was Martine gekocht door een boer in de Upcountry die geen banden had met families in de Lowcountry.

Rond het middaguur in augustus, toen zangvogels hijgden en geen schaduw diep genoeg was, droeg Frances' zoektocht eindelijk vrucht. Zweet druppelde op de brief van een achterachternicht of misschien wel een achterachterachternicht van moederskant, die haar hartelijke groeten zond en hoopte ooit hun ingeslapen hoeve in de Upcountry te kunnen verlaten voor een bezoek aan de grote en zondige stad waarover ze zo veel had gehoord. Zweet veranderde de inkt in vlekken, en Frances legde de brief op het rotan tafeltje naast haar glas thee. Voordat Frances een besluit kon nemen – wat voor besluit dan ook – kwam Ruth de veranda op. 'Penny doet even een dutje.'

Frances keek haar bediende zonder te knipperen aan. Ze raakte het briefje aan.

Ruths blik haakte zich vast aan het opgevouwen vel alsof het de laatste belofte van een stervende Christus was. 'Martine?'

Ze las het antwoord op het gezicht van Frances Ravanel. 'O, ik wist het wel, mevrouw. Ik wist dat mijn Martine dood was. Geen enkel kind kan zo lang zonder haar mama leven. Kleintjes hebben zo'n haast om terug te keren naar de hemel. Alleen hun mama's kunnen ze hier houden.'

Toen Frances opstond om haar te omhelzen, stak Ruth een hand op. 'Nee, mevrouw,' zei ze. 'Ik heb niks nodig. Ik heb nergens geen behoefte aan.'

'Ruth, ik vind het zo…'

'Ja, mevrouw. Ik wil u heel erg bedanken. Ik denk dat we dat allebei vinden.'

Gedurende de rest van die zomer boden de brede gastvrije veranda's van het oude boerenhuis een toevlucht aan verstikkende hitte en verdriet.

Op een ochtend, zo vroeg dat Frances nog altijd haar peignoir droeg, bleek een luide groet de terugkomst aan te kondigen van de patrouille die Jacks weggelopen jockey Ham terugbracht en rekende op zowel drank als de beloning van vijftig dollar. Een geërgerde Frances haalde beide. Na hun tweede glas cognac boden de mannen luid lachend en vriendelijk aan de weggelopen slaaf te ketenen. Misschien moesten ze hem om wat suiker sturen?

'Dat lijkt me niet nodig.'

De patrouille reed weg in de richting van het hete harde oog van de zon. 'Waarom, Ham?' vroeg Frances. 'We hebben je toch eerlijk behandeld?'

'Ja, dat wel.'

'Waarom dan? Verdraaid, geef antwoord.'

'Het is meester Butler, die wil mijn Martha aan iemand in het zuiden verkopen. Hij wil niet zeggen waar ze heen moet.'

Twee maanden eerder was Ham met een huisbediende van de plantage

Broughton over de bezem gesprongen. 'De meester zegt dat Martha weg moet omdat ze een "brutaaltje" is. Doe wat u wilt, meesteres. Gesel me of verkoop me of wat dan ook. Mijn hart is gebroken en ik wil dood.'

Frances verloor haar geduld. 'Denk maar niet dat je de enige bent met een gebroken hart!'

Jack kocht vier paarden die hij met winst doorverkocht. Hij wist niet waarom hij nog de moeite nam rijst te verbouwen. Hij was toch zeker niet zo'n verdraaide planter? Ja, hij zou morgenochtend meteen naar de plantage gaan. Ja, hij zou een goede opzichter in dienst nemen. Ja, hij wist dat nog niet alle sluizen waren gerepareerd. Ja, hij zou het met Langston over dat vrouwtje van Ham hebben. 'Ik zal het er met hem over hebben. Hij zal niet van gedachten veranderen, maar ik zal het erover hebben.'

'Misschien kun jij Martha kopen.'

Hij snoof. 'Langston wil meer dan ze waard is. Meer dan een slavenhandelaar voor haar zal geven. We hebben al genoeg problemen met bedienden.'

'Dat is waar, Jack, maar als je je ideale paard vindt, heb je een jockey nodig die erop kan rijden.'

Jack kocht Martha, en Ham beloofde dat hij de volgende race zou winnen, zeker weten. Daar kon Jack heel wat om verwedden.

Ruth liep de hele tijd te glimlachen. Haar botten staken uit, en haar borsten slonken en verdwenen. Ze liep alsof lopen pijn deed, maar ze glimlachte de hele tijd. Ze zei de vrolijkste dingen met een stem die zo doods klonk als maar kon. De meesteres en de dienstmeid woonden als vreemden in hetzelfde huis. Ze zorgden ervoor dat ze elkaar zo min mogelijk tegen het lijf liepen. Op een dag verloor Frances haar geduld. 'Ruth, je moet iets eten. Je hebt je krachten nodig. En Penny heeft je krachten nodig.'

Met haar vrolijke, verschrikkelijke glimlach zei Ruth: 'Want anders, mevrouw? Anders stuurt u me om suiker? Mevrouw, er zitten er te veel van mij aan de andere kant. Ik ben eenzaam.'

Jack zat ergens in het noorden van Georgia toen Penny's koorts terugkwam. De dokter zei: 'Ze heeft het voordeel dat ze nog jong is' en 'Erg ongebruikelijk'. Ham bracht Frances naar Broughton, waar ze Dolly aan het werk in de ziekenkamer aantroffen. Frances wond er geen doekjes om. 'Mammy Ruth wil dood.'

'Le Bon Dieu wil mammy Ruth?'

'Ik denk het wel... Ik denk dat we Hem dat moeten vragen.'

Ongeduldig zei Dolly: 'Nee, mevrouw. We moeten de geesten vragen of zij het aan Le Bon Dieu vragen. Ze bemoeien voor ons.'

Frances nam aan dat Dolly 'bemiddelen' bedoelde, maar misschien ook niet. 'Kun jij...'

Vastberaden: 'Ik ben een goed christen, mevrouw. Ik doe niet aan tovenarij.'

'Mijn Penny... Ik...' Alsof iemand anders, een geest, met haar stem sprak, zei Frances: 'Als Ruth sterft, zal mijn dochter sterven. Dat weet ik zeker.'

Uiteindelijk zei Dolly met een zucht dat ze zou doen wat ze kon.

Ham reed de vrouw naar de stad omdat ze daar bepaalde zaken moest aanschaffen en lenen, en ze keerden niet voor donker terug. Met onder haar arm een meelzak vol geheimzinnige uitstulpingen die zo stonk dat je er je neus van optrok, vroeg Dolly aan Frances: 'Wilt u helpen?'

Deze glimlachende vrouw met het spleetje tussen haar tanden bracht een akelige kilte in Frances Ravanels protestantse ziel.

'Iemand moet me helpen.'

'Eh... Ham misschien? Iemand van je eigen... soort.'

'Ham.' Ze maakte een afwijzend gebaar. 'Ham wil een liefdesdrankje. Het enige wat hij wil. Zodat de vrouw zich dwaas gedraagt.'

Nadat Hams allerminst dwaze vrouw Martha de deur achter de twee vrouwen had gesloten vulde Frances, die soms met kerst een glas sherry dronk, een heel glas met de donkere zoete whisky die kolonel Jack uit Kentucky had meegebracht.

Het tweede glas maakte haar doof voor de bizarre geluiden achter die deur, waaraan ze als christen liever niet wilde denken, net zomin als aan het gezang en het geroep en dat veelvoud aan stemmen.

Ze zocht haar toevlucht in Penny's slaapkamer en viel in de stoel naast haar dochter in slaap.

De ochtendzon kleurde de nevel boven de rivier roze, en een zonnestraal vond het raam van het oude boerenhuis. Frances schrok wakker en raakte haar dochters koele voorhoofd aan. Penny sperde haar blauwe ogen open. 'Mama? Water?' Frances schonk het water uit de kan naast het bed en hielp Penny met drinken.

'Ik heb zo raar gedroomd...' zei Penny. 'Maar ik weet niet meer wat...'

Een traan liep over Frances' wang.

Ze hielp haar dochter in een schoon nachthemd. 'Oei.' Penny giechelde. 'Ik stink!'

Frances deed de luiken open om het briesje van de rivier binnen te laten. 'Ik ben zo dankbaar,' zei ze.

Penny trok een gezicht. 'Waar bent u dankbaar voor?'

'We zullen je straks wassen.'

Frances nam een pot thee mee naar boven en klopte op Ruths deur. Binnen hoorde ze geritsel. Gekerm. Voeten die de vloer raakten.

Dolly's hemd hing uit haar rok en haar vlechten waren losgeraakt. Haar gezicht was zacht, alsof ze de hele nacht de liefde had bedreven. Achter haar was de kamer donker, met gesloten gordijnen en luiken. Aan de muurkandelaars hingen vreemde voorwerpen, en Dolly rook naar stinkende, muskusachtige kruiden. Frances kon niet zeggen of er één vrouw in Ruths bed had gelegen, of twee. 'En weer is het morgen, nietwaar,' kondigde Dolly aan. 'Mevrouw, kunt u vragen of Ham me naar huis brengt? Ik ben te moe om te lopen.'

'Ruth?'

'O Ruth, die moet gedag zeggen. We kunnen ze niet zomaar laten gaan, niet zonder gedag te zeggen. Is die thee voor mij?'

Dolly pakte de thee aan en deed de deur dicht. Penny werd door haar moeder de veranda op geholpen, waar Cook Penny haar havermout bracht, die ze opat alsof ze nog nooit zoiets lekkers had gegeten.

Ze zaten een uur of twee naar de morgen te kijken, en ze genoten van elke minuut ervan.

Ham kwam aangereden om Dolly naar huis te brengen.

Ruth kwam naar buiten en wreef in haar ogen alsof ze de diepste, gelukkigste slaap had beleefd. 'Dag, juffrouw Penny. Hoe is het?'

'Ik voel me heel erg zwak.'

'Ik ook. Maar ik ga nu voor je zorgen.'

'Ruth, ga je ontbijten?'

Ruth knikte. 'Juffrouw Penny?'

'Ik zit helemaal vol!' meldde Penny trots.

Maar het kind bleef bij hen zitten terwijl Ruth iets at en de pramen beladen met ongepelde rijst stroomopwaarts naar de pellerij werden geboomd. Het plechtige gezang van de bootsmannen werd ondergebroken door vogelgekwetter.

'Het is allemaal zo gewoon,' zei Frances.

'Er is gewoon en gewoon,' antwoordde Ruth, die nog een maïskoek nam.

'Wat?'

'De geesten vragen al mijn hele leven naar me, maar ik ren voor ze weg. Ik ben geen Afrikaan, ik ben gedoopt in St. John the Baptist, dat is een katholieke kerk.'

'Ik wist niet…'

'Ik heb Gullah Jack nooit aardig gevonden, maar Dolly heeft hem geroepen, zodat-ie met me kon praten. Jack wilde me niet daar hebben, want dan zou ik de andere geesten de baas zijn. Ik moet nog even hier blijven.'

'Dan moeten we Jack maar dankbaar zijn.'

'Gullah Jack is als geest geen haar beter dan hij als man was.' Ruth haalde adem. 'Ik denk dat ik hier blijf zolang de kinders me nodig hebben. Mammy doet wat ze moet doen.'

Door de hogere rijstprijzen stonden de beurzen van zowel de goede planters als de armere op knappen. Jack kocht drie paarden, vlak achter elkaar, en betaalde daar de hoofdprijs voor, maar hoewel Ham zijn uiterste best deed, werd elk paard tweede, terwijl het juist zo belangrijk was als eerste te eindigen.

Jack probeerde Hercules te kopen, die sommige van de paarden trainde die de zijne hadden verslagen, en om dat doel te bereiken, luisterde hij urenlang naar de oude Middleton Butler die vertelde hoe hij met de afvaardiging uit South Carolina naar de bijeenkomst was gereisd waar de Grondwet was afgekondigd. 'Mij komt de eer toe de patriot te zijn die ervoor heeft gezorgd dat slavernij in de Grondwet van de Verenigde Staten is opgenomen,' beweerde Middleton nadrukkelijk. 'De yankees hadden de stemmen uit South Carolina nodig. Die afstandelijke Tom Jefferson, o zo trots op zijn kennis; John Adams en zijn feeks van een vrouw; o ja, ze gaven allemaal toe aan de eenvoudige rijstplanter van de plantage Broughton.' Middleton lachte kakelend en kuchte totdat hij er rood van zag.

Langston wimpelde Jack onveranderlijk af. 'Oom zal Hercules nooit verkopen, en ik ook niet,' verklaarde hij.

'Dat zullen we nog wel eens zien, hè?' antwoordde Jack opgewekt.

Terwijl Jack bij Middleton in het gevlij probeerde te komen, bezochten Ruth en Penny de stallen, waar Hercules met Ruth flirtte.

Hercules zei tegen haar: 'Ruth, ik denk dat wij samen een mooi stel zouden vormen.'

Ze zei: 'Ik heb een man gehad. Ik hoef nooit meer een ander.'

Het was niet zozeer wat ze zei, het was de manier waarop ze het zei. Hercules rechtte zijn rug, floot, en hoewel hij bleef flirten, bedoelde hij er niet langer hetzelfde mee.

Frances Ravanel schonk het leven aan een zoon, een levendig kind dat aan krampjes leed en zelfs nadat hij was gevoed nog om de borst van zijn moeder bleef jammeren.

'Baby Andrew, je wordt een vreselijke man,' zei Ruth. 'Maar de vrouwen zullen gek op je zijn.'

Middleton stierf zonder toe te geven aan Jacks vleierijen. Zijn erfgenaam verkocht tweehonderd slaven om de schuldeisers van zijn oom tevreden te stellen, maar Hercules zat daar niet bij. Twee maanden later trouwde Langston met de vijftienjarige Elizabeth Kershaw, die, als enige erfgename van William R. Kershaw, even rijk als lelijk was. Elizabeth bracht tien maanden na haar huwelijksfeest een erfgenaam voort. De negers maakten zich behoorlijk druk over het feit dat de eerstgeboren zoon met zijn helm in zijn vuist ter wereld was gekomen: een krachtig, maar dubbelzinnig voorteken.

Het leven verliep zoals dat gebruikelijk was voor plantersgezinnen, bij wie vreugde en verdriet werden bepaald door oogsten, het weer en de grillen van markten ver weg.

Toen Penny zeven was, werd ze opnieuw het slachtoffer van een koortsaanval, maar die kwam en ging zonder haar ouders schrik aan te jagen.

Het was half augustus, en niemand kon zich een zomer herinneren die zo regenachtig was geweest. Langston Butler kwam langs, en hij en Jack zaten een uur op de veranda te praten.

'Waar ging dat allemaal over?' vroeg Frances zich af.

'Onze akkers bij de rivier, die waar overgrootvader indigo verbouwde. "Lieve Elizabeth wil ze graag hebben", als ik Langston mag geloven. Blijkbaar heeft Elizabeth het dwaze idee dat ze daar met Langston gaat picknicken.' Jack snoof. '*Come live with me and be my love, and we will all the pleasures prove, that valleys, groves, hills, and fields, woods or steepy mountain yields...*'

'Dank je, Jack. Wat wilde Langston nu echt?'

'Langstons ambities zijn in wezen heel beperkt. Hij begeert slechts "het aangrenzende land". Ik heb al meer land verkocht dan zou moeten. Ik wou dat jij onze zaken regelde. Je bent verstandiger dan ik.'

'Jack,' zei Frances, 'je hebt me bijzonder gelukkig gemaakt.'

'Ik heb nooit begrepen wat je in een paardengekke, afgeleefde soldaat zoals ik hebt gezien.'

'Je bent veel, Jack, maar afgeleefd ben je niet.'

Wie in de Lowcountry zei dat een man een slecht ruiter was, beweerde in feite dat hij een slecht mens was. Dieven werden opgesloten, paardendieven werden opgehangen. Paardenrennen werden gehouden op wegkruisingen, tijdens veemarkten, politieke bijeenkomsten en patriottistische feesten: overal waar paarden en gokkers bij elkaar kwamen. De grootste en belangrijkste wedstrijden vonden plaats tijdens de week van de paardenrennen, op de Washington-renbaan in Charleston, die de beste paarden, jockeys, eigenaren en toeschouwers uit het zuiden, het westen en zelfs de contreien van de yankees aantrok. In kranten in New York werd geadverteerd met 'uitstapjes voor dames en heren' met een snelle overtocht op een modern schip, luxe overnachtingen in Charleston en felbegeerde kaartjes voor de tribune van de Jockey Club, dé plek voor belangrijke ontmoetingen.

Er werd met hart en ziel gewed en er werden onvoorstelbare bedragen ingezet. De verwachting was dat Langston Butlers Valentine het succes van het vorige seizoen zou herhalen.

Die herfst zat Jack te drinken in het vochtige, ongezellige clubhuis van de renbaan in Knoxville. De wedren was, ondanks de stromende regen, gewoon doorgegaan, en het paard waarop Jack had gewed, was gevallen en had zijn zwarte jockey verlamd gemaakt. Het paard werd al doodgeschoten voordat de jockey (die de schuld kreeg van het ongeluk) van de baan kon worden gesleept. Een sombere Jack Ravanel zat op een kruk door een met druppels bezaaid raam naar de regen te kijken, met zijn glas en sigaar op de vensterbank. De druppels geselden het clubhuis, en een walmend vuur voegde zijn stank toe aan de lucht van natte wollen kleren.

Jack stond zwaar in de schuld en de rijstoogst was dat jaar slechter dan een jaar eerder. Hij liet de donkere drank ronddraaien in zijn glas alsof wijsheid zich in de dampen zou openbaren. Paarden, paarden, paarden.

Aan een tafel vlak achter hem zaten twee plaatselijke bewoners op vertrouwelijke toon met elkaar te praten. 'Ik heb je toch over Red Stick verteld.'

'Ja, dat is zo.' Zwak gefluister. 'God nog aan toe. Vier mijl in acht minuut tien.'

'Junior zegt dat Andy hem wil verkopen.'

'O, dat zal wel. Een paard als hij.'

'Ben ik de neef van Junior of niet? Zijn we niet samen in Mutton Creek opgegroeid? Er zijn er niet veel die van Red Stick weten. Andy geeft niet veel prijs.'

De ander zei, alsof hem was opgevallen dat Jack verstijfde: 'Stil nou, Henry, dit is de tijd noch de plaats hiervoor.'

Twee dagen later draafde kolonel Jack Ravanel over een weggetje dat tussen het bloeiende katoen heuvelopwaarts voerde, naar een bakstenen huis met een verdieping dat meer op een boerenhuis dan op het landhuis van een voorname zuiderling leek. Nadat de staljongen zijn paard had overgenomen, werd Jack in de hal welkom geheten door een rondborstige negerin. 'Ik ben Hannah, meneer. Kunt u me vertellen waarvoor u komt en wie u bent?'

'Kolonel Jack Ravanel. Ik heb met de generaal gediend.'

'O, dan zal hij blij zijn u te zien, meneer. Gaat u zitten, meneer. Generaal Jackson maakt altijd tijd voor oude soldaten.'

Jack hoefde niet lang te wachten. Jackson was een klein, pezig mannetje met een hoofd dat te groot was voor zijn lijf dat, zoals hij het zelf zei, 'de nodige klappen' had gekregen. De generaal droeg twee kogels als herinnering aan duels en had nog geen twee jaar eerder de presidentsverkiezingen voor de Verenigde Staten gewonnen, een positie die hem door bedrog was ontnomen. Maar daar hoorde je hem niet over klagen.

'Wel, wel, kolonel, kolonel Jack Ravanel. Wat fijn. Wat fijn. Wat brengt u hiernaartoe vanuit dat hol van zonde in Carolina?'

'Ik ben tot inkeer gekomen, generaal.'

'U hebt toch niet de drank afgezworen?'

'Ik ben tot inkeer gekomen, generaal. Ik ben niet dood.'

'Dan moet u mijn whisky proberen. Kom mee naar mijn werkkamer.'

In die kleine kamer stelde Jackson Jack voor aan de heer Harmon uit New York en de heer Fitzhugh uit Virginia, zijn 'raadgevers'. Jacksons whisky was voortreffelijk, het gesprek gespannen. Het gouden sierzwaard op Jacksons bureau was door de regering van Tennessee uitgereikt aan de belangrijkste generaal van hun militie.

Jacksons raadgevers wilden niets liever dan raad geven; hun gezichten glommen van verlangen.

Jack zei: 'Generaal, er zijn talloze goede paarden langs de Cumberland. Ik meen dat u de meeste daarvan bezit.'

'Ik heb er een paar die nog te goed zijn voor de slager.' Jackson ontblootte zijn tanden in een brede grijns en wendde zich tot de man uit New York. 'Hebt u verstand van paarden, meneer Harmon?'

De yankee kneep ongeduldig zijn lippen op elkaar.

'Jammer. Kolonel Ravanel, als u hier bent om naar paarden te kijken, dan laat ik u die graag zelf zien, maar deze heren laten zich niet afwimpelen. Als u het niet erg vindt…'

Hannah stuurde een jongen om opzichter Ira Walton te halen, die in een stofwolk van haast aankwam. De opzichter ergerde zich omdat hij bij de katoenoogst was weggehaald.

Op weg naar de stallen vroeg Walton aan Jack hoe hij kon oogsten met zwarten die geen respect voor de blanke man hadden. 'Negers moet je niet vertroetelen, meneer,' zei hij. 'De oogst van generaal Jackson moet op tijd worden verscheept. Niet vertroetelen, meneer.' Waltons blik schoot naar elke onvoltooide taak en elke kleine afwijking op wat in de ogen van Jack de drukste, netste plantage was die hij ooit had gezien. Bij de stallen riep de opzichter: 'Dunwoodie! Kom hier, jij boef!' Een neger die bezig was een paard te beslaan, keek niet op, maar een slaaf met een lichte huid kwam naar buiten, zijn ogen met zijn hand afschermend tegen de zon. 'Meester Walton, hoe kan ik u dienen?'

De woorden van de man waren eerbiedig, maar iets in zijn toon… 'Laat kolonel Ravanel onze paarden zien,' snauwde de opzichter. 'Ik ben momenteel bezet.'

'Ja, natuurlijk opzichter. Zonder u zou die oogst nooit van het land komen, denk ik wel eens.'

Een blank gezicht dat niet lachte, een zwart gezicht dat wel lachte; de blanke man vloekte, trok aan het bit van zijn paard en liep snel weer naar het werk.

'De oogst heeft aandacht nodig,' zei Dunwoodie plechtig.

'De voorzichtige opzichter is een parel van onschatbare waarde,' zei Jack even plechtig.

'Nou, meneer kolonel Ravanel, wat brengt u hier? Wat kan ik u laten zien?'

'Ik wil graag Red Stick zien.'

Dunwoodie floot lang en zacht. 'Die.'

'Ik heb begrepen dat hij snel is.'

'O ja, meneer, dat is hij.'

'Maar…'

'Er is geen "maar". Red Stick is de snelste volbloed die ik ooit heb gezien, en de generaal heeft doorgaans geen langzame paarden.'

'Maar…' zei Jack uitnodigend.

Langzame glimlach. 'U moet het met eigen ogen zien. Of misschien ziet u het niet. Hij staat in de achterste wei, bij onze ruïnen.'

Zingende veldslaven maaiden hooi en bonden het samen tot schoven op een akker naast een weide vol prachtige paarden.

'Wat zijn ze gelukkig,' zei Jack.

'Red Stick zit Bertrand telkens achterna en Bertrand zit hem achterna en dan laat Red Stick hem bijna te dichtbij komen. Bijna. Bertrand trapt er elke keer weer in.'

Sommige paarden zijn zo mooi dat ze diepzinnig zijn. De zon liet de rug van Red Stick glanzen.

Zwaluwen doken en duikelden naar de insecten die door de maaiers uit hun schuilplaatsen waren verdreven. Een van de landarbeiders zette een lied in, en andere antwoordden, in een duet dat even droevig en oud was als hun werk.

Toen draaide het paard zijn hoofd om, brieste en rende op de mannen bij het hek af. Hij kwam op volle kracht op hen af, een en al dreunende hoeven en wapperende manen, totdat Jack begreep dat hij niet zou stoppen en zich schrap zette voor de sprong die zijn leven moest redden, waarna Red Stick opeens door zijn achterbenen zakte en wel stopte. Stof, mest en kluiten gras in Jacks gezicht. Jack nieste en merkte dat hij in twee heldere bruine ogen keek, op een paar centimeter afstand van de zijne: 'Wie ben jij?'

Red Stick was een grijsbruine met zwarte manen, staart en vetlokken. Slanke hals, perfecte balans, hooggeplaatste staart, glooiend kruis, sterke pijpbeenderen, grote neusgaten en onderzoekende intelligente ogen.

'Hij zegt hallo,' zei Dunwoodie.

'Hallo.' Jack wreef over de grote, bruinrode neus, en het paard snoof, wierp zijn hoofd in zijn nek, schudde zich uit en rende naar de andere dieren toe, even achteruit schoppend. Jack was meteen dol op hem. Zijn hart klopte als dat van een jonge man, en slikken kostte hem moeite. 'Vier mijl in acht minuut tien.'

'Zelf de tijd opgenomen.'

'Van Bertrand.'

'Uit Trifle.'

'Waarom wil de generaal hem in vredesnaam verkopen?'

De slaaf trok een gezicht. 'Dat wil hij niet echt.'

'Wat is er dan?'

'Generaal Jackson heeft het nu druk omdat hij graag president wil worden. Hij heeft geen tijd meer voor paarden.' Dunwoodie glimlachte. Kolonel Jack slikte. Hij voelde het zweet in zijn oksels.

'Red Stick is al ingereden, onder het zadel en ingespannen.' Dunwoodie snoof. 'Ingespannen! Kun je er net zo goed de raketten van meneer Congreve aan hangen.'

Kolonel Jack Ravanel fluisterde: 'Hij zal een flinke bom duiten opbrengen.'

Dunwoodie grijnsde breed. 'O ja, meneer, dat zal hij zeker.'

Toen de politici waren vertrokken en ze weer alleen waren, schonk generaal Jackson Jack een van zijn 'aangenamere' soorten whisky in, maar verzuimde zijn eigen glas te vullen. 'Ah, kolonel. Dus u hebt hem gezien. Ik ben de meest aarzelende verkoper van heel Tennessee. Dat paard kan een reputatie vestigen. Maar als ik me in Washington wil vestigen, kan de naam van de belangrijkste leider volgens Rachel niet met paardenrennen worden verbonden. Ik bedoel dat niet beledigend, meneer. Ik hield van de sport der koningen toen ik nog een jonge advocaat aan het begin van mijn loopbaan was. Om Rachel een plezier te doen zal ik Red Stick verkopen. Maar niet aan om het even wie. Het paard moet naar iemand gaan die ik als een vriend beschouw.'

Toen Jackson zijn prijs noemde, kromp Jack in elkaar.

'Kolonel, Red Stick zal, niet kán, maar zál wedstrijden winnen. Hij is het snelste dier van het zuiden.'

'Dat blijkt wel uit uw prijs. In mijn deel van de wereld betaal je soms net zo veel voor een hele plantage.'

'Tja, als u geen belangstelling hebt... Ik hoop dat u ons tijdens het diner

met uw aanwezigheid wilt vereren. We hebben een uitstekende kokkin.'
Jackson stond op en bood hem zijn hand.

'U neemt een schuldbekentenis aan? Dan hebt u voor het einde van de maand het geld.'

'Natuurlijk neem ik een schuldbekentenis aan, kolonel. We hebben samen gediend.'

Een week en twee dagen later stapte Jack Ravanel op zijn erf uit een sjees.

'Hij is schichtig, Ham.' Jack bond de leidsels aan de paal. 'Wrijf hem maar droog, dan kun je hem beter leren kennen. Doe het maar hier. Als hij aan je gewend is, kun je hem naar zijn stal brengen.'

Jack rekte zich uit. Wat een prachtige dag! Jack Ravanel was verdomme geen rijstplanter die zijn brood verdiende door zijn slaven door de modder te jagen. Hoe kon een man goed zijn in werk dat hij verachtte? Paarden – er was niets kleins of onbeduidends of gemeens aan paarden. Wanneer er een mooi paard over de baan aan kwam galopperen, was het alsof hij, Jack Ravanel, in het lijf van dat paard zat, zwoegend, stralend en indrukwekkend!

Zijn thuiskomst was vertraagd door onderhandelingen met Langston Butler, die, zo meende Jack, de enige in zijn kennissenkring was die nu al verdoemd was.

'Emmer water en een handje havermout. Een handje, meer niet. Laat hem aan je wennen. Geen onverwachte bewegingen.'

Frances liep de veranda op. 'Dag Jack. Ik dacht dat je gisteren al thuis zou zijn.'

'Zaken in de stad.' Hij rende de treden op. In zijn kus proefde hij haar terughoudendheid.

'Heb ik dat paard al eens eerder gezien?'

'Het was van generaal Jackson. De generaal wilde hem eigenlijk niet verkopen, maar…'

'Ik begrijp het. Penelope is weer ziek geweest, maar de koorts is gisteren gezakt en ze eet weer. Mammy heeft haar jezuïetenpoeder gegeven. Een bittere noodzaak, neem ik aan.'

'En Andrew?'

'Hij is lastig. Duidelijk jouw zoon, Jack.'

'Zonder een spoortje van jouw meegaande aard.'

'Niet veel, nee.' Ze ontweek zijn omhelzing. 'Maar hij is aanbiddelijk.'

'Net als zijn papa.' Jack nam een overdreven trotse houding aan.

Ze lachte. 'Ja, ik vrees van wel.' Ze hield haar hand boven haar ogen en slaakte een zucht. 'Je nieuwe paard is prachtig.'

'Als het seizoen begint, zal hij zijn aankoopprijs terugverdienen.'

Frances trok vragend een wenkbrauw op die hij voorwendde niet te zien. In de grote kamer hielp mammy Andrew een kasteel te bouwen van zijn alfabetblokken. Penny rende naar haar vader toe, en Andrew, die niet wilde achterblijven, gooide zijn bouwwerk om en klampte zich aan de benen van zijn vader vast.

Frances keek Jack met een vreemde blik aan. 'Zij zijn ook mooi, weet je dat?'

'Dat weet ik. Geloof me, dat weet ik maar al te goed.' Jack omhelsde Penny totdat ze begon te giechelen. 'Mammy, hoe is het met jou?'

'Meester Jack, wanneer blijft u nou eens thuis om de zaken te regelen?'

'Mijn zaken zijn waar ik toevallig ben. Ik héb zaken geregeld.'

'Hm-hm. Kom op, kinderen. Tijd voor jullie slaapje.'

'O mammy, toe!' riep Penny uit.

'Breng Andrew naar bed, mammy,' zei Frances. 'Penny mag nog wel even opblijven.' Ze bewoog waarschuwend haar vinger heen en weer. 'Voor deze ene keer!'

Hoewel Penny zichzelf duidelijk te oud voor de bezigheid vond, zocht ze in de omgevallen blokken naar de letters waarmee ze p-a-a-r-d kon spellen.

'Ze valt niet ver van de boom,' zei Jack lachend.

'Terwijl jij weg was, lieverd, is meneer Bell, onze rijsthandelaar, zijn rekening komen brengen.'

'Die we zullen betalen zodra de oogst is verkocht.'

'Bell zei dat hij onze oogst al in zijn rekening had verwerkt en dat we bij hem in de schuld staan.'

'Mijn lieve Frances. Ik heb twee dagen lang met Langston Butler over zaken gesproken en kan er eerlijk gezegd niet nog meer bij hebben.'

'Jack, ik ben bang dat het misschien tijd wordt om Langston het picknickplekje van zijn vrouw te verkopen. Onze schulden –'

'Wat ben je toch een juweel!' riep Jack uit. 'Je weet altijd precies wat ik ga doen!'

Een halve glimlach. 'Langston?'

'Alles is al ondertekend, verzegeld en gewaarmerkt.'

'Dus je regelt dit met meneer Bell?'

Hij maakte een achteloos gebaar. 'Na het wedstrijdseizoen wil ik me maar al te graag op meneer Bell storten.'

'Maar Jack, als je dat land al hebt verkocht…' Frances' mond vormde een stille o. 'O Jack, heb je dat echt gedaan? Dat is onze beste grond. Waar wil je nu onze paarden weiden?'

'Red Sticks grootvader, Sir Archy, heeft als dekhengst zeventigduizend dollar verdiend. Hij zal onze weidegrond terugkopen.'

Verstikte stem. 'Hoe… Hoeveel…'

'Lieverd, ons huis is jouw verantwoordelijkheid. In zaken moet ik vrij zijn om me te gedragen zoals mij dat het beste lijkt.'

'Jack, je hebt toch niet…'

Jack Ravanel vluchtte weg van zijn ongeruste vrouw en zocht zijn toevlucht in de bibliotheek, waar hij een stapel rekeningen opzijschoof om bij de karaf te kunnen komen. De whisky gleed soepeltjes door zijn mond maar trof zijn keel als een bom. Jacks hand trilde.

Bij zijn bureau krabde hij aan zijn papieren zoals een hond in de aarde graaft. Red Stick zou duizenden verdienen! Hij was een paardenman, hij had nooit de indruk gewekt een planter te zijn. Modder. Negers. Hitte. Muggen. Onverlichte, lelijke, vermoeiende sterfelijkheid.

Hij leegde zijn glas in vier grote slokken en schonk voor de tweede keer in. Hij hoorde het gerammel van leidsels en Frances' afwezig uitgesproken 'Hou die stevig vast, lieverd'. Zijn vrouws geschrokken 'Hé!' gevolgd door het snelle geluid van metalen hoefijzers bracht hem met een ruk naar het raam, zijn hart in zijn laarzen.

Sommigen beweerden dat Jack dronken was toen hij bij het wrak aankwam. Het was zeker dat hij daarna in elk geval heel erg dronken was en dat tot na Frances' begrafenis bleef. Niemand kon bij hem in de buurt komen, en Cathecarte Puryear, die naar de Ravanels reed om zaken te regelen, liep blauwe plekken op toen hij van de trap werd geduwd. Toen Penny drie weken later de geest gaf (en gezien de ernst van haar verwondingen was dat een zegen) vertegenwoordigden Penny's kleine broertje en zijn mammy de familie Ravanel bij de begrafenis. 'Misschien is Jack ziek,' opperde mevrouw Puryear.

'Hij is net zo ziek van het leven als het leven van hem is,' meldde Cathecarte (wiens blauwe plekken tot prachtig paars waren verkleurd). 'Die man was een dwaas toen hij dat beest kocht, en nog dwazer toen hij zijn vrouw ermee liet rijden.'

'Ik had het minder erg gevonden als Jack was omgekomen,' zei Eleanor stellig. 'Dat zou zijn eigen schuld zijn geweest.'

Cathecarte zei: 'Hij moet dat verrekte paard afschieten.'

Een groot deel van de gegoede burgers van Charleston hield er een vergelijkbare mening op na, en een bepaald verhaal – dat mogelijk apocrief was – zorgde ervoor dat er rillingen over meer dan één goedgeklede rug liepen.

Naar verluidt was William Bee in de aktekamer van het Exchange House toen Jack verscheen en om de eigendomsakten van Ravanel vroeg, met inbegrip van de akte voor de indigoakker die hij onlangs aan Langston Butler had beloofd.

Op onderhoudende toon vroeg Jack of William plannen had voor de week van de paardenrennen.

Zo beleefd mogelijk merkte William op dat sommigen een rouwtijd van drie maanden als wel erg kort zouden beschouwen.

Jacks ogen waren even bloeddoorlopen als een schotwond. 'Rouwtijd?' vroeg hij verbaasd. 'Weet u het dan niet?'

'Wat bedoelt u?'

'Red Stick had geen schrammetje.'

Die anekdote sterkte de gegoede kringen van Charleston in het voornemen Jack te negeren, maar de paardenliefhebbers vonden het vermakelijk.

Sommigen beweerden dat Jack het paard had moeten afschieten. Mammy wist dat Jack niet nog een verlies zou kunnen verdragen.

Cathecarte Puryear noemde Red Stick het 'duivelspaard', maar die bijnaam bleef niet hangen.

Eleanor Puryear merkte op dat het huishouden Ravanel nu bestond uit Jack, de kleine Andrew en een bevallige jonge slavin die de mammy was.

Hoewel sommigen Eleanors opmerking allerminst smaakvol vonden, haalden anderen zich van alles in het hoofd dat te zijner tijd, 'mijn besten', aan het licht zou komen. 'Wacht maar af!'

Opzichtige bon vivants en twijfelachtige heren vonden hun weg naar het stadshuis van kolonel Jack, waar ze dronken, over paarden praatten en schunniger waren dan thuis. Eén keer, niet vaker, had een jonge man 'Nik-

ker, haal een glas voor me!' gebruld, waarop mammy hem had geant-
woord: 'Ik ben de mammy van de kleine Andrew. Als u een losbandige
slons wilt die u kunt commanderen stel ik voor dat u er zelf eentje meebrengt.'

Er werden geen slonzen meegebracht. Hoewel de bon vivants bij kolonel Jack kwamen drinken en wedden en flinke beloften deden, vermaak-
ten ze hun slonzen ergens anders. Sommige maakten grappen over mammy, andere knipoogden of keken veelbetekenend, maar dat deden ze
nooit waar Jack bij was.

Twee dagen na de begrafenis van Frances Ravanel verplaatste Langston Butler zijn rijstslaven naar de indigoakker. Hij wachtte tot een maand
na de begrafenis van Penelope voordat hij Jack vroeg wat die voor zijn
overige grond op de westoever van de rivier wilde hebben.

Jack zei: 'Ben je nog niet tevreden, Langston?'

'Kolonel, ik heb je niet gevraagd die bruut te kopen. Ik heb evenmin met
mevrouw Ravanel gekibbeld. Ik had grote bewondering voor Frances en
heb zeker niet geopperd dat zij en haar dochter zich moesten bemoeien met
een paard dat ze niet aankon. Ik heb vernomen dat je schuldeisers geduldig
zijn, en ik ben zeker bereid meer van je land te kopen. Ik wil ook een bod op
je paard doen. Red Stick is niet te vergelijken met Valentine, maar ik heb
geen ongelukkige ervaringen met het...' Langston zweeg even om opti-
maal van Cathecartes bedenksel te kunnen genieten. 'Duivelspaard.'

Jack kneep zijn vermoeide ogen tot spleetjes. Hij haalde zijn veldfles tevoorschijn, trok die open en dronk. Zonder Langston iets aan te bieden
duwde hij de stop er weer in. Jack zei: 'De Washington-renbaan, vier mijl.
Drieduizend dat Red Stick dat verrekte karrenpaard van je kan verslaan.'

'Vijfduizend. En de rest van je rijstvelden.'

'Ik neem aan dat je woord goed genoeg is?'

'Indien nodig zal mijn secondant je ervan verzekeren dat het meer dan
goed genoeg is.'

Het boerenhuis noch het stadshuis van Ravanel bood mammy voldoende
ruimte voor haar verdriet. De kleine Andrew bleef maar vragen wanneer
zijn moeder terug zou komen. Hij begreep niet dat ze er niet meer was. Hij
jammerde wanneer zijn mammy uit het zicht verdween, en Dolly maakte
slaapdrankjes voor hem. Mammy sliep niet veel beter dan het kind maar
wilde niets innemen.

Die winter werden de paardenrennen gekenmerkt door de afwezigheid van schandalen – tot teleurstelling van de grande dames van Charleston, die hun zusters in Savannah benijdden omdat zij zo fortuinlijk waren het verdorven gedrag van een zekere rijke Fransman te kunnen afkeuren. In Charleston dronken jongemannen zich weliswaar bewusteloos en werden jonge maagden naar ongepaste slaapkamers achtervolgd, maar geen van de boosdoeners trok echt de aandacht.

Constance Venable Fisher verklaarde het schandaal dood met een: 'Maar niemand ként hen.'

Het enige interessante onderwerp van gesprek was de strijd tussen Red Stick van kolonel Jack Ravanel en Valentine van Langston Butler, met als inzet een flinke prijs ter beschikking gesteld door de gerespecteerde advocaat James Petigru. Jack was geliefd bij de jonge heren, Langston bij hun ouders. Families kwamen door de rivaliteit onder druk te staan en duizenden wedden op de uitslag.

Beide paarden waren beroemd. Red Stick was een zoon van de dekhengst van de pas gekozen president Jackson, en Valentine was uit de befaamde Lady Lightfoot. De paarden waren toevallig verre neven van elkaar.

Een klein aantal planters bleef op hun plantages om het zaaien voor te bereiden, maar de meeste en de belangrijkste zaten in de stad. Tegen het middaguur waren de feestelijkheden van de avond ervoor in de salons van Charleston door de dames misprijzend besproken. Op woensdag en vrijdag zat de stad al voor het middaguur op de renbaan.

Mammy wist niet wat ze ooit leuk aan Charleston had gevonden. Ze kon door om het even welke oude straat lopen en opeens worden getroffen door de aanblik van een blauw deurkozijn. Het raspende geluid van de zaag van een timmerman bracht haar tot tranen. Zo veel bekende gezichten uit de kerk in Cow Alley. Waar de kerk had gestaan, was nu een leeg perceel, en die bekende gezichten liepen zonder te groeten haastig verder. Zwarten die nog wel naar de kerk gingen, zaten helemaal boven in St. Philip's, achter de lichtere leden van de Brown Fellowship Society. Mammy wilde er niet heen. Dat ging niet. De markt was het ergste. Degene die daar snel een kraampje in dook... wie? Een verrukte lach? Daar achter de benen van die koopman, wie...?

De Butlers waren in de stad, maar niet thuis. Op Broughton bereidde Hercules Valentine voor op zijn grote wedstrijd en voegde Dolly kruiden en drankjes toe aan zijn voer.

In het stadshuis van Ravanel was het stil tot aan het middaguur, wanneer Jack opstond en Ham hem kwam scheren. Omgeven door een wolk van pimentlotion en de verschaalde whisky van de avond ervoor begaven kolonel Jack en Ham zich naar de renbaan, waar een neef die te vertrouwen was samen met zijn pistolen de nacht voor Red Sticks box had doorgebracht.

Jack bracht Red Stick door middel van lichaamsbeweging en voer tot bijna op de toppen van zijn kunnen. Ham proefde van elke emmer voer die Red Stick kreeg, en een tweede gewapende neef van Ravanel paste op het paard wanneer het op de weide achter de renbaan graasde.

In de saloontent van Bonner bleef Jack met vrienden tot in de kleine uurtjes drinken, waarna ze naar Miss Polly's in de stad gingen, waar Jack met geld smeet maar nooit een wulpse dame mee naar boven nam.

Vaak vonden degenen die de nacht hadden overleefd hun weg naar Jacks huis waar ze vanaf de binnenplaats naar de zonsopgang keken. Toen twee wulpse dames van Miss Polly's meeliepen, werden ze buiten gezet. Jacks metgezellen protesteerden, maar mammy zei: 'U hebt uw zoontje hier, meester Jack. Dit hoeft Andrew allemaal niet te zien.'

Andrew klampte zich aan mammy's benen vast. Toen ze de jongen terug in bed stopte, mompelde ze: 'Er zullen altijd vrouwen voor je zorgen, lieverd. Je hoeft je nergens druk over te maken.'

Op de dag van de wedstrijd leidden jockeys trots steigerende, met linten versierde volbloeden door Meeting Street en keek mammy vanaf het terras toe, met Andrew op haar schoot. Het was kil, en mammy had haar omslagdoek om haar schouders geslagen. 'Kind, ik denk dat je op een dag beroemd zult worden door de paarden. Die paarden hebben heel wat goed te maken voor je.'

'Mama?'

'Ja, kind. Je mama waakt over je. Je kunt haar misschien niet zien, maar ze waakt over je.'

Er rolde een traan over mammy's wang. 'Je vader heeft alles op die verrekte Red Stick gezet. Alles wat hij heeft, en waarschijnlijk ook wat hij niet heeft. Misschien waakt je mama ook wel over kolonel Jack. Ik bid van wel.'

Precies om twaalf uur joeg het personeel van de renbaan de toeschouwers van de baan. Men stond drie rijen dik bij de start, en de saloons met goed uitzicht op de baan deden uitstekende zaken. Bij de finish dronken planters champagne of rumpunch en riepen handelaren om hoeveel het stond. 'Een tegen twee op Orbit. Vier tegen een op Fancy Foot van meneer Sully!'

Er verschenen zes paarden aan de start voor de eerste ren over een mijl en vier voor de tweede. Alleen Red Stick en Valentine deden mee in de vierde en laatste, om vijf uur.

Na de wedstrijd betaalde Wade Hampton in het clubhuis zijn inzet en hief hij het glas. 'Op Red Stick en Old Hickory. We hebben weliswaar een verdraaid goede paardenfokker verloren, maar we hebben er een uitstekende president bij.'

'Generaal Jackson!'

'Red Stick! Hoezee!'

Omdat Cathecarte driehonderd dollar had verdiend kon hij het Jack vergeven. 'Red Stick,' zei hij vol geestdrift, 'heeft al zijn fouten goedgemaakt.'

Langston Butler stuurde Hercules om wat suiker.

De winterzon ging onder en lantaarns verlichtten het Jockey Clubhouse, waar kolonel Jack het ene rondje na het andere gaf. Hoewel Jack nooit wilde zeggen wat hij voor het paard had betaald, werd er algemeen aangenomen dat Red Stick nu twee keer zo veel waard was.

In de invallende duisternis wreven jockeys hun paarden droog en leidden ze stilletjes door Meeting Street naar huis. Hun manen waren ongekamd en linten waren gescheurd of verdwenen; hun pijnlijke benen staken in windsels.

Ham trok zijn meester aan de mouw. 'Meester Jack, ik heb Red goed drooggewreven. Moet ik hem op stal laten of wilt u dat ik hem naar huis leid?'

'Zadel hem op. Van een ritje zal ik opfrissen.'

'Meester Jack, ik breng Red zelf thuis, zet hem op stal. Ik slaap wel naast hem.'

'Ham, ga je me nu vertellen wat ik met mijn eigen paard moet doen? Als dit zo doorgaat, vertellen nikkers de blanken straks wat ze moeten doen.'

Iedereen moest lachen om Jacks bespottelijke opmerking. Om de scherpte van zijn woorden te halen, klopte Jack de jockey op zijn schouder en gaf hij hem vijf dollar. 'Je hebt het vandaag goed gedaan. Wil je nog altijd weglopen?'

Ham, die de rit van zijn leven had gereden, schuifelde en keek naar de grond, wat nog meer hilariteit uitlokte.

'Ga naar huis. Als een patrouille je staande houdt, zeg je maar dat jij de knaap bent die Red Stick heeft laten winnen.'

Jack gaf nog een laatste rondje voordat hij met de uitgeputte Red Stick door Meeting Street naar zijn herenhuis reed.

Mammy zat in de grote kamer te naaien toen Jacks sleutel tegen de slotplaat kraste. Hij stommelde naar binnen, smeet zijn hoed op een bankje en lachte.

'Ik heb gehoord wat u en dat paard hebben klaargespeeld,' zei ze.

'Is dat een felicitatie?'

'Andrew heeft zijn gebedjes gezegd en is gaan slapen. Ik denk dat ik nu ook kan gaan slapen.'

'Langston Butler kookte van woede.'

'Er wordt ons gevraagd onze vijanden lief te hebben. Bij sommige vijanden is dat moeilijker dan bij andere.'

'Ik heb Langston eraan herinnerd dat ik Red Stick dankzij zijn lening heb kunnen kopen.' Jack zette zijn veldfles aan zijn lippen, maar zonder resultaat. Met een oog dichtgeknepen tuurde hij in de fles, deed de dop erop en gooide hem naast zijn hoed. Slingerend liep hij naar het dressoir om een whiskyglas vol te schenken, en na enig beraad schonk hij er ook een voor Ruth in.

Geschrokken zei ze: 'Meester Jack, u weet dat ik geheelonthouder ben.'

'Voor deze ene keer. Om onze overwinning op Butler te vieren.'

Ze weigerde. 'Meester Jack, daar had ik niets mee van doen. Dat was uw paard, dat zijn paard versloeg. Ik heb geen paard. Ik wil geen paard.'

Hij zette de glazen neer en ging te dicht naast haar zitten. 'Ruth, sinds de dood van Frances ben ik zo eenzaam.'

'Dat zal best.'

Hij sloeg een arm om haar schouders. 'Ruth, jij hebt ook je man verloren.'

Ze schudde zijn arm af en stond op. 'Meester Jack, ik ben niet meer mevrouw Jehu Glen. Ik ben niet eens meer Ruth. Ik ben mammy! Ik was juffrouw Penny's mammy en nu ben ik jonge meester Andrews mammy. Dat ben ik!'

Hij kwam overeind, wankelend. 'Ruth, je... je bent zo bevallig, je bent een bevallige, jonge vrouw. De hele stad denkt dat je mijn minnares bent.'

Ze deinsde terug, met haar rug tegen het dressoir. 'Dat ben ik anders niet!'

'Moet ik je eraan herinneren wie… je meester is?'

Hij greep naar haar borsten. 'Een perzik,' zei hij. 'Een sappige, zwarte perzik.' Hij voegde eraan toe: 'Ik zál je krijgen.' Hij trok aan haar blouse, en haar borsten werden bevrijd. 'Tjonge, wat ben jij een mooi meisje.'

'Meester Jack… MEESTER JACK!'

Hij hield haar hoofd vast zodat hij haar kon kussen. 'Zo eenzaam…'

Ze raakte zijn schedel met de zware kristallen karaf, en hij liep wankelend naar achteren en belandde op een tweepersoonbankje dat met een bons omviel. Meester Jack lag languit op de vloer met een been over het omgevallen meubelstuk. Met haar vingertop depte mammy een druppel bloed van het glinsterende kristal van de karaf en stak afwezig haar vinger in haar mond.

Toen klonk er een angstige kreet. Andrew was wakker geschrokken, en zijn gejammer veranderde in gekrijs.

'De appel,' merkte mammy op, 'valt nooit ver van de boom.'

Die nacht droomde ze over een maniokmand.

Op zaterdagmorgen kwamen drie van Jacks jonge vrienden langs, maar mammy vertelde hun van achter de gesloten voordeur dat 'meester Jack niet ontvangt. Hij voelt zich niet goed.'

Ze gisten, grinnikten en grapten, maar gingen weg.

De oudere vrienden die Jack kwamen feliciteren, werden met dezelfde mededeling weggestuurd.

Jack hinkte om half vier naar de keuken. Hij dronk met grote slokken uit de kan, sloeg een hand voor zijn mond, keek vol wanhoop om zich heen en spuugde in de gootsteen.

Mammy bracht Andrew naar de kinderkamer terwijl Cook de rotzooi opruimde. 'Maak je maar geen zorgen, lieverd. Je vader heeft geen pijn, hij heeft gewoon te veel gedronken.'

'Dat weet ik,' zei het kind.

Mammy trof kolonel Jack in de verduisterde salon aan, naast een kan koud water en een glas whisky.

Hij overwoog even om op te staan, maar stelde zichzelf tevreden met een meelijwekkende glimlach. 'Mammy…'

'Ja, u hebt gedaan wat u denkt dat u hebt gedaan en dat gaat u niet nog een keer doen. Wat mij betreft, ik ben weggeroepen. Ik weet niet waarom, maar het is zo. U moet een pasje voor me schrijven zodat ik kan worden gekocht door iemand die niet zal doen wat u hebt gedaan en beslist nog een keer zult doen, de volgende keer dat u dronken bent.'

Kolonel Jack Ravanel zei meer dan hij wilde zeggen, maar elk woord viel met een plofje van zijn lippen. Hij wilde haar niet verliezen, maar hij had haar al verloren.

Gunstige betrekkingen

*A*ntonia Sevier kwebbelde: 'O, Louisa zou dit een heerlijke dag hebben gevonden!'

Solange, die zelden schrok van Antonia's unieke kijk op zaken, voelde haar schild wegzakken. 'Ze zou blij zijn omdat haar man met een ander trouwt?'

'O, blijf eens staan. Ik kan dit kraagje niet opspelden als je zo blijft wriemelen. Natuurlijk zou Louisa dat fijn vinden. Je zult haar geliefde Pierre zo gelukkig maken.'

'Was Louisa niet vreselijk jaloers?'

'Ja, natuurlijk! Maar dat was toen ze nog leefde en ze er iets tegen kon doen!' Antonia deed een stap naar achteren om haar werk te kunnen bewonderen en legde een vinger op haar kin. Ze trok aan een mouw. 'Je had die blauwe tule moeten dragen. Ik vond die blauwe tule mooier.'

'Dat zal ongetwijfeld, mijn beste Antonia, maar die draag ik niet.'

Antonia stak haar tong uit.

'We moeten het doen met wat we hebben: een weduwe van... ruim in de dertig met een opbollend buikje, die toch het beste ervan maakt.'

Hoewel Antonia er vrij zeker van was dat 'ergens in de veertig' dichter bij de waarheid kwam, klapte ze braaf in haar handen. 'Je maakt er inderdaad het beste van, liefje. Moeten we ons niet haasten? Iedereen zit te wachten.'

'Laat ze maar wachten. Ze hebben een heerlijk schandaal om van te genieten.' Solange slaakte een overdreven zucht. 'Mijn lieve vriendin, als alleen echte vrienden naar mijn bruiloft waren gekomen, zaten we nu met mij, Pierre, de meisjes, en natuurlijk jou, mijn beste Antonia.'

Antonia Sevier, wier vooraanstaande positie in het schandaal de deuren van de duurste huizen van Savannah had geopend, protesteerde: 'Lieve Solange, je beschikt over zo veel gunstige betrekkingen.'

'*Sans doute* boden daarom zo velen na de dood van Wesley hun hulp aan. Het is dat ik een paar dollar voor zijn schuldeisers kon verstoppen, anders waren mijn kinderen en ik aan de bedelstaf geraakt.'

Pauline, het oudste van die kinderen, stormde Solanges slaapkamer in. '*Maman*, ik kan mijn oorknopjes niet vinden.'

'Dan moet je het zonder oorknopjes stellen,' meldde haar moeder.

'Maman! Een van die vieze werklieden van Jameson heeft mijn oorknopjes gestolen. Alles is verloren! Ik ga niet zonder mijn oorknopjes!'

'Zoals je wilt.'

'Maman! Het is uw trouwdag!' Ze wierp een blik op de licht uitpuilende buik van haar moeder. 'Of moet ik zeggen jullie trouwdag?'

Zonder emotie te tonen gaf Solange haar dochter een klap. 'Ga je sieraden zoeken.' Iets toegeeflijker voegde ze eraan toe: 'Je hebt zulke fraaie oren, lieverd. Die moet je onder de aandacht brengen.'

Pauline liep de kamer uit, over haar wang wrijvend, en even later hoorden ze haar naar boven lopen. 'Eulalie, als je mijn oorknopjes kwijt hebt gemaakt, zal ik je knijpen totdat je het op een gillen zet.'

'O, kinderen,' zei Antonia met een zucht. 'Wat een zegen. Mijn eigen dochtertje...'

Pauline had gelijk: het onvoltooide herenhuis van weleer was niet meer te herkennen. In de salon lagen stapels timmerhout en de met linnen overspannen vensteropeningen lieten wel het licht binnen, maar boden geen uitzicht. Een derde van de wenteltrap was van gelakte leuningen voorzien, de leuningen in het midden waren niet gelakt, en het laatste deel van de trap had helemaal geen leuningen. Meneer Jameson had beloofd dat de herstelwerkzaamheden vóór de bruiloft voltooid zouden zijn. Ach ja. Bouwvakkers zijn de grootste bedriegers die er zijn.

Antonia had met afgunst naar Solanges moederlijke betoog staan luisteren en slaakte een overdreven zucht. 'Onze mammy doet alles wat de kleine Antoinette wil. Maar wat kan ik eraan doen? Mijn dochter is zo aan het schepsel gehecht!'

Solange opperde dat de fout wellicht bij het gedrag van haar vriendin lag. 'Mammy's bieden de genegenheid waarvoor moeders zelf niet de tijd hebben, of waartoe de behoefte bij hen ontbreekt. Ik heb een hekel aan mijn dochters en verwacht dat ik ook een hekel aan de kleine Ellen zal hebben.' Ze tikte op haar buik. 'Mannen zijn veel amusanter dan de gevolgen van hun aandacht.'

Mevrouw Sevier gaf haar vriendin een klopje op de arm. 'Foei!'

'Hoe ziet mijn gezicht eruit?' Solange draaide van links naar rechts.

'Je bent een prachtige bruid.'

'Oefening baart kunst, mijn beste.' Ze riep: 'Eulalie, Pauline. Moet jullie moeder zonder jullie in het huwelijk treden?'

Pierre Robillard was behoudend in zijn voorliefdes en gewoonten. Men kon de klok op hem gelijk zetten. Elke morgen kwam hij om precies negen uur in L'Ancien Régime aan, waar hij met een kop koffie en de eerste sigaar van de dag de kranten doornam. Als de kranten door een ongelukkig voorval niet op tijd waren, herlas hij oude. Nadat de wereldgebeurtenissen niet meer dan inkt waren geworden, nam Pierre tot aan het middaguur zijn correspondentie en boekhouding door. Tussen twaalf en twee gebruikte hij het middagmaal, om zeven uur dineerde hij. Veel inwoners van Savannah gingen pas rond negen uur aan tafel, maar dan lag Pierre Robillard al in bed.

Dus waarom stond dit toonbeeld van voorspelbaarheid met een enorm boeket oranjebloesem in zijn handen voor St. John the Baptist, omringd door babbelende Ieren? Pierre Robillard wist niet goed hoe hij hier was beland of wie hij was geworden. Pierre Romeo? Hij had onder de veel beklaagde Napoleon Bonaparte gediend, toen de keizer voor de eerste keer bevelhebber was geweest! Oranjebloesem?

'Het komt wel goed, meester,' fluisterde Nehemiah.

Hoe was hij, een weduwnaar op leeftijd die was bevrijd van huiselijke zorgen en over een bevredigend inkomen en talloze vrienden beschikte, verstrikt geraakt in een net van verlangen?

Pierre Romeo? Gevangene van de liefde? Lieve hemel...

De familie O'Hara – de broers, echtgenotes, kleinkinderen – stonden om de bruidegom heen, terwijl Pierres leeftijdgenoten (of hun kleinkinderen), die ooit bijna hadden gesmeekt om uitnodigingen voor de bals van de Robillards, zich verstopten in de koetsen die een rij in Drayton Street vormden. Pierre voelde de bijna onbedwingbare neiging om een flinke bons tegen elk gelakt vervoermiddel te geven. Wat was hij toch een jongen geworden!

Solange Evans had in Pierre opnieuw een vuur ontstoken dat hij reeds lang als gedoofd had beschouwd. Louisa – en wat had hij toch van die dierbare Louisa gehouden – had met zijn bedaarde, echtelijke verlangens ingestemd; Solange had overduidelijk onechtelijke verlangens aangewakkerd tot een bulderend vuur dat hem verteerde, en soms wel twee keer per nacht, besefte Pierre blozend. Zelfs tijdens deze plechtige en bijzonder openbare gelegenheid voelde Pierre Robillard een ongepaste prikkel in goddeloze delen. De protestante Pierre Robillard had er zelfs mee ingestemd om in een katholieke kerk te trouwen en zijn kinderen als katholieken op te voeden. Ondenkbaar, dacht Pierre met een brede glimlach.

'Het komt wel goed, meester,' zei Nehemiah. Hij zag er in de afgedankte overjas van zijn meester even schitterend uit als Pierre slonzig oogde in zijn nieuwe exemplaar en liet door zijn plechtige gezichtsuitdrukking blijken dat dit een voorname gebeurtenis was.

De profeet schreef: 'Leer goed te doen. Zoek het recht, houd tirannen in toom, bied wezen bescherming, sta weduwen bij.'

Het duurde wel even voordat Pierre daaraan toekwam.

Wesley Evans vond de dood kort na het overlijden van Louisa en Clara, toen Pierre niemand kon helpen. Tijdens Wesleys begrafenis, toen Solange hem vroeg R&E Cotton Factors terug te kopen, had de rouwende Pierre de weduwe ervan verzekerd dat hij tevreden was met de importhandel, waarin Nehemiah al het werk verrichtte. Solange leek zijn grapje niet te kunnen waarderen.

En net toen Pierre zijn periode van rouw had afgesloten overleed zijn neef Philippe, door wie Pierre tot diens ongenoegen als zijn executeur was benoemd.

Philippe had zijn indiaanse bruid weliswaar aan de gegoede kringen van Savannah voorgesteld, maar hij had haar geen aanzien kunnen geven, en aanzien voor een exotische, indiaanse prinses was nu schaarser dan ooit. In het noorden van Georgia was goud ontdekt en kolonisten die het land van de Muscogee binnendrongen, stichtten er stadjes en districten en plantages. De indiaanse prinses die met een gelijke mate van gelatenheid en nieuwsgierigheid was bekeken, werd oninteressant en vreemd.

Toch was Savannah nog altijd een vriendelijker stad dan Charleston, en als Philippes bruid iets voorkomender was geweest, had ze beslist vriendschappen kunnen sluiten. Haar doodgeboren kind had medeleven kunnen opwekken, de rijkdom van Philippe had een excuus voor haar afwijkende gedrag kunnen zijn. Helaas was Osanalgi erg verlegen, en nadat haar indiaanse familie Georgia had verlaten, sloot ze zich op in Philippes buitenissige, sombere huis. Wie probeerde haar een bezoek te brengen, trof haar nimmer thuis.

Philippes verdediging van de rechten van de indianen bracht degenen die profiteerden van de verdrijving van de stammen in verlegenheid, en na het verdrag van Indian Springs vroeg het bewind hem nooit meer naar zijn mening. Philippe stortte zich op het catalogiseren van de kunstvoorwerpen van de Muscogee en correspondeerde met het Columbian Institute for the Promotion of Arts and Sciences in Washington in de hoop een permanent onderkomen voor deze kunst te vinden.

Osanalgi had zich misschien vaker laten zien als men echt geïnteresseerd in haar was geweest. Philippes koetsier reed haar naar het dennenbos aan de rand van de stad en haalde haar bij zonsondergang weer op. Slavenjagers op het onbewoonde Fig Island zagen haar voor een weggelopen slaaf aan en waren teleurgesteld toen hun gevangene hun geen beloning opleverde.

In maart liep Savannah uit om de markies van Lafayette, de bejaarde held uit de Onafhankelijkheidsoorlog, welkom te heten. De Jasper Greens-fanfare deed de Marseillaise enthousiast eer aan en Philippe schonk de markies een oorlogsknots van de Red Sticks, een groep binnen de Muscogee die zich tegen assimilatie verzette. Osanalgi schitterde door afwezigheid, maar als ze wel aanwezig was geweest, had ze niet kunnen voorkomen dat Philippe een koutje opliep waaraan hij twee weken later zou overlijden, waarna Pierre zich onverwacht in de zaken van zijn neef moest mengen. Philippes echtgenote woonde de begrafenis bij, getooid met een dikke sluier, en sommigen fluisterden dat ze in een heidens rouwritueel in haar wangen had gesneden. Pierre regelde de uitvaartdienst en de begrafenis. De receptie (die de weduwe niet bijwoonde) werd bij Pierre Robillard thuis gehouden.

Pierre, Nehemiah en meneer Haversham waren wekenlang bezig de nalatenschap uit te zoeken. In de onwaarschijnlijkste laden en mappen werden eigendomsakten van boerderijen in Normandië en staatsobligaties aangetroffen. Een valies dat sinds Philippes aankomst in Savannah, tientallen jaren eerder, niet meer was geopend, bevatte de eigendomsakte van een plantage op Martinique ter waarde van vijftigduizend dollar. De secretaris van het Columbian Institute had belangstelling voor Philippes collectie, zij het op de – uitdrukkelijke – voorwaarde dat deze fatsoenlijk in kaart was gebracht. 'We hebben een groot aantal – zeg maar een overvloed – aan indiaanse voorwerpen die niet zijn gecatalogiseerd.'

Pierre besefte pas een week later dat Osanalgi was verdwenen, en toen de executeur haar afwezigheid opmerkte, reageerde hij eerder geërgerd dan ongerust. De koetsier, een Muscogee, wist meer dan hij losliet, maar geen enkel dreigement en geen enkele belofte kon hem overhalen Osa's verblijfplaats te onthullen. Op een morgen, zes weken na het overlijden van haar echtgenoot, verscheen Osanalgi met een pasgeboren kind in haar armen. Osanalgi's toewijding aan het kind was fel en niet-aflatend.

Pierre had niet geweten dat ze een kind droeg, maar wat zijn persoonlijke bedenkingen ook mochten zijn, hij behandelde de jonge meester Philippe Robillard als de zoon en erfgenaam van zijn neef.

Aan alle slechte zaken komt een einde, en op een winterse middag, nadat Pierre en Nehemiah de laatste hand hadden gelegd aan het onderbrengen van Philippes bezittingen in een trustfonds dat door de bank van meneer Haversham werd beheerd, verliet het tweetal uiterst tevreden Osanalgi's vreselijke huis. Pierre wreef in zijn handen. Het zou weldra Kerstmis zijn.

In die geest, aangemoedigd door de welwillendste, christelijke motieven, liet Pierre Nehemiah alleen naar huis lopen en besloot hij in het voorbijgaan een bezoekje te brengen aan de weduwe van zijn oude compagnon. Het was te laat voor het middagmaal en te vroeg voor het diner; Pierre wilde geen misbruik maken van mevrouw Evans' gastvrijheid, en R&E Factors had een paar goede jaren achter de rug. Erg goede jaren.

Zijn gastvrouw verwelkomde hem in een huis dat al tien jaar onvoltooid was. Het gezin bewoonde het voltooide gedeelte – de salon en de woonkamer op de begane grond, waar onafgewerkte latten uit een ongelakte lambrisering omhoogstaken naar een vergeeld gestuukt plafond. De prachtige trap zonder leuningen voerde naar een eerste verdieping naar de toestand waarvan Pierre slechts kon gissen.

Er brandde geen vuur in de grote haard, en Solanges dochtertjes zaten met hun goedkope jassen aan. (De importeur Pierre had oog voor stoffen.) Pierre nam plaats op een wankele stoel waarvan de dwarshouten waren vastgezet met leren bandjes en waarvoor de charmante weduwe haar verontschuldigingen aanbood. 'Ik heb de goede meubels moeten verkopen,' bekende ze. Ze voegde eraan toe: 'We hebben ons bivak in een onvoltooid Versailles opgeslagen. Ik had Wesley dit nooit moeten laten bouwen.'

Ondanks die sombere kamer verliep het gesprek vlot, totdat Pierre met de voor de hand liggendste zucht de voor de hand liggendste gemeenplaats uitte: 'Gods wegen zijn ondoorgrondelijk, mijn beste mevrouw Evans. We dienen te aanvaarden wat we niet kunnen begrijpen.'

'En waarom?'

'Madame?'

'Mijn echtgenoot glijdt uit over een plukje katoenafval en breekt zijn nek. Uw Louisa en uw dierbare Clara, die talloze koortsseizoenen hebben overleefd, bezwijken onverwacht. Het is volkomen duidelijk dat we een dergelijke tragedie niet kunnen voorkomen. Dat we die als deel van een of ander goddelijk plan dienen te aanvaarden is weerzinwekkend.'

Pierres mond viel open. Was deze vrouw een vrijdenker? Het ongemak van haar gast voorkwam niet dat mevrouw Evans al even ongebruikelijk haar Dierbare Overledene de schuld gaf van haar huidige geldgebrek. 'Dat er te veel personen aan de katoenhandel probeerden te verdienen, was overduidelijk voor eenieder die niet stekeblind was. U bent zelf in die val gelopen, meneer. Maar Wesley was blind voor logica' – ze liet 'logica' klinken als een slecht humeur dat een zweep hanteerde – 'en ging toch door. Meneer, wie een verkeerd oordeel niet wenst los te laten, maakt de zaken alleen maar erger!'

'Maman,' zei Pauline waarschuwend. 'Alstublieft.'

'Ik vertrouwde Wesley. Ik wist het niet!'

Pierre probeerde haar, hem, iedereen, te vergeven. 'Hoe kon u, een vrouw…'

'Pff! Heeft iemand ooit beweerd dat het vermogen kinderen te baren een scherp verstand uitsluit?'

Pierres eigen verstand was volkomen overweldigd. Hij verontschuldigde zich en schoof op weg naar buiten een munt van twintig dollar onder het stoffige dienblad voor visitekaartjes.

Halverwege de straat haalde een jasloze Solange hem in. 'Meneer, ik geloof dat u iets bent vergeten.'

'Mevrouw?'

Ze duwde hem de gouden munt toe. Een spaarzame vrouw, en hij wist dat mevrouw Evans dat was, kon haar gezin daarvan een maand lang voeden! 'Maar…'

Haar woede zakte af. 'Beste Pierre. Meneer. U hebt niets verkeerd gedaan. U hebt een goed hart. Maar u moet zich ervan bewust zijn welke indruk uw vrijgevigheid maakt op de roddelaars.'

Later bleek (ironisch genoeg, dacht Pierre) dat ze door het willen vermijden van een schandaal er juist een hadden veroorzaakt. Tijdens Pierres volgende bezoek aan de weduwe droeg Nehemiah een zware mand met proviand, een gewoonte die hij elke twee weken herhaalde. Toen het weer warmer werd en ze buiten konden zitten, werden Pierres bezoeken eerder een genoegen dan een plicht, en op een middag kwam hij zonder Nehemiah langs (hoewel die daartegen flink bezwaar maakte). Niet lang daarna kwam hij op een veel, veel later tijdstip langs, nadat Solange de kinderen naar bed had gebracht.

Hij had niet gedacht dat hij nog in vervoering kon worden gebracht. Hij had gedacht dat zijn vingers en lippen nooit meer de geurige contouren van de huid van een vrouw zouden beroeren. Dat dankbare gevoel van naar het licht dringen dat de geest zo leeg maakte!

Solange had kunnen huilen of haar verleider kunnen beschuldigen, maar dat deed ze niet. Ze rekte zich loom uit. 'Ik was vergeten hoe aangenaam het kan zijn. Dank je wel, mijn lieve, dierbare Pierre.'

Op dat moment hoorde Pierre Robillard, die oud genoeg was om de liefde af te zweren, de lokroep van die liefde even duidelijk als een klepel die een klok raakt.

Hij huurde bouwvakkers in om het Roze Huis te voltooien en gaf Thomas Sully, wiens portret van Lafayette alom bewondering had geoogst, opdracht een portret van Solange te schilderen.

Drie maanden zorgeloze gelukzaligheid die alleen werd bedorven door Paulines afkeuring. (Eulalie, het tweede kind, was te jong om een oordeel te vellen.) Het viertal maakte ritjes op zondag en picknickte op Fig Island. Zonder zich druk te maken om discretie bezochten Pierre, Solange en de kinderen als een gezin de plantages van vrienden. Pastoor John kwam langs in L'Ancien Régime om naar Pierres bedoelingen te informeren.

'Bedoelingen?' antwoordde de verwonderde Pierre.

'Ik kan mevrouw Evans geen absolutie verlenen als ze in zonde blijft leven.'

'Zonde?' Het was nooit bij Pierre opgekomen dat liefde een zonde was. Toen Solange hem vertelde dat hij opnieuw vader zou worden, reageerde Pierre verrukt. Zijn leven opende zich als een lentebloem. 'Trouw met me,' zei hij.

'Nee,' zei ze.

Pierre was zo verbijsterd dat hij geen woord kon uitbrengen. Zijn mond viel open. Zijn gezicht verkleurde van roze naar vuurrood. 'Maar...'

Solange lachte vrolijk en gaf hem een zoen op zijn voorhoofd. 'Natuurlijk trouw ik met je, mijn liefste Pierre. Je bent de vriendelijkste, vermakelijkste man ter wereld.'

'Hmmm. Ik dacht dat het mijn kracht was, mijn overheersende aanwezigheid, mijn dienst onder Napoleon. Mijn brute kracht?'

Ze giechelde meisjesachtig.

Savannah was dol op de rijke, beminnelijke Pierre, maar toen Solanges zwangerschap niet langer te negeren was, wekten roddels herinneringen tot leven aan Solanges eerste huwelijk en het duel dat daaraan een einde had gemaakt. Mevrouw Haversham gaf Solange de bijnaam de Franse Weduwe, en ondanks (of wellicht vanwege) een zekere dodelijke spin bleek die naam hangen. Toen een vooraanstaande, keurig opgevoede en pijnlijk onaantrekkelijke oude vrijster klaagde dat 'die vrouw al twee echtgenoten heeft begraven en nu krijgt ze een derde?' ging die opmerking de hele stad door.

Pierre was gelukzalig doof voor zulke opmerkingen, maar Solange was dat niet, en natuurlijk hoorde Nehemiah elke opmerking die blanken maakten, plus de geheimen die blanken niet vertelden maar die iedere keukenmeid in Savannah kende.

Een beschaamde en gekrenkte Pierre meldde zich bij Solange. 'Liefste,' zei hij, 'blijkbaar worden er beledigende dingen gezegd.'

'Waag het niet er aanstoot aan te nemen. Ik heb genoeg van het "veld van eer".'

'O hemel, nee, nee. Ik bedoel, dat zou ik nooit doen. Ik bedoel, dat zou ik wel, maar...'

Ze drukte een vinger tegen zijn lippen om hem tot stilte te manen. 'Pierre, wanneer is de weduwe van Philippe voor het laatst gezien?'

'Dat zou ik niet kunnen zeggen. Mijn neef heeft haar weliswaar voorgesteld, maar de arme vrouw heeft niet... Ze... Het was verschrikkelijk. Die arme, dierbare neef Philippe. Hij was er zeker van dat de indianen beschaafde mensen iets konden leren!'

'Zij en ik zijn in veel opzichten hetzelfde.'

'Wat? Jij en zij?' Pierre ging verder, alsof Solange niets had gezegd: 'Haar inkomen is in goede handen en ze heeft nergens gebrek aan. Ze aanbidt haar kind. Op zondagmorgen, wanneer iedereen in de kerk zit, loopt ze met kleine Philippe door de stad. Osa, de peuter en die koetsier. Ze beantwoorden nooit een groet.'

De zwaarmoedige trekken en hoge jukbeenderen van de jongen wezen op zijn afkomst van moederskant. Zijn blauwe ogen, kil als de winterhemel, waren die van zijn vader. 'Philippe is een knap kind,' zei Pierre. 'Mijn plicht… Ik ben bang dat ik mijn plicht jegens zijn moeder niet geheel heb vervuld.'

'Daartoe krijg je nog wel de kans. Pierre, ik wil dat Osa me weggeeft.'

'Osa?' Hij kon zich wel voorstellen dat dit de tongen in Savannah zou doen roeren. Het zou een schandaal zijn. Hij kon het muskietengezoem van hun roddels bijna horen. Gelukkig had Pierres gezicht de juiste vorm voor een ondeugende grijns. 'Wat aardig… wat aardig van je, lieverd.'

'En die Ieren met wie je zakendoet?'

'De O'Hara's? Hun jongere broer is vanuit Ierland hiernaartoe gekomen. Ze zeggen dat Gerald O'Hara nog sluwer is dan zijn broers.'

'Nodig hen uit. Echtgenotes, broers, kinderen – de hele Ierse santenkraam.'

Pierres lach werd breder. 'Maar mijn lieve Solange, alle voorname lieden zullen er, tja, schande van spreken.'

Solanges lach was even klein en boosaardig als de zijne vrolijk was. 'Dat, mijn beste aanstaande, is precies mijn bedoeling!'

Maar op de ochtend van zijn bruiloft, toen de lentebloemen bloeiden en de lucht verblijdden, omringd door babbelende Ieren terwijl zijn gelijken zich in hun koetsen verborgen hielden, vroeg Pierre Robillard zich af of ze er verstandig aan hadden gedaan degenen af te wijzen die er niet aan waren gewend te worden afgewezen. Een vage, dappere, ik-zou-overal-liever-zijn-dan-hier-glimlach kleefde aan zijn lippen. Een verfomfaaide, ongeschoren Ier stak zijn hand uit. 'U bent de gelukkige bruidegom. Dat u kinderen mag krijgen en dat uw kinderen ook kinderen mogen krijgen.'

'Dank u.'

'Gerald O'Hara, meneer. Voormalig koopman in het bedrijf van mijn broers, maar sinds zeven over half vijf afgelopen nacht, kort voordat deze gezegende – bijzonder gezegende – zon besloot op te komen, ben ik planter.'

Pierre was zo verward dat hij wel moest vragen: 'Zo vroeg?'

'Nee, meneer. Zo laat! Op het uur dat de haan zijn keel schraapt en drank het verstand van de gokker verdooft.'

Gerald O'Hara, kersvers planter, was zeker vijftien centimeter kleiner dan Pierre en leek op het pluimvee dat hij zo-even had genoemd. Zijn brede, vrolijke gezicht vertoonde geen spoor van valsheid en bloosde dusdanig van de overtuiging dat de wereld als vanzelfsprekend zou delen in zijn vreugde dat Pierre, ondanks zijn sombere gedachten (misschien omdat hij daar genoeg van had), vroeg: 'Hebt u dan wel geslapen, meneer O'Hara?'

'Nee, meneer. Aanvankelijk omdat ik dat niet wilde (ik was aan het kaarten) en toen omdat ik dat niet durfde (want ik was aan de winnende hand) en toen omdat ik dat niet kon, aangezien een heer die de inhoud van zijn portefeuille had opgeofferd zijn eigendomsakte van een plantage in de Upcountry op de tafel legde en me aanmoedigde die als inzet te accepteren. Ik had negens en boeren, een full house, en volgens mij had hij een straat, al kan men het in het kaartspel nooit zeker weten, meneer.'

Pierre, die sinds zijn diensttijd onder Napoleon niet meer om geld had gekaart, was het daarmee eens.

Geralds broer James kwam tussenbeide. 'Kerel, het is meester Robillards trouwdag, wis en waarachtig. Heremetijd, verveel hem niet met jouw fratsen.'

Geen van Pierres chiquere gasten had een voet buiten hun koetsen gezet. Nou, dan zou hij wel zonder hen trouwen. Pierre zei: 'Ik heb wat moeite met het accent van uw broer, James. Maar ik heb van zijn verhaal genoten.'

'Het was maar tachtig hectare,' vervolgde de roodogige Gerald alsof er nooit iemand tussenbeide was gekomen. 'Als Ier, meneer, heb ik altijd gedroomd van "een eigen lapje grond". Niets groots, hoor. Land waar geen koning of dure heer me van kan verjagen.'

Gerald beschreef zijn eigendom tot in detail, als een landmeter. '… en vijfhonderd van de witte eik op de hoek naar de Flint. Zo heet de rivier daar. Is dat geen fraaie naam? Genoemd naar vuursteen, maar zacht als water. Ik sta te popelen om het allemaal te gaan bekijken.'

'De Flint…'

'Het is de Upcountry, meneer. De loterij van het land van de Cherokee.

Een deel ervan is door eerlijke kolonisten bemachtigd, maar andere stukken – en ik vermoed dat dat hier ook het geval was – door speculanten die geen land wilden maar slechts de winst die met land kan worden gemaakt. Meneer Robillard, ik kom uit een land waar mannen kibbelen over een paar meter modder waar slechts aardappels willen groeien. Deze indiaanse grond heeft nog nooit een ploeg gezien! Je kunt er van alles op verbouwen! En ik noem mijn bezit Tara, meneer. Ik noem het naar die fraaie en voorname zetel waar de Ierse koningen heersten.'

Overweldigd door de hartelijkheid van het mannetje pakte Pierre opnieuw Geralds hand vast. 'Meneer, ik feliciteer u. Het is goed koning te worden!'

Het gezicht van de Ier straalde van vrolijkheid. 'Geloof me, dat is het. Voor u, mijn waarde heer: mogen de meeste van uw wensen van vandaag het minste zijn dat u ontvangt.'

Bij het uitstapblok tuimelde Philippes zoon uit de sjofele koets van zijn vader, stootte zijn enkel tegen het blok en liet een kreet horen die iedere wilde zou hebben verblijd.

De jongen was ongebruikelijk gekleed in een korte broek, hemd en een vilten hoed. Zijn moeder droeg een hoofdband met rode en groene kralen, en een halssnoer met dierenklauwen boven wat mogelijk dezelfde japon was die ze tijdens dat rampzalige kerstbal van al die jaren geleden had gedragen.

Pierre liep snel en met uitgestoken hand naar haar toe. 'Osa! Osa! Wat fijn dat je er bent… Wat fijn…'

Nehemiah tilde het jammerende kind op, dat hem om zijn oren sloeg op hetzelfde moment dat de koets van de bruid de straat in kwam en de koetsen van het voorname volk hun inzittenden uitbraakten.

Toen ze de drukte naderden, vroeg Antonia Sevier aan Solange: 'Je lijkt wat afwezig, mijn beste. Spijt?'

'Men doet wat men moet doen.'

'Natuurlijk, maar…'

'Pierre is rechtschapen. Misschien wel te rechtschapen. Hij heeft geen onbetrouwbaar bot in zijn lijf.'

'Maar?'

'Mijn waarde vriendin, er is geen "maar". Ik heb geen bedenkingen. We zullen samen gelukkig worden, mijn Roze Huis zal worden voltooid, mijn dierbare dochters –' De jongste dochter glimlachte, de oudste uitte afkeer vanwege de aanstootgevende opmerkingen die een wezen als haar moeder durfde te uiten – 'zullen de vruchten plukken van de voordelen die twee ouders bieden. We zullen gelukkig zijn. Hoor je me, Pauline? We zullen gelukkig zijn.'

Pauline keek boos naar haar gehandschoende handen.

Antonia hapte naar adem. 'Mevrouw Haversham, mevrouw Lennox, de oude Birdy Prentis… Hemel, iedereen is er.'

'Mijn lieve Antonia,' antwoordde haar vriendin. 'Natuurlijk zijn ze dat. Savannah is gekomen om de besmeurde duif te wassen.'

Een stralende pastoor John begroette het bruidspaar terwijl Nehemiah het jankende kind in de arm kneep. De jonge meester Philippe hapte naar adem, maar hield wel op met huilen.

De weduwe van zijn neef, Osa, bood Pierre een aarzelende glimlach, maar Pierres blik liet zijn bruid geen moment los. Hij boog zich voorover om haar kleine hand te kussen, en de verliefde blik in zijn ogen kruiste Solanges geamuseerde.

Solange zei: 'Zullen we naar binnen gaan?'

Het gezelschap werd gevolgd door de jonge burgemeester van Savannah, William Thorne Williams, het echtpaar Haversham en andere notabelen die door aan één stuk door te praten aangaven dat noch de gelegenheid noch St. John the Baptist belangrijker was dan zij. Nadat 'de hoge pieten', zoals de O'Hara's deze gasten onderling betitelden, naar binnen waren gelopen, namen de Ieren plaats op de drie achterste kerkbanken.

Osa voerde haar bescheiden plichten op prijzenswaardige wijze uit terwijl haar zoon aan het deurtje van de kerkbank trok dat Nehemiah uit voorzorg op slot had gedaan.

Mevrouw Haversham mompelde tegen mevrouw Sevier: 'Die jongen is nog wilder dan zijn moeder.'

Mevrouw Sevier fluisterde: 'Hij is buitengewoon mooi als hij slaapt.'

'Wanneer is dat?'

De ceremonie bereikte de gebruikelijke eindbestemming, en Pierre Robillard kuste zijn bruid met een geestdrift die in een minder formele omgeving applaus zou hebben opgeleverd.

Pierre hield Solanges arm vast alsof zijn bruid het leven zelf was, en het paar ging de stoet voor naar een prachtige morgen vol huwelijksgeluk.

Toen het paar de kerk verliet, hielden de koetsiers op met roddelen en haastten ze zich naar de vervoermiddelen van hun meesters.

Een zedig geklede, zwarte vrouw wachtte onder aan de trap met haar armen voor haar borst over elkaar geslagen.

'Wat…' Solange hapte naar adem.

'Goedemorgen, mevrouw,' zei mammy. 'Ik wens u veel geluk.'

'Maar, Ruth…' begon Pierre.

Pauline rende langs het paar op haar af en riep: 'Mammy! Mammy! Mammy!'

Waarop Eulalie, die deze vrouw nog nooit had gezien, in tranen uitbarstte. Pastoor John vroeg: 'Kunnen we je misschien ergens mee helpen, beste vrouw?'

'Ik wil terugkomen,' zei mammy. 'Meester Pierre en mevrouw Solange hebben nu hun mammy nodig.'

In het drukke gangpad achter hen werden belangrijke nekken uitgestoken en dringende vragen gesteld.

Mammy drukte de snikkende Pauline tegen zich aan zei over het hoofd van het kind heen: 'Ik wil terug naar huis.'

De gave van voorspelling

'*T*Arme kind heeft geen borst om aan te zuigen en geen mama die van haar houdt. Kijk jou toch eens, juffrouw Ellen Robillard. Helemaal verfrommeld en met een deuk in je hoofd van de tang van de dokter. Je papa wilde geen vroedvrouw, daar moest hij niks van weten. Die rijkelui willen modern doen. Meester Pierre heeft een "mee-die-kus" laten komen. Die man heeft voor dokter geleerd, ik heb geen idee hoe lang. Maar geen man heeft ooit zelf een kind gebaard of geholpen bij een bevalling, en geen kerel weet meer dan een nikkervroedvrouw die zelf kindjes heeft gekregen en al jaren vrouwen helpt. Meneer de dokter heeft van alles over kindjes geleerd, hij is er zelfs voor naar Philadelphia geweest!

Juffrouw Ellen, je dacht er nog steeds over na of je er wel uit moest komen of niet, je nam gewoon de tijd, zoals kindjes dat doen. Maar meneer de dokter had geen geduld. Misschien hadden andere kindjes hem nog nodig, of misschien moest hij weg naar iets wat belangrijker was. Dus toen heeft hij je met zo'n glanzende tang gehaald, en je mama bloedde als een rund. Lieverd, ik heb van mijn leven al genoeg bloed gezien, ik hoef niet nog meer te zien.'

Het Roze Huis huiverde toen een oude man een bevende kreet liet horen. Mammy wiegde de kleine Ellen en suste en suste. 'Nehemiah gaat een min voor je zoeken, en dan kun je straks lekker drinken en krijg je het lekker warm. Juffrouw Solange kon je nog even vasthouden voordat ze naar de geesten ging. Je mama heeft naar je gelachen, kleine Ellen. Dat heb ik gezien!

Je papa, die weet niet wat hij moet doen. Hij vond liefde toen hij dacht dat dat nooit meer zou gebeuren, en nu is die liefde weer van hem afgepakt. Meester Pierre weet het allemaal niet meer. Meester Pierre heeft al eerder een vrouw en kind verloren, voordat Solange zijn vrouw was. Nu is zij er ook niet meer en denkt meester Pierre dat hij niet veel meer heeft om voor te leven, want alles in het leven doet zo'n pijn. Soms, juffertje, is verdriet het enige wat je nog hebt.'

De dokter liep haastig langs de vrouw en de baby. Toen bleef hij even staan, misschien omdat hij iets wilde zeggen of de pasgeborene voor de laatste keer wilde onderzoeken, maar ineens stommelde hij met een vloek langs Jehu's schitterende trap naar beneden.

Mammy diende de achtertrap te gebruiken, net als de andere bedienden, maar op sommige ochtenden, wanneer de blanke lui nog niet op waren, liep ze naar die trap en raakte een mahoniehouten trapleuning aan die ze Jehu had zien maken. Het hout was glad als water en kromde zich uitnodigend.

Baby Ellen lag op haar schoot, licht en zwaar. Haar ademhaling was zacht en sterk.

'Kindje, ik denk dat juffrouw Solange ook mijn mama was. Ik ken haar al mijn hele leven, en als juffrouw Solange er niet was geweest, had ik je vandaag niet vastgehouden. Ik kan me bijna niets meer over mijn eigen mama herinneren. Soms, zo zacht alsof ze in een kamer ver weg zit, hoor ik haar zeggen: "Ki kote pitit-la?", dat was een spelletje dat we speelden. "Ki kote pitit-la? O, waar is dat kind?" Mama is nooit naar me toe gekomen, niet zoals Martine of Gullah Jack of juffrouw Penny of die andere geesten, maar soms praat ze. Ik denk dat mijn echte mama van me houdt, maar dat ze niet kan komen. Mijn Jehu, die… die komt ook niet. Geesten hebben het druk met geestendingen doen. Er zijn allemaal kamers waar die geesten zitten, en ze komen en gaan. Op een dag komt juffrouw Solange misschien ook wel. Of misschien niet. Misschien heeft ze het druk met voor Martine zorgen.'

Ze schikte de zuigeling op haar schoot. 'Je mama was aardig wanneer ze eraan dacht aardig te zijn en zou me alleen hebben verkocht als ik dat zelf wilde. Ik denk dat ze op een bepaalde manier wel van me hield. O juffrouw Ellen, hoor je mammy nu eens dom babbelen…'

Mammy hield haar oren gespitst om te horen of Nehemiah en de min er al waren. Het kleintje had maar één keer kunnen zuigen voordat haar moeders borsten koud werden.

Mammy was moeier dan moe. 'Iedereen van wie je houdt, gaat maar dood, kindje. Echt iedereen. Als Le Bon Dieu het goed met je voorheeft, ga je eerder dan de anderen. Dat is zo, kindje. Iedereen weet het, maar niemand wil het horen omdat het echt niet beter is als je het hoort. Soms is het juist erger als je het anderen hoort zeggen. Doodgaan is echt niets nieuws waar niemand nog nooit van heeft gehoord.

Soms zie ik dingen. Dat wil ik niet, daar heb ik nooit om gevraagd, en ik wou dat het anders was. Het heeft me niks geen goeds opgeleverd. Voordat jij er was, zag ik juffrouw Solange steeds met een soort nevel om haar heen; ze was vaag, niet scherp zoals wij allemaal. Wat had ik moeten zeggen? "Juffrouw Solange, u bent niet meer op deze wereld?" Daar heeft toch geen mens wat aan? Dat had haar laatste dagen toch niet beter gemaakt? Misschien wist ze het zelf ook al, maar zei ze er niks over. Soms gaat dat zo. Misschien was ze er klaar voor om te gaan.'

Een snikkende Pierre kwam de kamer van zijn vrouw uit. Hij staarde naar Ruths schoot alsof zijn pasgeboren kind een vreemde was die niet welkom was.

'Mammy…'

'Meester Pierre.'

'Ik…'

'We zullen haar vreselijk missen. Juffrouw Solange is nu in het Koninkrijk.'

'O God!' Een snik verscheurde de man, en hij strompelde ervandoor.

Mammy raakte de zachte, kloppende holte vol blauwe aders boven op het kinderhoofdje aan. 'Wat hebben we eraan als we weten wanneer ze doodgaan, die lui van wie we houden? We weten dat ze doodgaan, en we weten dat verdriet erger is dan doodgaan. We hoeven niet te weten wanneer. Als je er niet meer bent, zit je bij de geesten, en die hebben geen verdriet. Martine heeft geen verdriet. Martine niet…'

Mammy boog zich vooover en gaf de kleine Ellen een zoen. 'We doen alsof dat allemaal niet waar is, we doen alsof we nog lang en gelukkig leven, alsof morgen de zon schijnt en er nooit meer een orkaan komt. Orkanen, die zijn iets van vroeger! Je zult gelukkig worden, juffrouw Ellen, je wordt uitgenodigd voor bals en picknicks, voor alle feesten. Mensen zien dat je gelukkig bent en denken: "Misschien heb ik het mis. Misschien weet juffrouw Ellen iets wat ik niet weet. Misschien komen de mensen van wie ik hou niet in de koude grond te liggen. Misschien zijn zij de eersten met het eeuwige leven sinds Jezus." Juffrouw, je moet doen alsof. Mensen die dat doen, zijn overal graag gezien. Je moet doen alsof, dag in dag uit.' Mammy bette haar ogen. 'Daar hangt ons leven vanaf.'

Het leven van het kindje klopte onder haar hand. 'Morgen zal ik ook weer doen alsof, maar vandaag niet. Vandaag kan ik er even niet tegen.'

Mammy's tranen druppelden op het dekentje van de baby. 'Juffertje, de wereld begon niet toen jij werd geboren. De wereld is er al een tijdje. Het zal niet makkelijk wezen, om juffrouw Ellen Robillard te zijn. Je hebt twee oudere zussen, en die zullen de baas over je spelen alsof je een van hun poppen bent. Dat zullen ze doen, zo zeker als je hier ligt. Meester Pierre... heb je gezien hoe hij naar je kijkt? Elke keer dat hij naar je kijkt, ziet hij niet de vrouw van wie hij hield. Hij zal van je leren houden, dat is zeker, maar ergens in hem zal het altijd donker blijven omdat je mama er niet meer is en jij wel.

De lui in Savannah, die zullen niet vergeten dat jij je mama hebt gedood. Dat zullen ze je nooit in je gezicht zeggen, maar ze zullen naar je kijken en aan je mama denken, die altijd zo scherp en zo vrolijk was, en ze zullen denken dat die kleine Ellen van vijf pond geen eerlijke ruil is voor meesteres Solange. Nee, dat zullen ze niet hardop zeggen, maar ze denken het wel. Pas als de lui die je mama hebben gekend er zelf niet meer zijn, zal niemand meer denken dat je je mama hebt gedood. Nee, dat is niet eerlijk. Het is niet eerlijk! Eerlijk zijn, daar hoor je de predikers over.

Het is niet eerlijk dat ze denken dat een klein kind haar mama heeft doodgemaakt, maar dat denken ze wel, daar kunnen ze niets aan doen, en je gaat het in hun ogen zien, ze zullen je de schuld geven en dan ga jij vragen: "Wat heb ik misdaan?" en dan zal je het antwoord weten. Misschien denk je dan: maar dat is helemaal niet waar. Dat heb ik nooit gedaan. Misschien ga je ertegenin, of spot je ermee. Misschien vecht je terug, maar hun blikken zullen niet veranderen, en na een tijdje ga je denken: nou, ik wilde haar weliswaar niet doden, maar ik heb het toch gedaan, en dan ga je jezelf de schuld geven. Daar kun je niks aan doen. Daar kan denk ik niemand wat aan doen. We komen ter wereld zoals we zijn, en we moeten er het beste van maken.'

Het kind maakte een geluidje en liet een boertje, maar het werd niet wakker. De voordeur ging zachtjes open, en Nehemiah en een jonge vrouw liepen Jehu's trap op.

Mammy zei: 'Als Le Bon Dieu en de geesten het toestaan, zullen we hier op aarde wat geluk vinden. Je hebt geen mama, maar je hebt wel een mammy. En ik denk, liefje, dat ik een kindje heb.'

De levens der HH. Vaders, der martelaeren, en van d'andere voornaeme heyligen

> De hartstochten zullen niet verdwijnen indien zij worden gelenigd:
> wat hen opwekt, is niets minder dan een aansporing verder te gaan,
> en al snel is hun tirannie niet langer te beteugelen.
> – Alban Butler

Ellen Robillard was een stil kind in een stil huishouden. Haar eerste woordje was 'mam', en mammy zei tegen iedereen dat Ellen zo probeerde om 'ma-ma' te zeggen omdat het kind haar moeder zo miste. Anderen slaagden er niet in bijzondere genegenheid te ontwaren voor een dode moeder wier plaats was ingenomen door haar negerbediende.

Ellens oudste zus Pauline dacht vooral aan trouwen en zag het kind – als ze het al zag staan – voornamelijk als een afleiding. Mammy beschouwde Paulines tegenvallende gevoel voor decorum als de reden voor het gebrek aan kwaliteit van haar vrijers: het waren de tweede zonen van rijke planters of de oudste zonen van planters zonder succes. Zonder zijn groen uitgeslagen hoge hoed, muffe overjas en korte laarzen had men Carey Benchley vanwege zijn snerpende stem wel voor een nerveuze vrouw kunnen aanzien. Carey was door een rondtrekkende evangelist 'gered' en strooide conventioneel moralisme rond alsof hij het persoonlijk had uitgevonden.

Pauline was verloofd en zou weldra mevrouw Carey Benchley worden.

Haar jongere zus, Eulalie, begreep wel wat decorum was, maar ze was een dromer. Toen mammy Eulalie met een roman betrapte – *Oliver Twist* van de heer Dickens – waarschuwde ze haar dat geen enkele heer in Georgia een meisje zou trouwen dat slimmer was dan hijzelf.

Pauline kon pas met Carey trouwen als haar vader niet langer in de rouw was, maar Ellen liep en praatte al toen Pierres kleermaker zijn derde zwarte pak op rij kwam afleveren. Een jaar later, toen Ellen leerde lezen, wisselde Nehemiah stilletjes de zwarte rouwkleding van zijn meester om voor kleren in een iets vrolijker paars. Pierre uitte geen bezwaren. Waarschijnlijk merkte hij het niet eens. Korte tijd later trouwden meneer Carey Benchley en juffrouw Pauline Robillard in de nieuwe baptistenkerk aan Chippewa Square. Het bankje van de familie was nagenoeg leeg, maar de rest van de kerk was gevuld met Pierres vrienden die dankbaar waren dat hij zich weer liet zien. Vooral Antonia Sevier, die in paars was gehuld omdat haar echtgenoot anderhalf jaar eerder was overleden, was bijzonder vriendelijk. Tijdens de receptie in het City Hotel was Pierre teleurgesteld omdat de punch alcoholvrij was en bleef hij niet zo lang als mevrouw Sevier had gehoopt.

Toen mevrouw Sevier zich de zaterdag daarop bij het Roze Huis meldde, was dat weliswaar niet op uitnodiging, maar zij en haar dochter Antoinette werden toch binnengelaten. Mevrouw Sevier zei tegen Pierre dat kinderen van vergelijkbare afkomst en met een vergelijkbare positie als vanzelfsprekend bevriend werden. Ondanks deze overduidelijke aansporing raakten de meisjes inderdaad op elkaar gesteld, al was Antoinette even snel en brutaal als Ellen stil en gehoorzaam was. Tijdens het derde bezoek van de Seviers, toen de meisjes Ellens Franse porseleinen poppen bewonderden, meldde Antoinette dat ze dorst had en beval ze mammy een glas water te halen. Mammy antwoordde dat een gezond kind heel goed in staat was naar de put beneden te lopen en aan de lier te draaien. Die avond vertelde Antoinette haar moeder dat Pierre Robillard een brutale neger bezat. Mevrouw Sevier, die er zeker van wilde zijn dat die dierbare Pierre de beste verzorging kreeg, zei tegen Pierre dat zijn bedienden zich veel te veel vrijheden permitteerden nu er geen meesteres meer was die hen kon straffen.

Pierre schonk hier geen aandacht aan, maar dat gold niet voor Nehemiah en mammy, en hoewel mevrouw Sevier haar best deed, verwelkte de bloesem waarvan zij had gehoopt heerlijke vruchten te kunnen plukken. Pierre was vaak afwezig wanneer mevrouw Sevier belet vroeg, en haar visitekaartje (waarvan ze eigenhandig het hoekje omvouwde om aan te geven dat ze het zelf had achtergelaten) verdween ergens tussen het dienblad en Pierre. De oprechte brief waaraan ze zo hard had gewerkt – had ze hem soms beledigd? – leidde niet tot een antwoord.

Door de week gingen Ellens mammy en Antoinettes mammy met de meisjes naar Reynolds Square. Op een ochtend stond mevrouw Sevier vroeger op dan haar gewoonte was en begaf ze zich naar het plein om mammy te vragen haar te vertellen wat er nu precies gaande was.

Helaas, mammy was zo dóm, zo volslagen blínd voor de bedoelingen en voorliefdes van haar meester. De zondag daarop bezocht de vindingrijke mevrouw Sevier de presbyteriaanse kerk in South Broad Street, en nadat er een einde was gekomen aan de akelig protestantse dienst wachtte ze Pierre op, en die vriendelijke, enigszins verwonderde weduwnaar ontdekte zijn tot dan toe onbekende voornemen om de charmante weduwe te begeleiden naar de receptie die de burgemeester de zaterdag daarop voor gouverneur Lumpkin gaf. In de tussenliggende week leverde Antonia's naaister ondanks een zeker ongenoegen over nog niet betaalde rekeningen een nieuwe japon met pofmouwen af. Om de japon nog beter uit te laten komen, kocht Antonia een hoed met reigerveren.

Toen de koets van Robillard niet op het afgesproken tijdstip verscheen, nam Antoinette aan dat het een onschuldig misverstand betrof en begaf ze zich naar de receptie, waar ze burgemeester Gordon mededeelde dat haar begeleider door zaken was vertraagd. Ze zat de drie uur durende bijeenkomst in haar eentje uit.

Vanaf dat moment negeerde ze de verbijsterde Pierre, die er zeker van was dat Antonia de afspraak had afgezegd. Dat had hij Nehemiah toch zelf horen zeggen? Pierre zou nooit iets begrijpen van de boze blikken en onheilspellende stiltes die Antonia Sevier tot hem richtte.

Een half jaar later trouwde Antonia Sevier met meneer Angus Wilson, en Pierre stuurde het paar een bijzonder aardig. zilveren roomkannetje waarvoor hij nooit een bedankje ontving.

30 januari 1835 was om verschillende redenen een belangrijke datum, zowel voor de hele natie als in het Roze Huis. Op die dag deed een werkloze huisschilder genaamd Richard Lawrence in Washington D.C. een mislukte poging om president Jackson van het leven te beroven en trok Ellen Robillard in Savannah, Georgia het boek *De levens der HH. Vaders, der martelaeren, en van d'andere voornaeme heyligen* van de geestelijke Butler van de plank. Dat boek zou een grotere invloed op het leven van het kind hebben dan de mislukte schoten van de aanslagpleger op Jackson. *De levens der HH. Vaders, der martelaeren, en van d'andere voornaeme heyligen* werd 'juffrouw Ellens boek'. Ze sleepte het als een lievelingspop met zich mee en boog zich over de verhalen en de lugubere plaatjes. De jonge meesteres Ellen sprak over de heilige Teresa, Agatha en Margaretha

alsof het echte mensen waren die aan de andere kant van de stad woonden.

Toen Ellen vroeg of haar moeder Solange op een dag misschien ook als een heilige zou worden erkend, zei mammy: 'Natuurlijk, lieverd. Jouw mama was de beste heilige die er ooit is geweest.'

Mammy zei nooit iets afkeurends over juffrouw Ellens boek, maar ze was er geen groot voorstander van. Al die verhalen over heiligen die vol pijlen zaten of in stukken werden gesneden of door wolven werden achtervolgd... Iemand die echt wist hoeveel bloed er uit een mensenlichaam kon stromen, zou nooit zulke afbeeldingen maken, dat was wat mammy dacht. Bovendien zagen die heiligen er niet uit als mensen die met pijlen waren doorboord of op het punt stonden om te worden onthoofd; ze leken dronken van de whisky, of misschien waren ze al ruim op weg naar het Paradijs. In haar hele leven had mammy maar één man ontmoet die op de heiligen van juffrouw Ellen leek, en dat was Denmark Vesey geweest.

Een verlangen om voor het geloof te sterven was dwaasheid, maar geen alledaagse dwaasheid. Het was een van die eervolle dwaasheden die mama's hun kinderen voorhielden als een voorbeeld van goed gedrag, terwijl ze ondertussen baden dat die kinderen het nooit zelf zouden proberen.

Mammy waarschuwde Ellen: 'Je hebt er niks aan om arm en goed te zijn. Een vrolijk gezicht geeft je alles wat je nodig hebt.'

Ellen Robillard werd een heilige-in-de-dop. Op eigen houtje, zonder overleg met haar vader, vroeg ze pastoor Michael wat ze voor het vormsel diende te weten. Hoewel de goede man het druk had met een toestroom aan Ierse immigranten en een fraai nieuw kerkgebouw wakkerde Ellens kinderlijke verkenning van haar geloof ook zijn eigen geloof aan, en als pastoor Michael niet aan een ziekbed of een doodsbed zat, was hij op maandag en donderdag na het avondmaal beschikbaar voor het oprechte jonge meisje. Pierres tafel was altijd rijkelijk gevuld, en twee avonden per week dineerde de geestelijke in het Roze Huis.

Als Pierre ooit spijt had gekregen van zijn belofte aan Solange om het kind katholiek op te voeden, dan zei hij dat nooit, en pastoor Michael was zo belezen en vriendelijk dat Pierre uitkeek naar zijn regelmatige bezoeken.

Nu de Franse gemeenschap van Savannah veel kleiner was dan vroeger werd Frère Jacques weer Gunn's Tavern en waren de stamgasten Iers. Pierres landgenoten spraken met de lome zachte 'r' van de Lowcountry. Toen de Franse invloed afnam en de katoen velen steeds rijker maakte, groeide ook Savannahs verlangen naar Franse zijde en wijnen en mode, en onder leiding van Nehemiah, de vaardige bedrijfsleider van L'Ancien Régime, beleefde Pierres onderneming een grote bloei.

Toen pastoor Michael Pierre vertelde dat zijn dochter mogelijk een roeping had, grinnikte haar vader. 'O, laat mammy het maar niet horen. Ze vindt dat het leven van een jongedame pas compleet is wanneer ze is getrouwd.'

'Mammy...?'

'Die is hier de baas, hoor. Ze commandeert me in het rond alsof ik háár slaaf ben. Wanneer ik protesteer, spreekt Nehemiah "een hartig woordje" en doe ik al snel weer braaf wat me wordt gezegd.'

'Maar u... u bent hier de meester.'

'Dat ben ik,' zei Pierre zelfvoldaan.

Er kwam een einde aan de vriendschap tussen Ellen en Antoinette toen Antoinette Ellens uitnodiging om mee te gaan naar haar vormsellessen met spottend gegiechel beantwoordde.

Daarop sloot Antoinette vriendschap met Philippe Robillard, die volgens de verhalen door zijn moeder als 'een wilde indiaan' was opgevoed. (Toen Pierre hulp en goede raad aanbood, smeet de weduwe van zijn neef de deur in zijn gezicht dicht.) De jonge Philippe ging niet naar de kerk. 'Blijkbaar is de sabbat voor die jongen een dag als alle andere,' merkte een voorname dame afkeurend op.

De onberispelijke Franklin Ward begon Eulalie bezoekjes te brengen. Omdat de heer en mevrouw Benchley op zaterdag voor de markt naar de stad kwamen en dan in het Roze Huis logeerden, waren ze tijdens de bezoeken van Franklin aanwezig. Meneer Ward was een aanhanger van Miller, en om die reden onderwierpen de Benchleys, die baptisten waren, de serieuze jongeman aan amusante plaagstootjes. De vader en oom van Franklin Ward hadden als arts in het noorden gewerkt, en ook Franklin had arts willen worden, maar toen had hij gehoord over de voorspelling van dominee William Miller, die zei dat Christus hoogstpersoonlijk weder zou komen, en wel tussen maart 1843 en oktober 1844, data die waren ontleend aan zorgvuldige berekeningen op basis van bepaalde profetieën in het boek Daniël. Carey Benchley had nog nooit zoiets bespottelijks gehoord, en als hij door de week een amusante vraag bedacht, kwam hij daar op zondag steevast mee op de proppen. 'Wanneer Jezus wederkomt,' vroeg Paulines echtgenoot, 'wie rijdt hem dan rond? Wie gaat er voor hem koken?'

Een andere keer zei Carey lachend: 'Waarom maak je Eulalie het hof als het dadelijk toch voorbij is?' Hij herhaalde, tevreden: 'Voorbij.'

Hoewel Franklin Ward de denkbeelden van dominee Miller keer op keer uit de doeken deed en Millers opvattingen kon staven met verhandelingen van vooraanstaande theologen, maakten Carey en Pauline telkens weer grappen ten koste van Eulalies vrijer.

Ellen luisterde een stuk aandachtiger. Dat Christus een einde zou maken aan de verdorven, goddeloze wereld leek uiterst geloofwaardig.

Ze leefden, zo legde Franklin Ward uit, in 'talmende tijden'.

Elf maanden voor de eerste gelegenheid waarop de wereld ten einde kon komen legde Ellen haar catechismus en *De levens der HH. Vaders* opzij. Ze somde een aantal redenen op waarom pastoor Michael niet langer moest worden uitgenodigd om haar te onderwijzen en van de lekkere diners te genieten waaraan hij en Pierre zo veel plezier beleefden. Toen de pastoor vroeg of Ellen nog wel wilde worden gevormd, was de jongedame uiterst vaag.

Mammy hoefde niet van de wasvrouw te horen wat er was gebeurd, dat wist ze zo ook wel.

'Kind,' zei ze toen ze alleen waren, 'je bent minder vrolijk dan vroeger.'

'Waarom zou ik vrolijk zijn? Mijn leven is armzalig, klein en saai. Ik heb geen echte vriendinnen…'

'Helemaal geen een?'

'Jij telt niet.' Met tegenzin voegde ze eraan toe, want Ellen was altijd eerlijk: 'Jij bent meer dan een vriendin.'

'Je verandert, meer niet. Lieverd, je bent nu een echte vrouw.'

'Ik wil geen "echte vrouw" zijn.'

Mammy lachte. 'Nou, een man zal je zeker niet worden. Opoe is op bezoek, en van nu af aan komt ze elke maand.'

Mammy gaf Ellen zacht katoenen doeken. 'Speld die in je onderbroek en verschoon ze zo vaak als nodig is. Stop die doeken in die emmer met deksel bij de deur. En doe het deksel erop. Je vader wil hier niks van weten.'

Ellen trok een gezicht. 'O, mammy! Moet dat echt?'

'Ja, kind. Ik vrees van wel.'

Ze jammerde: 'Ik ben zo vies!'

Mammy glimlachte niet. 'Je bent niet vies, kind. Dit moest gebeuren. Het is je mama overkomen, het is mij overkomen. Je raakt er wel aan gewend.'

'Ik ben zo vies,' fluisterde ze.

Een maand of twee later liet Antoinette Sevier zich opnieuw zien. Ze was mager en bleek, en ze wist dat ze niet brutaal moest doen tegen mammy, maar ze deed het toch.

De twee meisjes werden weer vriendinnen, alsof er nooit iets was voorgevallen, en Antoinettes vriendinnen werden Ellens vriendinnen. Haar dagen raakten gevuld met bals en picknicks en renbanen en zeiltochtjes. Ellen bleef vaak bij Antoinette logeren, en al snel wist mammy niet meer of ze voor haar aan tafel moest dekken of niet. Wanneer Ellen mammy's waarschuwingen en berispingen aanhoorde, hield ze haar hoofd scheef, alsof ze over nieuwe, twijfelachtige voorstellen nadacht.

Op een zaterdagmorgen vroeg, toen mammy op de terugweg was van de markt, moest ze vliegensvlug uitwijken voor Philippe Robillards koets die ratelend voorbijreed. Juffrouw Antoinette Sevier lag uitgestrekt bij Philippe op schoot, en ze lachten allebei.

Kinderen. Toen mammy dacht aan hoe ze waren, wat ze dachten, waar ze om gaven – het leek allemaal even ver weg en ongrijpbaar als de dikke wolken boven haar hoofd. Mammy stopte haar boodschappenmand onder haar arm en beende naar huis, waar Nehemiah aan het ontbijt zat.

Nehemiah wilde er niets van weten. 'Een zwarte is er nooit mee geholpen als een blanke te schande wordt gemaakt.'

'Die juffrouw Antoinette, die loopt maar zonder chaperonne rond,' drong Mammy aan.

Nehemiah nam een voorzichtige hap warme havermout. 'Dat zijn onze zaken niet. Dat zijn onze zaken helemaal niet.'

'Waar dat kind ook heen gaat, ze gaat niet alleen,' voorspelde mammy somber.

Mammy weet de onaangename veranderingen in Ellens voorkomen en gedrag aan juffrouw Antoinette. Juffrouw Ellen liep steeds vaker met een kromme rug, en het kind dat altijd zo nauwgezet en keurig was geweest, werd een flamboyante sloddervos. De weloverwogen antwoorden waaraan mammy gewend was geraakt veranderden in vaag, onduidelijk gemompel. Het kind dat op decorum was gedoken zoals een eend op een torretje duikt had er opeens geen aandacht meer voor.

Op een hete zomernacht schrok mammy met grote ogen en bonzend hart wakker uit een droom en glipte de onopgeruimde kamer van juffrouw Ellen in. Daar bleef ze op het lege bed zitten totdat de klok beneden drie keer sloeg en een koets voor het huis halthield. Stilte. De koetsier liet zijn zweep knallen en de koets reed verder. Sleutel in de deur, geluid van tenen op Jehu's trap. Het kind deed voorzichtig de deur open en dook naar binnen.

'Goedemorgen,' zei mammy.

Het maanlicht dat door het raam naar binnen viel, wierp een bleke streep op de verste muur. Gevangen in het licht veegde juffrouw Ellen haar mond af en trok het kraagje van haar blouse recht. 'Ik…'

'Lieg niet, jongedame!'

Ellen trapte haar muiltje in de hoek, waar het met een bons de muur raakte. Het andere muiltje volgde. 'Zeg eens, mammy, denk je dat de wereld zal vergaan? Antoinette zegt van niet, maar Philippe gelooft van wel. Wij mensen hebben zo veel verdorven dingen gedaan. Zou de wereld niet beter af zijn zonder ons?'

'Le Bon Dieu…'

'Spreek toch Engels, mammy. God bedoel je. Die om ons allemaal geeft.'

'God ziet wat we doen, en wat God niet ziet, ziet je mama.'

'Het spijt me. Die dame kan ik me niet herinneren.'

'Juffrouw Ellen…'

'Mammy, als je je ermee gaat bemoeien, dan ga ik…'

'Wat ga je dan doen, juffie? Denk je dat ik niet erger heb meegemaakt?'

'Mammy… Ik weet het gewoon niet. Ik wéét het niet meer.'

Stijfjes kwam mammy overeind. Ze had last van haar knieën.

'Pas goed op, jongedame. Je bent niet zo slecht als je zou willen. Dat heb je niet in je.'

Nehemiah wilde het niet tegen Pierre zeggen. 'Wat moet meester Pierre eraan doen?'

'Die kan met haar praten.'

Nehemiah knikte. 'Wat hebben we daaraan?' Hij schraapte zijn keel. 'Als ze een zwarte was geweest, hadden we iets kunnen doen. Een zwarte hadden we een belletje om haar middel kunnen hangen, dan hadden we het gehoord als ze was weggeglipt, of we hadden haar enkels kunnen vastbinden zodat ze alleen maar kon hobbelen.'

'Of haar om wat suiker kunnen sturen,' merkte mammy op.

'Maar dat gaat niet. Die meid gaat naar de verdoemenis, maar dat gaat ze op haar eigen gangetje en in haar eigen tijd, en mammy, er is helemaal niets wat jij en ik daaraan kunnen doen.'

Ze zeiden niets tegen Pierre.

Wanneer Eulalies Franklin op bezoek kwam, ging Pierre bij hen in de salon zitten, onder het portret van Solange, en hij glipte weg voor zijn zondagse dutje zodra de Benchleys binnenkwamen. Bij het avondeten dronk Pierre een fles bordeaux, waarna Nehemiah hem naar bed bracht. Wanneer er oude vrienden langskwamen, ontving Pierre hen vriendelijk, maar na een half uur excuseerde hij zich en zocht zijn eigen vertrekken op. Pierre Robillard had niet veel greep meer op het leven, en als die vriendelijke, verstrooide heer al veranderingen in zijn jongste dochter zag, zei hij daar niets over.

Ellen had geen gebrek aan voorname bewonderaars. Robert Wilson met de bewonderende blik was de zoon van die stoombootkapitein. Mammy trof Robert op een morgen, bij het krieken van de dag, op het stoepje voor het huis aan, waar hij zat te wachten totdat juffrouw Ellen naar buiten zou komen. En Gerald O'Hara kwam voortdurend langs met bloemen, kaarsen, allerlei cadeautjes. Goed, hij was weliswaar een Ier, maar wel een voorname Ier!

Voornaam, dat kon niet worden gezegd van Philippe Robillard. Hij was een schandaal.

Daar kon hij niets aan doen, want Philippe had geen mammy die hem kon opvoeden, maar hij had wel meer dan genoeg geld om hem in de problemen te brengen. Nog voordat hij uit zijn korte broek was, bracht zijn moeder hem al niet meer naar St. John. De andere parochianen, die niet bepaald hadden genoten van het geschop en het gekrijs en de driftbuien, waren blij dat hij zich niet meer liet zien. Op zijn vijftiende had de jonge Philippe al vijf huisonderwijzers versleten, onder wie een yankee uit Boston.

Op de markt van Savannah werd gesmuld van de schandalen rond de jonge meester. Wanneer er geen nieuwe wandaden te bespreken waren, haalde men herinneringen op aan oude: dat de jonge meester Philippe een goed paard letterlijk dood had gereden, of dat hij een non had beledigd en dat 'die boef Charles naar het werkhuis stuurde om met de zweep te krijgen omdat Charles de slijtplekken niet uit zijn schoenen kreeg. Er zaten scheuren in het leer. Die had Charles niet eens gemaakt, dus hoe moest hij die er weer uit krijgen?'

Als belangrijkste huisbediende van de familie Robillard verwachtte mammy op de markt respect en kleine gunsten. 'Mooie soepschildpad. Ik weet dat meester Pierre daar wel van houdt, dus ik heb deze speciaal voor je achtergehouden, mammy.'

Mammy verwachtte geen onbeschaamdheid, maar op een morgen kreeg ze wel het een en ander te horen van mammy Antigone (wier blanke lui aan de minder nette zijde van Jackson Square woonden). 'Die juffrouw Ellen van je, mammy Ruth. Die misdraagt zich verschrikkelijk, samen met die Philippe. Schandelijk! Juffrouw Ellen maakt je te schande!'

'Wat heb jij met de familie Robillard van doen?' kaatste mammy terug. Maar een scherp antwoord kan de waarheid niet verbergen.

Als kind had juffrouw Ellen Philippe genegeerd. Nu negeerde ze hem niet langer.

Mammy Antigone legde haar hand op mammy Ruths arm. 'Je hebt gedaan wat je kon, meid. Je bent een lieverd.'

Mammy schudde de hand af alsof het een slang was. Mammy Antigone die medelijden had met mammy Ruth! Hoe durfde ze!

Juffrouw Eulalie had haar haar nog in papilotten toen Mammy haar slaapkamer in stormde. 'Ik heb van alles over juffrouw Ellen gehoord,' zei ze. 'De lui kletsen!'

Eulalie liet een dromerige glimlach zien. 'Philippe en mijn zus zijn heel erg verliefd. Dat zegt iedereen.'

'Iederéén?'

'Het is zo romántisch.'

'Jij wil alleen maar wat je niet hebt. Als je het zou hebben, zou je het niet willen.'

Een blinde vrouw had de problemen nog zien aankomen: juffrouw Ellens humeurigheid, haar gebrek aan belangstelling voor geliefde bezigheden, haar hooghartige, slinkse houding – alsof ze een of ander geheim had waarvan anderen geen weet hadden omdat ze te dom of te onbeduidend waren. Zoals zo velen voor haar dacht juffrouw Ellen dat ze de liefde had uitgevonden. Ze droeg 'Ik ben verliefd' als een uithangbord met zich mee.

Jongelui denken dat de liefde even eenvoudig is als de zonsopgang en even duidelijk als de neus in je gezicht. Ze hopen in de ogen van hun geliefde te kunnen wegsmelten.

Mammy wist dat de liefde nooit eenvoudig of duidelijk is en dat de liefde voor een wereld aan pijn kan zorgen. Juffrouw Ellen was vijftien, volwassen genoeg om verliefd te worden. Op wie ze verliefd was, dat was het probleem. Het mocht iedereen zijn, als het maar niet neef Philippe was! Na een nacht waarin de geesten niet waren opgehouden met kwebbelen liep mammy naar Ellens slaapkamer en schudde haar wakker. 'Wat spook je uit met die jongen? Je brengt schande over de familie.'

Hoewel Ellens ogen rood waren en haar haar in de war zat, kwam ze overeind, trok haar peignoir aan en ging aan haar toilettafel zitten om haar wangen te bepoederen.

'Ik ga het tegen meester Pierre zeggen, lieverd. Je laat me geen keuze.'

Ellens schouder zakte zo'n klein stukje naar beneden dat het gemakkelijk over het hoofd kon worden gezien.

Mammy wachtte totdat meester Pierre zijn toilet had gemaakt, zich had geschoren en zijn ontbijt had genuttigd, dat bestond uit een zacht gekookt eitje en een kop bittere cichoreikoffie. Terwijl mammy haar verhaal deed, herinnerden de woede, droefheid en bezorgdheid die over Pierres gezicht schoten haar aan de peetouder die hij al die jaren geleden was geweest. Maar de bliksem verdween en zijn gezicht plooide zich tot de zachte rimpels van een oude man. 'Zo zijn jongelui nu eenmaal. Daar kunnen we weinig aan veranderen.'

'U gaat er niks aan doen?'

Pierres schouderophalen was vermoeider dan dat van zijn dochter en niet veel behulpzamer.

De twaalfde maart was de eerstvolgende dag waarop de voorspelling van dominee Miller waarheid kon worden en de jonge bon vivants van Savannah waren vastbesloten dat te vieren. 'Als we zo weinig tijd over hebben, moeten we toch van het leven genieten?' merkte Antoinette Sevier op. Mammy wilde de mond van het kind met zeep wassen.

Wanneer mammy in een hinderlaag bij de achterdeur lag, ontsnapte Ellen door een raam. Wanneer mammy in de stal wachtte, kwam de vrijer van juffrouw Ellen door de voordeur naar binnen. Mammy rende net op tijd de straat op om juffrouw Ellen en Philippe op zijn paard te zien vertrekken, zij met haar haar los en haar armen stevig om zijn middel geslagen terwijl zijn hengst de straat uit galoppeerde.

Mammy begreep dat een meisje als Ellen zichzelf, haar maagdelijkheid en haar goede naam voor een schurk kon opofferen als die schurk knap en vol leven was. Maar dat ze het begreep, wilde nog niet zeggen dat ze het liet gebeuren.

Op 10 maart, om middernacht, bonsde mammy op Nehemiahs deur. 'Rijd de koets voor,' beval ze. 'Snel. Het zijn juffrouw Ellen en die jongen. Juffrouw Eulalie weet wat ze uitspoken. Voor juffrouw Eulalie blijft niks geheim.'

'Ik doe helemaal niks,' zei Nehemiah. 'Dit is iets voor de blanke lui. Niet voor jou en mij.'

Ze zei: 'Als je niet meegaat, vertel ik de geesten dat je kwaad doet.'

Nehemiah zei: 'Ik geloof niet in die Afrikaanse geesten.' Hij kleedde zich aan en spande de paarden in.

Twintig jaar eerder was Farnum's Tavern een voornaam boerenhuis met een bovenverdieping geweest. De rode lantaarn voor het raam verbleekte in het kille maanlicht. Voor de brede veranda, die was weggestopt onder groenblijvende eiken die nooit werden gesnoeid, stond een rij gebleekte vaten. Ongewoon fraaie paarden stonden te dommelen bij het vertrouwde hek. Farnum's Tavern was de plek waar modieuze jonge heren hun vermaak zochten.

'Achterom,' beval mammy. 'Rijd me achterom.'

'Ik blijf niet op je wachten!' fluisterde Nehemiah.

'Ja, dat doe je wel. Ik ga juffrouw Ellen halen. Jij moet ons naar huis brengen.'

'Ik zie haar niet.'

'Natuurlijk niet. Juffrouw Ellen zit binnen!' In het bleke licht vertoonden de karrensporen op het erf schaduwen noch diepten. Bij de achterdeur trok mammy haar rok op en mompelde een gebedje. Dit kon op zo veel manieren in het honderd lopen.

Ze tilde de klink op en glipte een smerige keuken binnen. Een mulat met een gezicht vol littekens stond met zijn armen over elkaar geslagen tegen een vieze gootsteen geleund waarvan het afdruiprek was gevuld met ongewassen kannen. Zijn ogen vlogen open. 'Wie ben jij?'

'Mammy Robillard. Ik kom voor juffrouw Ellen.'

De man stak zijn handen omhoog alsof hij een klap wilde afweren.

Achter de deur van de gelagkamer hoorde ze mannen lachen. Mammy stopte haar gesteven blouse in en trok haar roodgeruite hoofddoek recht.

'Moge Le Bon Dieu me behoeden,' bad ze.

Rokende lantaarns verlichtten gepleisterde muren vol vlekken. Verschillende soorten kaarsen, lang en kort, marcheerden in een kronkelende lijn over een lange tafel. De bedompte lucht stonk naar oude tabaksrook en gemorste whisky. Als Farnum's Tavern inderdaad, zoals de baptisten beweerden, Satans poort naar de hel was, dan had Satan een nieuwe huishoudster nodig.

Jonge meesters in verschillende stadia van dronkenschap zaten aan de tafel. Mammy Ruth kende hen. Ze had hen als kinderen gekend.

Ze had verbaasd moeten zijn toen ze de man aan het hoofd van de tafel zag, maar ze was het niet. Ze was ziek van ellende.

Philippe Robillard zat naast kolonel Jack, en juffrouw Ellen zat als een tweede huid tegen Philippe aangedrukt. Zijn hoge hoed stond scheef en zijn met ruches bezette, linnen hemd was tot aan de navel open, maar bij Philippe was verval iets moois. Op juffrouw Ellens bleke voorhoofd rustte een krans van fijne roze camelia's: een bruidskransje. De blik in haar ogen was dof. Het jonge volk gaat te lang en te laat door, totdat alles wat bij de zonsondergang en het eerste glas helder en hoopvol leek is gestorven.

'Haal een kan voor ons, meid!' In de schaduwen had kolonel Jack haar niet herkend. 'Nikkers uit Savannah zijn langzamer dan mijn eigen pis.'

'Voordat Philippe onze bediende met het rietje gaf, waren ze snel genoeg,' wierp de jonge meester Billy Obermeier tegen. 'Nikkers hebben hun grenzen. Je kunt ze niet te ver drijven.'

Afwezig maar teder gaf Philippe juffrouw Ellen een klopje op haar hand. 'Ga je me nog trouwen, Jack? Of moeten we wachten totdat je mijn wijn helemaal hebt opgedronken?'

Kolonel Jack Ravanel glimlachte breed. 'Jou trouwen, Philippe? Vanavond?' Hij schoof zijn stoel naar achteren en keek zijn gezelschap stralend aan. 'Beminde aanwezigen…'

'Ik ben je beminde niet, Jack,' wierp de jonge meester Fleet tegen.

'Jammer, Jimmy,' zei Jack verlekkerd.

Billy riep: 'Meid, waar blijven die verrekte kannen!'

Mammy stapte het licht in. 'Ik ben je meid niet, en jullie hebben allemaal al genoeg gedronken. En jij, jonge meester Fleet: wat zou je papa denken als hij je nu kon zien?'

Kolonel Jack hapte naar adem. 'Ruth!'

'Ik ben nu mammy Robillard, kolonel Jack. Ik kom juffrouw Ellen halen.'

Philippe kwam met een ruk overeind. 'Denk aan je plaats, nikker.'

'Gaat u me met het riet geven, meester Philippe? Gaat u me slaan totdat ik flauwval? Wat zou uw arme mama daarvan denken? Juffrouw Osa heeft nog nooit iemand kwaad gedaan. Wat moet zij wel niet van deze gekkigheid denken?'

'Ruth…' begon kolonel Jack.

'Ik ben de mammy van de jonge juffrouw Ellen Robillard. Moet dit juffrouw Ellens bruiloft voorstellen? Waar zijn haar gasten? Haar familie? Waar is de kerk? Waar is de geestelijke? Bent u dat, kolonel Jack? Hebt u berouw getoond en uw zonden bekend en bent u gewijd en kunt u nu een verbintenis sluiten die geen sterfelijk mens kan verbreken? God zij geloofd! Juffrouw Ellen, die heiligen van u, wat moeten die hiervan denken? En Jezus Christus? Denkt u dat Hij zich aan het kruis heeft laten nagelen zodat jonge meesters kunnen drinken en ontucht kunnen plegen?'

Philippe schudde de arm af waarmee Jack hem wilde tegenhouden. 'Ik regel dit wel,' zei hij, en hij ging voor mammy staan.

Mammy gaf geen duimbreed toe aan de jonge blanke meester. 'Jonge meester Fleet,' riep ze langs Philippe. 'Wat gaat u uw papa over vanavond vertellen? Zal hij trots zijn? En u, meester Obermeier, drie weken nadat uw papa naar de hemel is gegaan en uw mama nog zo veel verdriet heeft? Denkt u dat uw mama blij zal zijn als ze hoort wat u hier vanavond uitspookt?'

'Ik heb nooit…'

'U hebt ook geen nee gezegd. U hebt niet "Spot niet met God!" gezegd. Als uw papa Obermeier vanavond hier kon zijn, wat had hij dan gezegd?'

Juffrouw Ellen greep Philippes arm vast. Haar kleine handen hielden hem tegen. 'Liefste Philippe, ze is mijn mammy!'

Whiskydampen kleefden als ochtendnevel aan de jonge meester. 'Nikker!' mekkerde hij, alsof dat ene woord alles verklaarde wat iemand over haar zou willen weten.

'Meester Philippe,' zei mammy zacht, 'ik kende u al toen u nog in de luiers lag, en toen was u al een lastig kind! Maar u was beminnelijk. Dat bent u altijd geweest, en ik neem aan dat juffrouw Ellen vannacht van u houdt. Maar u ligt niet meer in de luiers, u bent een man! Op een dag een belangrijk man, een gouverneur, misschien een senator. Wilt u dat iedereen dan nog aan deze "affaire" denkt?' Mammy imiteerde het lijzige Lowcountry-toontje van Langston Butler. '"Philippe Robillard? O, die kerel! Is hij niet in een kroeg getrouwd?" Wilt u daarom bekendstaan? Wilt u dat juffrouw Ellen daarom bekendstaat?'

De ruwe lach van kolonel Jack verbrak de betovering. 'God, wat houd ik toch van een fel vrouwtje!'

Koeltjes antwoordde Mammy: 'Ja, meneer, dat denk ik ook. U probeert het in elk geval. Maar ik moet u vragen, Jack, als ik diep in uw hart kijk' – de kaarsen flakkerden en sputterden – 'wat zou juffrouw Frances hiervan hebben gevonden?'

Op Jacks voorhoofd verschenen rimpels, en hij slikte. Hij streek met zijn mouw langs zijn ogen. Hij bracht de fles naar zijn lippen, en zijn adamsappel bewoog. Hij veegde zijn mond af en zette de fles neer. 'Ik denk dat dit voor vanavond wel genoeg is, heren. De haan kraait dadelijk. Philippe, ik schenk een slaapmutsje voor je in.'

De jonge meesters bleven verstijfd als standbeelden zitten terwijl Ellen de spelden van het bloemenkransje lostrok en het op tafel legde. Afwezig gaf ze er een klopje op. 'Het is al akelig laat, heren,' zei ze. Ze keek Philippe glimlachend aan. 'Welterusten, mijn liefste.'

Die nacht sprak juffrouw Ellen Robillard geen woord meer. Ze huilde de hele weg naar huis.

Laat je hart niet hard worden

*V*an de feesttaart waren alleen nog wat resten over.

Eulalie Robillard grasduinde tevreden in de visitekaartjes die de gasten die middag hadden achtergelaten. Sommige gasten waren emigranten, landgenoten van meester Pierre – ernstig en respectabel –, andere waren klanten van L'Ancien Régime. Gretige jonge vrijgezellen, onder wie de volhardende Gerald O'Hara, waren langsgekomen op de enige dag van het jaar waarop de dure huizen van Savannah hun deuren openden voor eenieder die aanklopte. Eulalies Franklin Ward was vroeg gekomen en tot laat gebleven. Carey Benchley had blijk gegeven van een ongewoon feestelijke stemming en Franklin niet één keer geplaagd met het einde van de wereld.

Nehemiahs dienblad was beladen met lege whiskyglazen, halflege theekopjes en overvolle asbakken. Eulalie liet haar vinger over Franklin Wards reliëfkaartje gaan en Nehemiah deed net alsof hij haar niet 'Hij houdt van me, hij houdt niet van me, hij houdt van me' hoorde fluisteren.

Zes uur in het frisse Savannah, Georgia, zondag, de eerste dag van het nieuwe jaar. Door de ramen van de salon was de lantaarnopsteker op Oglethorpe Square te zien. Geurend naar parfum, tabak en whisky maar ontdaan van alle gasten kreeg de salon weer zijn vertrouwde aanblik. Meester Pierre was naar bed gegaan. Tegenwoordig meed meester Pierre alle sociale gelegenheden waaraan hij zich met goed fatsoen kon onttrekken.

Juffrouw Ellen had de rol van gastvrouw vertolkt terwijl mammy en Nehemiah drankjes, thee en de feestelijke hapjes van Cook hadden rondgedeeld.

Nu deed Nehemiah geen moeite een geeuw te onderdrukken toen er werd aangebeld. 'Hemel, wie kan dat nu zijn?' zei hij tegen niemand in het bijzonder.

Eulalie ging hem voor naar de hal, waar ze de visitekaartjes teruglegde op het blad. Na een snelle blik in de penantspiegel streek ze haar haar glad en nam ze plaats op de stoel in de hal, met een exemplaar van *Godey's Lady's Book* in haar handen.

De buiging waarmee Nehemiah de deur opende, zou er alleen in de ogen van degenen die op de voorgeschreven uren hun visites aflegden niet volmaakt genoeg hebben uitgezien. 'Goedenavond, mevrouw. Goede genade!'

Osa Robillards zwarte haar was met plukken tegelijk uit haar hoofd getrokken. Bloed welde op uit de sneden in haar wangen. Haar blik was koortsachtig.

'O, meesteres Osa! Komt u toch binnen. Kan ik thee voor u halen? Misschien iets sterkers?'

Ze hield een klein pakje in haar trillende hand.

'Komt u toch binnen, meesteres. Neemt u alstublieft plaats in de salon, dan haal ik meester Pierre...'

Eulalie legde haar tijdschrift neer. Ze keek met open mond toe.

Nehemiah zei: 'Was u niet van plan u terug te trekken, juffrouw Eulalie?'

Hetgeen Eulalie onmiddellijk deed.

Nehemiah toonde de geruststellende glimlach waarop men onvoorspelbare personen trakteert. 'Ik sta erop, mevrouw Robillard. Komt u binnen. Alstublieft.'

Even roerloos als de houten beelden waarmee tabakshandelaren hun rookwaren onder de aandacht van klanten brengen stond Osa Robillard gevangen tussen het laatste koude licht van een winteravond en de warme gloed van de kerstkaarsen in het Roze Huis. Nehemiah gooide het over een andere boeg. 'Hebt u iets voor meester Pierre?'

Ze schudde heftig haar hoofd.

'Voor...?'

'Voor haar.'

'Mevrouw?'

'Voor haar. Dat meisje. Het meisje van Philippe.'

'Als u juffrouw Ellen bedoelt, kan ik u zeggen dat juffrouw Ellen uw zoon niet meer heeft gezien sinds die Savannah heeft verlaten.' Nehemiah zocht naar een gemeenplaats. 'Jonge liefde gaat zelden over rozen.'

De indiaanse vrouw bleef even stil als de dood staan, totdat Nehemiah het pakje van haar overnam.

'Weet u zeker dat u niet binnen wilt komen? U... ik... Meester Pierre... Dank u, meesteres Osa. Ik wens u een gelukkig en voorspoedig...'

Toen Philippes moeder was vertrokken, schoof Nehemiah de grendel voor de deur, streek met zijn duim over het pakje en mompelde: 'O hemel. O hemel, hemel, hemel...'

...tot mijn spijt moet ik u mededelen dat uw zoon onfortuinlijk aan zijn einde is gekomen. Enige maanden geleden, toen meneer Philippe Robillard in New Orleans aankwam, was hij al te vertrouwd met de bezigheden die oudere, voorzichtigere heren doorgaans vermijden. Dankzij zijn aanzienlijke middelen wist de jongeman al snel compagnons met een vergelijkbare belangstelling aan te trekken.

De jongeman koos mij uit als zijn biechtvader. Hoewel Philippe verdorven dingen heeft gedaan, was zijn hart niet verdorven. Tot aan de dag van vandaag geloof ik dat hij, als hij had geweten wat zijn Schepper als gepast zag, dergelijke gewoonten even gretig zou hebben omarmd als de vertrouwde zonden waaraan hij zich overgaf. In de ogen van een vriend als ik (en mogelijk was ik zijn enige echte vriend) leek Philippe wonderbaarlijk onschuldig – even verantwoordelijk voor zijn daden als de wilde dieren in het woud. Philippes ziel wendde zich naar het licht, en zijn geloof in de goedheid van God bleef sterk. Hij is neergeschoten tijdens een ruzie over een kaartspel, en God zij dank bleef hij lang genoeg leven om berouw over zijn zonden te tonen en absolutie te ontvangen.

Philippe heeft niet de gelegenheid gekregen om de man te worden die hij had kunnen zijn. Ik zal bidden voor hem en voor u in deze droevige tijden.

Uw dienaar in Christus,
Vader Ignatius, Cathedral of S. Louis, New Orleans

Het pakje bevatte vier van Ellens brieven en een miniatuur van Ellen Robillard dat slechts een jaar eerder was geschilderd.

Mammy zei: 'Ik wist het wel. Als ik die jongen alleen al zag, dan wist ik het al. De jonge meester Philippe was te mooi om te leven.' Ze stopte alles terug in het pakje en slofte, met een hart vol verdriet, Jehu's trap op om juffrouw Ellen het nieuws te vertellen.

Tijdens die lange, lange nacht zei Mammy niet veel. Soms hield ze haar kind vast. Soms waste ze het gezicht van het kind. Wat Ellen die avond zei, de jammerende, vreselijke woorden die ze uitte, werden nooit door mammy herhaald en zullen hier ook niet worden herhaald. Ellens ziel bloeide die nacht op terwijl haar oude ziel stierf in smart, verwijten en tranen.

Toen de zonsopgang het zwart van de magnoliabladeren tot groen verkleurde en een moedige zangvogel een dapper, aarzelend gekwetter liet horen, veegde mammy Ellens met tranen besmeurde gezicht droog. 'Ja, liefje, je kunt doen of je niets meer voelt, maar dat is net zoiets als gaan liggen en doodgaan. Juffrouw Ellen, laat je hart nooit hard worden. Er zijn mensen op de wereld, hier in Savannah, Georgia, die iedereen hebben verloren van wie ze hielden. Zelfs die mensen, die alles hebben verloren, die gaan door met het leven, net zoals ze deden toen de lui van wie ze hielden er nog wel waren. Ze leren opnieuw lief te hebben. Ze openen hun hart. We weten niet – dat weet niemand – welk verdriet er over ons wordt uitgestort. Maar we zijn niet op deze aarde gezet om te snoeven en te spotten. We hebben onze lasten te dragen en mogen anderen daar niet mee opzadelen. Of we willen of niet, we moeten opstaan en doorgaan.'

Een tijd later snoot juffrouw Ellen haar neus en deed ze de openslaande deuren open. Zachte, geurige zuidelijke lucht stroomde de kamer in en spoelde de bitterheid weg. Eén dappere vogel werd een heel koor. Juffrouw Ellen ging aan haar toilettafel zitten en borstelde haar haar.

'Wil je mijn grijze japon klaarleggen?' zei ze, terwijl ze kleur aanbracht op haar bleke wangen. 'Mammy, zeg dat Nehemiah de koets laat voorrijden. Ik wil een bezoek aan meneer O'Hara brengen.'

'Juffrouw Ellen… Een man bezoeken! Op dit uur van de dag!'

Ellen draaide zich om en nam het gezicht van haar bediende tussen haar handen. 'Wanneer ik ja zeg op het aanzoek van meneer O'Hara zal hij me dit ongelegen tijdstip vergeven. En mammy, je mag niet aan me twijfelen. Nooit meer.'

DRIE

De Flint

Hoe ik en Pork bijna in de brand vliegen

Nehemiah vraagt of ik met hem over de bezem wil springen. Hij zegt dat meester Pierre niet zonder ons kan. En juffrouw Ellen dan, zeg ik, wie zorgt er dan voor juffrouw Ellen, die met die Ier van een O'Hara is getrouwd en naar de Upcountry vertrekt, waar slangen en alligators en indianen en allerlei naars op zo'n lief meidje uit Savannah liggen te wachten? Nehemiah zegt: juffrouw Ellen is oud genoeg om te trouwen, dus ze is oud genoeg om voor zichzelf te zorgen. Meester Gerald kan voor haar zorgen. Meester Gerald is een slimmerik. Hij heeft met kaarten gewonnen, en nu heeft hij juffrouw Ellen gewonnen. Ik wil niks van kaarten weten, zeg ik, dat is het spel van de duivel, dat heeft die jonge meester Philippe het leven gekost. Nehemiah zegt dat de jonge meester Philippe nu het probleem van Satan is, en ik zeg: wie ben jij om hem te veroordelen? Nehemiah zegt: hij heeft juffrouw Ellen bijna te gronde gericht en het hart van zijn mama gebroken, en ik zeg: Nehemiah, ik dacht dat je een christen was.

Hij zegt: dat kan wel wezen, en of ik met hem over de bezem wil springen? Nehemiah is een goeie kerel. Hij regelt al zo lang van alles voor meester Pierre, het is net of hij de baas van die winkel is. Maar ik ben al getrouwd, en dat was zonder bezem. Toen was er geen meester die een bezem omhooghield waar Jehu en ik overheen konden springen. Ik ben door een echte predikant getrouwd, in de Afrikaanse methodistenkerk in Charleston, waar Le Bon Dieu en al Zijn geesten ons konden zien. Ik ben met Jehu getrouwd totdat de dood ons scheidt, en de dood heeft ons nog niet uit elkaar gehaald. Jehu en ik, we zijn voor Le Bon Dieu nog altijd getrouwd, na alles wat er gebeurd is. Dat zei ik niet tegen Nehemiah. Nehemiah heeft geen verstand van zulke dingen, hij zou nog brutaal worden ook. Ik heb hem gezegd dat ik met meester Gerald en met juffrouw Ellen en met die verwaande knaap, Pork, naar de Upcountry ga en dat we daar een nieuw leven beginnen, op de plantage van meester Gerald, waar we gelukkig en gezegend zullen zijn. Nehemiah zegt dat het daar echt niet anders is dan hier in Savannah, maar ik zeg tegen hem van wel. Het is toch een andere plek? We beginnen toch van voren af aan? Je doet gewoon vervelend omdat ik niet met je over de bezem wil springen.

Dus hij zegt dat hij me zal missen en dat zijn leven niks meer waard is als ik er niet meer ben, en misschien had ik hem een ander antwoord gegeven als hij dat had gezegd voordat hij het me vroeg, maar ik denk van niet.

Juffrouw Ellen heeft geen woord meer over meester Philippe gezegd, niet nadat ze bij meester Gerald was geweest, en ook niet na die middag toen zij en meester Pierre in de salon zaten en meester Pierre zijn dochter vroeg wat ze nou wilde gaan doen. Juffrouw Ellen zei dat ze het in haar hoofd had gehaald om een non te worden. Meesteres Solange, die was katholiek, en juffrouw Ellen is ook katholiek opgevoed, maar meester Pierre is dat niet. Hij vindt dat katholieken voor de paus in Rome moeten buigen. En dus zegt meester Pierre dat juffrouw Ellen niet de benen moet nemen om non te worden. Ze spreekt hem niet tegen. Ze zit er gewoon verdrietig bij, maar wel of ze al weet wat ze gaat doen.

Die avond na het eten – niet dat iemand een hap eet – komt meester Gerald naar het Roze Huis, en Nehemiah brengt hem naar de salon, waar hij op een van die hoge stijve stoelen gaat zitten. Hij heeft zijn zwarte pak aan. En zijn zwarte hoge hoed op zijn schoot.

Meester Pierre komt binnen en Nehemiah haalt de karaf en de glazen en meester Pierre biedt meester Gerald een drankje aan en meester Gerald zegt 'Een vinger, hoor, meer niet', en dat is een test, denk ik, want het is toch een Ier. Meester Gerald bedankt Nehemiah, en dat betekent dat hij kan gaan, en dat doet hij ook, maar hij en ik blijven buiten voor de deur staan luisteren.

Ze hebben het over het weer en ze hebben het over de katoenprijs en ze hebben het over wie de volgende president gaat worden en of Texas bij de Unie gaat komen. En dan trekt meester Pierre de deur van de salon open, maar Nehemiah en ik hebben hem aan horen komen, op zijn tenen, en we zijn ervantussen gegaan.

Juffrouw Ellen zit op haar slaapkamer met dat oude boek over die heiligen dat ze denk ik uit de kast heeft getrokken. Ik vraag haar of ze thee wil en ze zegt van niet. Ik wil nog wat zeggen, maar ze wil het niet horen en dus ga ik naar de keuken en drink ik in mijn eentje thee.

Als de bel in de keuken gaat, rennen Nehemiah en ik terug naar de salon waar die heren tegenover mekaar staan alsof ze net hebben besloten een duel uit te vechten. Meester Gerald is helemaal rood in zijn gezicht en meester Pierre ziet er zo oud en moe uit. Hij vraagt of ik juffrouw Ellen wil halen.

Juffrouw Ellen komt Jehu's trap af, net zo mooi en trots als een van die Franse koninginnetjes die ze onder de guillotine hebben gelegd. Meester Pierre wil alles geregeld hebben, en daar in de salon, waar Nehemiah en ik net doen of we behang zijn, vraagt meester Pierre aan juffrouw Ellen of ze met Gerald O'Hara wil trouwen. Meester Pierre wil meester O' Hara 'die Ier' noemen, maar hij weet wat decorum is en slikt zijn woorden in. Juffrouw Ellen is zo wit als een dodenkleed en haar onderlip trilt en ze kijkt helemaal langs die heren heen, misschien wel naar de jonge meester Philippe en meesteres Solange en de andere geesten. Juffrouw Ellen Robillard zegt: 'Ik zal met meneer Gerald O'Hara trouwen.'

En daarmee was die kous af.

De volgende dag komt juffrouw Pauline naar het Roze Huis en ze heeft me daar toch een driftbui. Ze loopt op hoge poten naar boven, naar de kamer van juffrouw Ellen, en zegt tegen haar zus dat die niet met geen Ier kan trouwen, want dan kijken al die dure lui straks op de familie Robillard neer. Sinds juffrouw Pauline met die Carey Benchley getrouwd is, gaat ze vijf dagen in de week naar de baptistenkerk. Juffrouw Pauline vraagt aan haar zus hoe die nou haar Schepper onder ogen kan komen als ze met een Ier getrouwd is. Juffrouw Ellen is juffrouw Pauline haar kleine zusje, en ze is niet zo groot en heeft niet echt een goeie naam meer vanwege dat gedoe met die jonge meester Philippe, maar ze zegt dat ze met Gerald O'Hara gaat trouwen en dat juffrouw Pauline zich met haar eigen zaken moet bemoeien en haar neus niet in de zaken van een ander moet steken.

Juffrouw Pauline doet roomser dan de paus, maar juffrouw Ellen heeft van die vonkende ogen en wil heel geen onzin horen, en dan begint juffrouw Pauline te grienen en zegt dat ze alleen maar het beste wil voor haar kleine zusje en dat zij en meester Carey elke dag voor haar zullen bidden. Juffrouw Ellen zegt dat als bidden genoeg is ze het zelf wel zou doen!

Juffrouw Eulalie heeft ook bezwaren, maar ze doet schijnheilig. Juffrouw Eulalie doet wel of ze het erg vindt dat haar zus met een Ier trouwt, maar eigenlijk kan ze niet wachten tot juffrouw Ellen het Roze Huis uit is, hoe verder hoe beter! Als er dan heren naar het Roze Huis komen, zien ze alleen juffrouw Eulalie, en niet juffrouw Ellen.

Meester Pierre is niet de vrolijkste. Zijn vrienden komen langs, hoed in de hand. Iedereen loopt op zijn tenen.

Juffrouw Antoinette komt naar het Roze Huis. Ze loopt te glimlachen en opgewekt te doen, maar ze hijgt als een hond die een vers bot ruikt. Ze zegt dat ze juffrouw Ellen haar vriendin is. Dat juffrouw Ellen haar óúdste vriendin is. Ze kennen mekaar al sinds ze kinders zijn. Juffrouw Antoinette heeft van alles bedacht voor juffrouw Ellen haar bruiloft. Juffrouw Ellen zegt dank je voor het bezoek en dank je voor de hulp en blijft haar bedanken totdat juffrouw Antoinette doorheeft dat juffrouw Ellen eigenlijk nee, bedankt zegt. Decorum is een tweesnijdend zwaard.

Meester Pierre loopt maar te mokken omdat hij zijn lievelingsdochter kwijtraakt, en mij ook. Maar op de trouwdag is hij weer de oude. Het is een mooie voorjaarsdag, de zon schijnt en iedereen is blij dat er jongelui trouwen. In St. John zitten de Franse lui en meester Pierre zijn vrienden aan de kant van juffrouw Ellen en de Ierse lui aan de kant van meester Gerald. Ik en Pork en Cook en Big Sam zitten helemaal bovenin. Daarna gaan de blanke lui naar het City Hotel, waar ze dronken worden en vrolijk doen zodat ze vergeten wie er Iers zijn en wie Frans.

Als juffrouw Ellen haar zussen dachten dat ze minder waard zou worden omdat ze met een Ier trouwt, dan hadden ze het mis. Meester Gerald is geen Fransman en weet niet wat decorum is, maar hij is wel een veel betere man dan Philippe ooit had kunnen wezen. Beter met kaarten ook. Meester Philippe, die dronk whisky en kaartte omdat mannen uit de Lowcountry dat nou eenmaal doen. Meester Gerald, die drinkt niet meer dan een klein glaasje als hij aan het kaarten is, en vaak wint hij. Voor hem zijn kaarten gewoon zaken. Jaren geleden heeft hij Pork gewonnen, die een van de duurste kamerjonkers van Savannah was. Een paar jaar na Pork won meester Gerald een plantage in de Upcountry van een speculant die de plantage in de grondloterij had gewonnen.

Nadat meester Gerald Tara mooi had opgeknapt, kwam hij met Pork en Big Sam, dat is de voorman van de plantage, naar Savannah. Meester Gerald kwam voor een vrouw, de beste vrouw die hij kon vinden, en dat was natuurlijk juffrouw Ellen. Mijn meesteres was de 'meest begeerde' jongejuffer van de hele Lowcountry.

Het huwelijkscadeau van meester Pierre aan mevrouw Ellen O'Hara is haar mama's blauwe, Franse theeservies en mij. Ik denk dat ik de enige vrouw op de hele wereld ben die twee keer een huwelijkscadeau is geweest.

Als ze eenmaal getrouwd zijn, gaat meester Gerald als een wervelwind in de rondte, maar juffrouw Ellen kan hem bijhouden. Als Pork te sloom is, laten ze hem achter. Ze kopen alles wat ze nodig hebben voor in de Upcountry, want daar is het helemaal niet beschaafd. Juffrouw Ellen is nu een getrouwde vrouw en dan moet je praktisch zijn. Ze vraagt Cook wat voor potten en pannen ze moet kopen en ze vraagt mij wat kindjes nodig hebben. Ze bloost als ze dat vraagt dus ik denk dat zij en meester Gerald lief voor mekaar zijn geweest.

Pork zegt dat ze op Tara grote ketels hebben om de varkens te broeien en siroop en appelmoes te koken, maar ze hebben niks geen kleine potten en pannen en ook geen braadsledes. Ze hebben geen weefgetouw en geen spinnewielen en geen kaardmolens. Er zijn geen kruiden, poeders en drankjes. Er zijn meer dan genoeg bijlen en zagen, maar als meester Gerald het gebraad wil aansnijden moet hij een zakmes pakken.

Tara heeft zout en vaten en tonnen nodig. Tara heeft beddengoed en lampolie en lampen nodig. Tara heeft alles nodig wat een plantage beschaafd maakt!

Juffrouw Ellen koopt katoen en wol en het beste garen en Engelse naalden. Meester Gerald koopt kalfsvel voor leidsels en schoenen, ossenhuiden voor kluisters en garelen. Hij koopt een grote ijzeren schroef voor de katoenpers en een driedelige ploeg, de eerste driedelige die ooit naar Savannah is gehaald. Meester Gerald scharrelt tussen het katoenzaad of hij nog nooit katoenzaad heeft gezien, hij scharrelt en snuift en kijkt en vraagt, en hij stopt het zaad in zijn mond en proeft voordat hij het koopt. Hij koopt een vosmerrie voor juffrouw Ellen en een amazonezadel met plaatjes van rozen op het zweetblad en de zitting. Hij koopt huisslaven voor het plantagehuis. Big Sam laadt de bedienden en al die goederen in drie huifkarren en ze vertrekken naar de Upcountry.

De volgende ochtend zeggen we dag tegen Savannah. Dag douanegebouw, dag St. John the Baptist. Dag Oglethorpe Square. Dag Roze Huis, dag Jehu's trap.

Meester Pierre, de Benchleys, juffrouw Eulalie en Nehemiah komen allemaal naar het station om ons uit te zwaaien. Juffrouw Pauline zegt tegen haar zus hoe ze zich moet kleden en gedragen en hoe ze haar haar moet borstelen. Juffrouw Pauline weet niet wat decorum is, maar ze denkt van wel. Juffrouw Pauline zegt tegen juffrouw Ellen hoe ze zich in de trein moet gedragen, maar juffrouw Pauline heeft zelf nog nooit in een trein gezeten. Meester Gerald doet of het de gewoonste zaak van de wereld is om met een rokende, puffende, sissende stroomtrein naar de Upcountry te vertrekken.

Meester Pierre ruikt naar whisky maar ik zeg niks. Net als we in de trein willen stappen loopt meester Pierre met meester Gerald naar het einde van het perron, zodat wij niks kunnen horen. Ik denk dat meester Pierre gaat zeggen dat meester Gerald goed voor zijn dochter moet zorgen en ik denk dat meester Gerald dat gaat beloven. Nehemiah vraagt of ik hem wil schrijven. Ik heb hem nooit gezegd dat ik niet kan schrijven en ook niet kan lezen. Ik kus Nehemiah alsof hij mijn man is.

Ik denk aan al die lui die ik ken en die ik nooit meer zal zien en dan moet ik huilen, en meester Pierre heeft een rood gezicht en wriemelt met zijn handen zoals hij altijd doet als hij het niet meer weet. Juffrouw Ellen moet zeggen: 'Tijd om in te stappen. De Georgia Central Railroad zal echt niet wachten.'

De trein is een locomotief en een wagon met hout vooraan en een passagiersrijtuig en drie lege goederenwagons achteraan. We stappen in het passagiersrijtuig en Pork en ik moeten van de conducteur op de bank helemaal voorin gaan zitten. De stoomlocomotief puft en trilt alsof hij elk moment uit mekaar kan barsten. Ik denk dat zwarten daarom voorin moeten gaan zitten.

Meester Gerald en juffrouw Ellen zijn nog niet eens klaar met de Robillards gedag zeggen als we opeens zo door mekaar worden geschud dat mijn hoofd bijna van mijn lijf rolt. Ik hoor een fluit, zo hard dat het pijn doet, en dan worden we een tweede keer door mekaar geschud, en ik schiet naar voren en val dan achterover op de bank en weg zijn we! Nehemiah en juffrouw Pauline rennen naast de trein mee. Juffrouw Pauline heeft een laatste goede raad voor haar zus.

Al snel blijft juffrouw Pauline achter en daarna Nehemiah ook. Dag Savannah! Dag Bay Street! Dag iedereen!

We steken het kanaalbekken over en rijden door het moeras en we gaan steeds sneller en dan begrijp ik waarom wij voorin zitten: we krijgen de zwarte rook en de hete sintels over ons heen voordat die bij de blanke lui kunnen aankomen en er zijn heel veel sintels en ze zijn zo heet als de hel!

Ik moet me de hele tijd met mijn doek deppen, anders verbrand ik nog!

Als de wind van opzij komt is de rook weg. De train ratelt en rammelt en ik zie Pork zijn mond bewegen maar ik kan er geen woord van verstaan. Moerasgras schiet voorbij. We gaan sneller dan het snelste paard! We gaan sneller dan Lucifer toen die uit het Paradijs viel, en als deze trein van het spoor raakt, komen we Lucifer of Jezus zeker tegen; als het niet de een is dan wel de ander. Als ik die sintels niet van me af hoef te vegen, hou ik die bank uit alle macht vast. Er zitten zwarte gaatjes in mijn nieuwe jurk!

Nog voor de middag rijdt de trein een stadje in en stoppen we. Juffrouw Ellen zegt dat we halverwege zijn. Halverwege is voor mij wel genoeg. Juffrouw Ellen maakt zich nergens druk over. Er zitten brandgaatjes in haar jas en haar haar zit door de war, maar juffrouw Ellen maakt zich niet druk.

Meester Gerald zit te lachen en te praten. 'Voortreffelijk!' zegt hij. 'Heremetijd, is dit niet voortreffelijk?'

Hij zegt dat de wereld zo is veranderd, dat de spoorwegen alles gaan veranderen. Meester Gerald zegt dat de lui minder ruzie zullen maken omdat we nu dichter bij mekaar kunnen komen en mekaar beter kunnen leren kennen.

Meester Gerald is zo trots dat je zou denken dat hij het spoor zelf heeft uitgevonden, en ik heb niet het hart om te zeggen dat we vaak ruzie maken juist omdat we mekaar al zo goed kennen.

Mijn handen doen zeer omdat ik het bankje zo stevig moet vasthouden en mijn knieën klappen tegen mekaar. Ik heb schoon genoeg van die hele trein!

We zijn in Louisville, dat wilde de hoofdstad van Georgia worden maar het is niet gelukt. Deze stad is bijna net zo mooi als Savannah. Brede straten en grote huizen en dure koetsen en honderden balen katoen die op de trein liggen te wachten. Tegenover het station staat een groot hotel met witte zuilen en een veranda in de schaduw, en meester Gerald, die tilt juffrouw Ellen op en draagt haar de treden op, langs al die lui op de veranda, die in hun handen klappen. Juffrouw Ellen is zo opgelaten. Meester Gerald weet niet wat decorum is. Die Ieren geven geen sikkepit om decorum!

Pork loopt met mij naar de achterkant van het hotel, en terwijl Pork zich bij de pomp wast, loop ik het keukenhuis in, waar Cook en haar meiden het eten voor de blanke lui maken. Cook geeft me meteen een berg groenten.

Na een tijdje komt Pork ook binnen, en hij loopt zoals altijd te mopperen. Pork is een 'kamerjonker'. Ik heb Pork een keer gevraagd wat dat eigenlijk is, en toen deed Pork vreselijk uit de hoogte. Hij zegt dat als ik het moet vragen ik het toch niet zal snappen, en dat is wat mannen altijd zeggen als ze niks te zeggen hebben.

Als de blanke lui hun middagmaal gebruiken, is het rustig in de keuken en gaan Cook en ik naar buiten, waar geen hete fornuizen zijn. Cook zegt dat ze al in het hotel werkt sinds ze een klein negerkindje is en dat het nog nooit zo druk is geweest als nu. De blanke meesters zijn rijk van de katoen en ze kopen dure paarden en huisslaven.

Ik zeg tegen haar dat we naar de Upcountry gaan, maar dat ik niet weet waarheen precies. Ze zegt dat planters uit de Upcountry vloeken en drinken en zonder goede reden hun slaven met de zweep geven. Ik zeg dat ik meester Gerald van zijn levensdagen nooit niet met een zweep heb gezien, en zij zegt dat ik nog niet in de Upcountry ben geweest. Ze zegt dat de Upcountry elke meester harder maakt zodat hij niet meer weet wie hij is of wat hij doet. Meesters uit de Upcountry zijn nog erger dan wilden. Pork heeft zijn middageten op en stopt zijn pijp en zegt dat hij meester Gerald al heel wat jaren kent en dat die maar één keer een slaaf met de zweep heeft gegeven en dat die nikker het verdiende. Pork strijkt een lucifer af en ik nies van de stank en hij steekt de pijp aan en puft als een locomotief. Pork zegt dat meester Gerald zelfs niet graag een paard met de zweep geeft, en als hij dat al niet doet, hoe kan hij dan een man met de zweep geven?

Cook zegt dat een hoop meesters beter voor hun paarden zijn dan voor hun slaven. Ze kent een meester die al vaker in het hotel is geweest en die zat te janken als een kind toen zijn paard een been brak en hij het moest afschieten. En de volgende dag gaf hij een slaaf, een jongen van nog geen zestien, zo hard met de zweep dat die knaap niet meer op zijn benen kon staan.

Pork zegt dat meester Gerald een vriendelijke meester is. De veldnikkers maken misbruik van hem. Maar maak geen misbruik van opzichter Wilkerson, o nee. Pork kijkt zo zelfvoldaan, dus ik vraag hem wie de opzichter heeft ingehuurd en wie de opzichter de plantage laat bestieren. Pork moet kuchen van de rook van de pijp. Hij zegt tegen Cook dat Tara net zo beschaafd is als Louisville. Cook snuift en wil daar niks van weten.

Die nacht slaap ik in het keukenhuis en slaapt Pork op de gang voor de kamer van de meester en de meesteres. Pork is eraan gewend om aan het voeteneind van meester Geralds bed te slapen, maar die tijd is voorbij!

Pork loopt de volgende ochtend te mopperen omdat meester Gerald zichzelf heeft geschoren en niet heeft gewacht tot Pork warm water en zeep en kwasten en een doek en de scheerriem kwam brengen, zoals-ie altijd doet. Meesteres Ellen is stil, zoals altijd, maar ze loopt te glimlachen alsof ze een geheim kent dat verder niemand kent. We lopen van het hotel naar de trein, en het is een andere trein dan gisteren maar de rook stinkt net zo erg en de sintels zijn net zo heet. Meesters hebben geen verstand in de kop. Als je kunt rijden of lopen zonder sintels in je haar, waarom zou je dan goed geld betalen om je te laten verschroeien?

De trein was sneller dan de bliksem, maar we kwamen pas waar we wilden wezen toen het avond was, en dat was in Macon. Pork is al eerder in Macon geweest en weet er alles van.

Vandaag draagt meester Gerald juffrouw Ellen niet het hotel in. Juffrouw Ellen heeft er vast iets van gezegd. Vandaag laat meester Gerald zien dat hij weet wat decorum is.

Pork vraagt of ik meeloop naar de stalhouderij waar meester Gerald zijn paarden staan. Ik zeg dat ik wel genoeg stallen voor mijn hele leven heb gezien en Pork zegt dat hij me iets kan laten zien wat ik nog nooit heb gezien. We lopen langs de stalhouderij en komen bij een oud, stenen huis waar een houten huis bovenop is gebouwd. Het onkruid van vorige zomer staat er nog omheen en de deur is dichtgetimmerd en de planken vallen eraf. Ik zeg: wat is dit? Pork zegt dat het een fort is. Ik zeg dat ik niks van een fort wil weten. Hij zegt: het is een fort voor als de indianen komen. Ik kijk om me heen en zeg: welke indianen? Pork zegt dat ze nu weg zijn. Ze zijn weggejaagd maar hij kan laten zien waar ze zaten. We lopen naar een heuvel die de vorm van een grote groene maïskoek heeft en Pork zegt dat de indianen hier hun dooien begroeven.

Misschien. De maïskoekheuvel gonst als een bijenkorf wanneer de valse christusdoorn bloeit. Pork hoort het gegons niet, maar ik wel. Pork ziet de nevel niet die bij zonsondergang rond die indiaanse heuvel hangt, maar ik wel. Ik huiver en zeg tegen Pork dat ik genoeg indianen heb gezien en dat ik het koud heb. We gaan terug naar het hotel. Pork slaapt weer voor de deur van O'Hara en vindt dat net zo erg als de avond ervoor.

Geen treinen meer voor ons. Geen stank en rook en vuur meer. Ik zeg hoera. Hiep hiep hoera. Meester Gerald wil dat ik en Pork te paard gaan en hij en juffrouw Ellen in de buggy, maar ik zeg dat ik nog nooit van zijn levensdagen een zwarte vrouw op een paard heb gezien en dat dat vandaag ook niet gaat gebeuren. Paarden zijn helemaal nergens goed voor, alleen maar om mensen dood te maken.

Meester Gerald wordt helemaal rood in zijn gezicht en zegt dat hij genoeg heeft van die brutale bedienden en waar is zijn zweep en ik zeg dat die in de zweephouder steekt waar iedereen die niet stekeblind is hem kan zien staan, en dan zegt meester Gerald dat hij en Pork te paard gaan en dat meesteres Ellen en ik in de buggy gaan.

We zitten naast mekaar. Juffrouw Ellen ment. Ik heb haar nog als zuigeling in mijn armen gehad. Ik was de eerste die haar vasthield. Juffrouw Ellen vertelt me over de rode aarde. Ze heeft erover gelezen. In rode aarde kun je katoen verbouwen, ja, dat kan! Juffrouw Ellen zegt dat de Upcountry geen Savannah is, en dat ze blij is dat we naar Tara gaan. Ze zegt dat we onze zegeningen moeten tellen en ik zeg ja en ja en o wat zal dat heerlijk zijn, maar alles is nu anders. Zij is meesteres en ik ben mammy. Alsof ze nooit in mijn armen heb gelegen en ik haar nooit een schone luier heb omgedaan. Ik moet nu glimlachen en het fijn vinden want zo is het nu eenmaal.

We komen bij de Ocmulgee, waar de veerman meester Gerald kent en ze het hebben over van alles wat er in de Upcountry gebeurt. De veerman wil het paard voor de buggy kopen en meester Gerald vraagt welk paard dan de buggy moet trekken en de veerman zegt 'De nikkers kunnen toch lopen?' en moet bulderen van het lachen. Pork lacht niet. Ik lach niet. Meester Gerald, die lacht ook niet.

De hele morgen was het heuvel op, heuvel af. Overal pijnbomen. De takken hangen over de weg en laten niks geen zonlicht door. Ik heb het zo koud dat ik mijn omslagdoek om mijn nek wikkel. Ik vraag juffrouw Ellen of er indianen in de bossen zitten en ze zegt dat ik niet zo gek moet doen en ik zeg dat ik niks geks doe als er echt indianen in de bossen zitten die ons kunnen scalperen en vermoorden. Om de paar mijl is er een zijspoor, de pijnbomen in. Daar woont iemand, maar daardoor voel ik me niet echt beter. Soms komen we langs akkers, maar dat is alleen maar rode aarde en er groeit niks. Meester Gerald valt ons de hele tijd lastig. 'Zit mijn lieve Ellen wel lekker,' zegt hij dan, en zij lacht naar hem en zegt dat alles goed is. We rijden door de rook, zo dik dat ik ervan moet niezen, en dat komt door de bomen die de veldslaven in de brand steken om land te kunnen ontginnen. De zwarten uit de Upcountry staan ons aan te staren of ze nog nooit van zijn levensdagen een mens hebben gezien.

Tussen de middag eten we wat kaas en wat biscuits, en als we weer verder gaan, ment Pork de buggy en rijdt juffrouw Ellen met meester Gerald mee. Ze raken behoorlijk achterop, en als ze ons weer inhalen, zitten er allemaal dennennaalden aan juffrouw Ellen haar kleren.

We komen bij een stadje waarvan ik niet eens weet hoe het heet. Het is niet veel, maar er is een hotel voor de meester en de meesteres. Meester Hitchens, die heeft het hotel. Zijn naam staat erop. De zwarten zijn vriendelijk en geven Pork en mij kool met rugspek. Ze vragen honderduit naar Savannah want ze zijn nog nooit op een plek met beschaving geweest.

Weer een vermoeiende dag, heuvel op, heuvel af. Minder pijnbomen, en af en toe zie ik een plantagehuis. De zon gaat onder en de Flint ziet goud als we die rivier oversteken. De weg gaat een heuvel op en meester Gerald gaat in de stijgbeugels staan en wijst en ik zie een dak tussen de bomen en dat is Tara.

We rijden tussen akkers door die van meester Gerald zijn. De rommel van vorig jaar is omgeploegd en de voren zijn recht en netjes. We maken een bocht, dus de zon staat in onze rug en we draven tussen ceders door waarvan sommige net zo dik zijn als ik. De meester en de meesteres galopperen vooruit. Pork zegt dat meester Gerald altijd galoppeert als hij thuiskomt, alsof hij bang is dat Tara er niet meer is.

Het is een groot, wit huis boven op een heuvel, en het is me een drukte voor het huis omdat alle zwarten komen aanlopen om meester Gerald en zijn bruid te begroeten. Pork en ik gaan achterom naar de stallen. Pork roept 'Toby!' en een jongen met lange, dunne benen komt aanrennen, pakt de leidsels en vraagt aan Pork hoe meester Gerald een meesteres voor Tara heeft gevonden en wat voor soort meesteres ze is, al weet ik niet hoe Toby kan weten dat Tara een nieuwe meesteres heeft.

Pork zegt dat alleen de kamerjonker weet wat een meester wel en niet doet en dat dat een domme staljongen niks aangaat. Ik denk dat Pork er nog steeds de pest in heeft omdat hij voor de deur van de meester moest slapen.

Toby zegt dat hij heeft gebeden dat Pork veilig zou terugkeren, en daardoor heeft Pork spijt van wat hij net zei, maar dat kan hij niet zeggen omdat hij een kamerjonker is. Ik leg uit dat ik de mammy van juffrouw Ellen ben en dat ze goed en aardig is. Toby maakt een buiging vanuit zijn middel, als een meester, en zegt 'Welkom op Tara, mammy.'

Toby vertelt wat er is gebeurd toen Pork er niet was, wat de veldslaven deden en wat de huisslaven uitspookten. Pork wil daar helemaal niks van horen. Voordat ze naar Savannah kwamen heeft meester Gerald Pork het hoofd van de huisslaven gemaakt. Een hoofd zegt doe dat en doe dat, maar Pork wil dat helemaal niet wezen. Hij is blij als kamerjonker en wil niet zeggen wat een staljongen moet doen, en ook niet wat een melkmeid moet doen, of een binnenmeid of een kok of een keukenmeid of een hoefsmid of een koetsier. Pork is blij dat meester Gerald nu een vrouw heeft die dat allemaal tegen de zwarten kan zeggen. Nu kan juffrouw Ellen dat doen en kan Pork weer gaan doen waar hij verstand van heeft.

Pork trekt een somber gezicht als Toby zegt dat er zwarten met de zweep kregen toen meester Gerald in Savannah zat. Phillip en Cuffee kregen met de zweep omdat opzichter Wilkerson dronken was, want dan geeft hij de jongens zomaar met de zweep, als er geen reden voor is.

Pork vraagt Toby wat die wil dat hij eraan doet. Een jongen die met de zweep heeft gekregen, dat kun je niet meer terugdraaien, toch?

Toby zegt dat er geen reden was om die jongens met de zweep te geven. 'Helemaal niks geen reden.'

Ik laat die twee kletsen en ga naar het huis. Op Tara is de keuken binnen. Zelf heb ik liever een keuken op het erf, dan is het niet zo heet in de zomer en brandt niet het hele huis af als de keuken in de fik vliegt.

De keuken van Tara is nieuwer dan die van het Roze Huis, maar er zijn niet eens genoeg pannen voor een fatsoenlijk maal en de gootsteen is smerig! Soeplepels en roerspanen en gardes liggen allemaal bij mekaar in één la en de laden ernaast zijn leeg! Tara heeft zo'n nieuwerwets fornuis, maar het ziet er niet uit of er ooit op is gekookt. Die pannen staan daar al zo lang op dat ze zijn gaan roesten. Cook heeft in de haard gekookt, net als de lui vroeger deden.

Ik denk dat ik Cook nog wel spreek. Ik denk dat ik de keukenmeid ook nog wel spreek.

Aan het einde van de hal van Tara is een kamertje waar allemaal papier in een stapel op de tafel ligt, net zoals er bij meester Pierre altijd rollen stof lagen. Op een plank staan een whiskykaraf en een paar vuile glazen. Aan de muur hangt een plaatje van een weiland met mist, maar de grond lijkt niet op de rode aarde van Georgia dus ik denk dat het Ierland is.

De verf bladdert van de lambriseringslijsten, er staan handafdrukken op het pleisterwerk en overal waar geen licht komt, zitten spinnen. Ik denk dat ik de binnenmeid ook nog wel spreek. Een trap van goudgeel eiken naar de bovenverdieping, bijna kaarsrecht. Vaarwel, Roze Huis!

Er is behoorlijk wat reuring buiten voor het huis; de zwarten vieren feest. Meester Gerald is thuis! Meester Gerald is thuis! Hiep hiep hoera! Er is niks vrolijker of dwazer dan zwarten die feest vieren.

Ik loop de veranda aan de voorkant op en daar staan schommelbanken en schommelstoelen dus ik denk dat meester Gerald vooral hier zit.

Meester Gerald staat als een dwaas te glunderen. Juffrouw Ellen vraagt de kleine negerkindertjes wie wie is en hoe oud ze zijn, en zelfs de verlegen kindjes geven antwoord. Juffrouw Ellen zet er eentje in de buggy en natuurlijk willen ze dan allemaal in de buggy, net of ze blanke lui zijn die ergens heen moeten.

Die grote vrouw met dat vuile schort moet Cook zijn. Die vrouw zonder tanden, zo oud en krom dat ze bijna niet kan staan, dat is zeker de binnenmeid. Heeft Tara maar twee huisslaven, als je Pork niet meerekent? Ik dank Le Bon Dieu dat Big Sam nog lui meebrengt voor Tara!

Er komt een blanke aan gegaloppeerd en er stuift allemaal stof op rond de zwarten. Hij gooit de teugels naar een jongen en springt van zijn paard. Hij zet zijn hoed af voor meester Gerald en buigt voor juffrouw Ellen en zegt dat het zo'n eer is, en zo gaat hij maar door. De man praat niet zoals andere lui. Hij praat als een yankee. Opzichter Wilkerson is lang en hard als sperziebonen gebakken in de reuzel.

De gezichten van de zwarten verstrakken en de negerkindjes kruipen uit de buggy. Meester Gerald vraagt de opzichter hoe het ging toen hij er niet was en ziet die strakke gezichten niet, maar juffrouw Ellen, die ziet ze wel. Er ontgaat juffrouw Ellen niet veel.

Opzichter Wilkerson klopt een jongen op zijn rug en zegt dat Cuffee 'eigenwijs' is geweest toen meester Gerald er niet was, maar dat Cuffee nu weer een goeie nikker is, en Cuffee krimpt in mekaar maar hij knikt en lacht en zegt dat hij 'inzag wat-ie fout deed' en dat hij het niet meer zal doen, o nee meneer, niet meer.

Ergens in mijn achterhoofd hoor ik een stem uit een andere kamer, 'zoals je je voordoet, zo ga je worden', maar ik wil die stem niet horen, die vind ik zo erg, en ik doe mijn oren dicht.

Een hand raakt die van mij aan. Jij zou niet weten wat juffrouw Ellen daarmee bedoelt, maar ik wel.

De opzichter laat het klinken of meester Gerald op de plantage had moeten blijven en niet naar Savannah had moeten gaan om een vrouw te zoeken. De opzichter zegt dat niet echt zo, maar hij bedoelt het wel.

Als meester Gerald heeft gehoord dat er niks is afgebrand of overstroomd of omgewaaid of doodgegaan kan het hem niet meer schelen wat de opzichter zegt. Meester Gerald steekt zijn borst naar voren en kijkt om zich heen alsof Le Bon Dieu hier zelf woont, hier op Tara. Opzichter Wilkerson blijft maar praten, over alles wat-ie heeft gedaan, groot en klein, tot meester Gerald hem onderbreekt. Deze vrouw, zegt hij tegen hem, is mammy. Die is al bij juffrouw Ellen sinds ze werd geboren.

De mond van de opzichter gaat van draf naar stap en hij zegt dat zwarten uit Georgia zo 'bevredigend trouw' zijn. Daar weet ik niks van. De opzichter zegt dat hij over álle zwarten op Tara gaat. Ik wil er wat van zeggen, maar juffrouw Ellen knijpt in mijn hand en zegt 'Dank u, meneer Wilkerson. Ik ben er zeker van dat u de huisslaven beter kunt leiden dan ik, maar ze vallen nu eenmaal onder de vrouw des huizes en daarom zal ik hen voortaan aansturen. Ik denk dat u wel uw handen vol hebt aan onze veldslaven.'

Daar kan de opzichter niks tegen beginnen. Het mes van het decorum is zo scherp dat je het niet eens voelt steken.

Hoe ik en juffrouw Ellen decorum naar de Upcountry brengen

De Upcountry was heel anders dan die kokkin in Louisville had gezegd. Leaksville ligt het dichtste bij, en daar heb je twee winkels, een smederij, een leerlooierij, een kroeg en een katoenzuiveringsmachine voor de planters die er zelf geen eentje hebben. Leaksville heeft een baptistenkerk met bovenin plaats voor de zwarten, een school en een renbaan waar de lui op zaterdagmorgen varkens en kippen en muilezels en slaven verkopen en op zaterdagmiddag de paarden laten rennen. Er loopt een spoorlijn midden over Broadway, maar er heeft nooit geen trein gereden. De spoorwegen gingen op de fles voordat ze op Leaksville gingen rijden en nu groeit er overal gras tussen de rails. Er zaten geen wilde indianen in de Upcountry en de meesters in de Upcountry waren niet anders dan die in Savannah. Sommige meesters waren beter, andere slechter, de meeste er zo'n beetje tussenin. Naast Tara ligt de plantage van MacIntosh, maar meester Gerald moet niet veel van ze hebben, en dan heb je nog die lui van Slattery, dat zijn echte blanke armoedzaaiers, en verder stroomafwaarts aan de Flint woont de familie Wilkes. De plantage van Wilkes heet Twelve Oaks. Het plantagehuis van Twelve Oaks is uit één stuk, er is sinds de bouw nooit een stuk aangebouwd of afgebroken. Twelve Oaks is net zo deftig als het Roze Huis. Ze hebben er zelfs een wenteltrap, maar niet zo'n mooie als die van Jehu.

Die van Wilkes komen uit Virginia, beter kun je niet hebben, en ze hebben een rozentuin en ze zijn goed opgeleid. Meester John Wilkes glimlacht en is even vriendelijk als een zomerbries, maar hij zegt doorgaans niet veel. Hij is net als het huis, groot en stil, en hij heeft zo veel geld dat hij er nooit over praat. Hij pruimt geen tabak en spuugt het niet uit. Zijn paarden springen over hekken als hij dat wil maar meestal wil hij dat niet. Hij heeft zo'n zachte stem dat andere meesters ook zachter gaan praten. Als hij een grap vertelt, doet hij iedereen een plezier.

Meester John vertoont meer decorum dan iedereen, op juffrouw Ellen na. De andere planters kijken op tegen meester John en willen weten hoe hij dingen aanpakt. Zelfs meester Gerald vraagt hem dingen, al doet meester Gerald meestal zijn eigen zin. Meesteres Eleanor Wilkes is een knap vrouwtje maar ze heeft last van haar zenuwen. Juffrouw Eleanor heeft uitgelegd wat decorum betekent in de Upcountry. In de Upcountry, zei juffrouw Eleanor tegen juffrouw Ellen, is het 'levendig', en ik denk dat juffrouw Eleanor daarmee bedoelt dat ze bij een bezoek aan Boston of New York haar verontschuldigingen aanbiedt voor de Upcountry.

Op Twelve Oaks is een kamer waar alleen maar boeken staan, en verder niks!

De jonge meester Ashley weet bijna net zo goed wat decorum is als zijn vader. De jonge meester Ashley gaat met meester John mee om de katoen te verkopen en naar de renbaan en naar barbecues en naar de bestuurders van Georgia, maar meester Ashley let niet altijd even goed op. De jonge meester Ashley is meer bezig met wat in zijn hoofd gebeurt. De andere jongens gaan jagen of vissen of rijden of vechten, maar Ashley Wilkes zit met zijn neus in de boeken. In die boeken kan hij alles vinden waar hij om verlegen zit!

Juffrouw Ellen is nog maar net op Tara of de lui van de Upcountry komen kijken wat voor vrouw meester Gerald uit Savannah heeft meegenomen. Pork serveert het bezoek whisky en ik breng de thee of koud water of sassafras, maar ze komen nooit verder dan de veranda aan de voorkant, want daar ontvang je het bezoek. Van juffrouw Ellen mag er niemand in huis komen. Meester Gerald vond dat maar niks. Ik denk dat die twee daardoor voor het eerst met mekaar overhoop lagen, toen ze het erover hadden of er lui binnen mochten komen voordat juffrouw Ellen haar huis op orde had, en of Tara nog steeds het huis van meester Gerald is, waar de lui naar binnen kunnen lopen wanneer ze willen, zonder zelfs maar hun voeten te vegen. Natuurlijk krijgt juffrouw Ellen haar zin.

De plantage is alles voor meester Gerald. Hij heeft juffrouw Ellen alles op Tara laten zien. De rode akkers waar ze moeten gaan zaaien, en de katoenpers, en hij heeft uitgelegd dat de nieuwe schroef die hij in Savannah heeft gekocht beter is dan de oude, en meester Gerald heeft op Big Sam lopen mopperen omdat die er nog niet was, maar daar kon Sam niks aan doen omdat wij met de trein zijn gekomen en Big Sam met de huifkarren. Meester Gerald zei dat hij er spijt van had, dat hij zo had lopen schelden.

Meester Gerald laat juffrouw Ellen de koeienstal en de paardenstal en het melkhuis zien. Hij schept op over de lente op Tara, de 'mooiste lente ten westen van Limerick', en dat ligt ergens in Ierland. Juffrouw Ellen zegt 'Wat heerlijk!' en 'Wat heb je in zo'n korte tijd toch veel gedaan.' En dan zwelt meester Gerald helemaal op, net als zo'n varkensblaas waar de kinders met kerst op blazen.

Het avondeten is maïsgries met verbrande kool en rugspek. Juffrouw Ellen zegt er niks over, maar er ontgaat haar ook niks.

Juffrouw Ellen klaart op als meester Gerald haar meeneemt naar het kantoortje verderop in de hal. Hij wijst naar stapels papieren, die noemt hij het 'plantagearchief'. Ik zie gewoon dat juffrouw Ellen er jeukende handen van krijgt.

De grote laarzen van de opzichter stommelen door de hal en hij komt zomaar het kantoortje in, zonder dat hij te horen krijgt dat dat mag. Hij neemt alleen maar zijn hoed af voor juffrouw Ellen, verder ziet hij haar niet staan.

De opzichter heeft de veldslaven een stuk bos naast de plantage van Tarleton laten ontginnen, en de meeste stronken zijn eruit getrokken en in de brand gestoken. Hij laat de knechten de paarden inspannen om te gaan ploegen, en heeft meester Gerald een nieuwe, driedelige ploeg gekocht? Hoe moeten zijn domme veldslaven zo'n ploeg nou snappen?

Meester Gerald moet lachen en zegt dat als hij die ploeg snapt iedereen hem kan snappen. De opzichter bijt op zijn lip en vraagt wat er mis was met de oude ploeg en meester Gerald is nu een stuk minder vriendelijk en zegt dat we allemaal moeten veranderen als we betere katoen willen verbouwen en niet te veel handjesgras willen hebben, en hij heeft dat handjesgras op een paar akkers zien staan waar het niet stond voordat hij naar Savannah vertrok. Meester Gerald zegt niet echt dat de opzichter het handjesgras had moeten wieden, maar dat bedoelt hij wel. Meester Gerald lacht graag en hangt vaak de pias uit totdat zijn gezicht er rood van ziet als het gaat om dingen die helemaal niet belangrijk zijn, maar als het wel belangrijk is en meester Gerald die Ierse blik in zijn ogen krijgt, berg je dan maar.

Opzichter Wilkerson zegt dat hij aan het wieden is geweest en dat hij er bijna mee klaar is. Hij zegt dat een van de veldslaven, Prophet, te ziek was om te werken en dat hij toen Dilsey van Twelve Oaks heeft moeten halen. Dilsey heeft drankjes voor Prophet gemaakt zodat hij morgen weer kan werken. Opzichter Wilkerson heeft Phillip betrapt toen die schenkels uit het vleeshuis jatte. Phillip had een plank losgewrikt en die daarna weer teruggezet, dus het was niet te zeggen hoelang hij al aan het stelen was, waarschijnlijk nog voordat meester Gerald naar Savannah vertrok. De opzichter wilde Phillip met de zweep geven, maar nu is meester Gerald weer thuis.

Meester Gerald wil helemaal niemand met de zweep geven, en juffrouw Ellen kijkt hem aan met zo'n blik dat hij dat maar beter niet kan doen. Meester Gerald vraagt waarom Phillip uit het vleeshuis moet stelen, want hij krijgt toch genoeg te eten?

De opzichter weet niet waar hij moet kijken en zegt dat zwarten allemaal dieven zijn. Dat zit in hun aard.

Ik denk dat de opzichter de porties kleiner heeft gemaakt, zodat hij alles wat hij niet aan de zwarten hoeft te geven kan verkopen. Opzichters zijn allemaal dieven. Dat zit in hun aard.

Het kan zijn dat meester Gerald er net zo over denkt, want hij zegt dat de opzichter de plank in het vleeshuis moet vastzetten en Phillip aan hem moet overlaten. Phillip heeft het zwarte garen niet uitgevonden, maar hij is wel goed met de koeien. De koeien komen als honden aangelopen als Phillip roept.

Opzichter Wilkerson zegt dat hij rekeningen met meester Gerald moet bespreken en bedoelt daarmee dat juffrouw Ellen en ik weg moeten gaan. Meester Gerald schraapt zijn keel en zegt dat meesteres Ellen voortaan de rekeningen doet.

Meesteres Ellen glimlacht en zegt dat opzichter Wilkerson de rekeningen en kwitanties aan haar kan geven. Voortaan.

Dat vindt de opzichter maar niks.

Juffrouw Ellen zegt dat ze het zo fijn vindt dat ze iets van de last van meneer O'Hara kan delen en dat opzichter Wilkerson wel zal merken dat het een genoegen is om met haar te werken, terwijl we allemaal weten dat het niet zo is.

En zo wordt juffrouw Ellen de meesteres van Tara en heeft de opzichter niks meer te zeggen. Voortaan.

Juffrouw Ellen loog niet toen ze zei dat ze die last wilde delen. Drie dagen lang werken we met ons tweeën het hele huis door, van boven naar beneden, tot aan alle hoeken en gaten die de ratten van Tara beter kennen dan de binnenmeiden.

Pas twee weken en een dag later komen Big Sam en de huisslaven op Tara aan. Juffrouw Ellen bekijkt ze eens goed en vraagt of iedereen zich gezond voelt en of niemand pijn aan z'n tanden heeft. Ze brengt ze naar de kleine, witgekalkte hutjes in het Verblijf, waar ze gaan wonen, en legt uit dat ze elke dag hun portie voedsel krijgen, behalve op zondag omdat ze op zaterdagavond twee porties krijgen. De kar van Tara vertrekt op zondagmorgen om negen uur naar de baptistenkerk in Leaksville, en na de kerk mogen ze hun eigen tuinen verzorgen en zulks. Juffrouw Ellen zegt: 'Mammy kan al jullie vragen beantwoorden' en verdwijnt dan.

Die negers uit Savannah zijn behoorlijk over hun toeren. De wegen waren slecht, ze vonden het verschrikkelijk om in de open lucht te slapen, ze vonden het eten maar niks en ze vinden de Upcountry maar niks, want daar is het niet beschaafd. Waar is onze markt, vragen ze. Zwarten moeten een kerk en een markt hebben. Ze zijn bang voor indianen en slangen en beren. Ik zeg dat ik die allemaal niet heb gezien. Ze zeggen dat dit niet Savannah is, en ik zeg dat de grootste sukkel dat nog kan zien. Twee vrouwen zijn bij hun man vandaan verkocht, en ik zeg dat niemand daar iets aan kan veranderen. Zoek maar een andere vent als je niet zonder kunt. Een jong meidje begint te huilen, dus ik vraag hoe dwaasheid de boel beter kan maken. Wat gedaan is, kun je niet veranderen. Ze mogen blij zijn dat ze op Tara zitten, waar meester Gerald niks van de zweep wil weten en meesteres Ellen een goed hart heeft. Ze krijgen genoeg te eten en hoeven alleen op zondag te werken als het zaaitijd of oogsttijd is, en meester Gerald koopt weliswaar nikkers, maar hij heeft er nog nooit eentje verkocht. Ik vraag of er van iemand wel eens kinderen naar het zuiden zijn verkocht. Twee vrouwen zeggen van wel. Ik zeg dat er op Tara geen kinders naar het zuiden worden verkocht. En nog iets, zeg ik, hier sluipt er in het donker geen blanke man het Verblijf in die het op jou of je dochters heeft gemunt. Juffrouw Ellen is katholiek, en katholieken moeten niks van dat soort dingen hebben. Dat heb ik tegen ze gezegd. Ik heb de waarheid verteld.

Wat hebben we geboend! Er kwam geen einde aan. Juffrouw Ellen en ik en de twee meisjes Teena en Belle beginnen boven op zolder, waar alleen wat overgebleven dakspanen liggen, en dan gaan we door het luik naar de slaapkamer van de meester en de meesteres, waar we alle meubels naar buiten dragen voordat we de wanden boenen, die van beschilderd hout zijn en niet van papier, zoals in het Roze Huis. De meiden gaan het kleed wel een uur lang met de klopper te lijf en juffrouw Ellen wast zelf de ramen. De slaapkamer heeft een balkon met openslaande deuren, zodat je over het gazon van Tara heen naar de rivier kan kijken. Juffrouw Ellen zegt: 'O, mammy, wat mooi!' en ik ben blij dat zij blij is.

De andere slaapkamers worden gebruikt als er meesters op bezoek zijn die niet naar huis willen nadat Jan Gerstekorrel ze heeft gevraagd te blijven. Onder een klerenkast vinden we een stinkende leren rijbroek, tussen de stofmuizen onder het bed ligt een zweterige sok en in een kier tussen de vloerplanken ligt een gouden tandenstoker. Meester Gerald zegt: 'Drommels, daar was Hugh Calvert naar op zoek. Dronken als een tor, die Hugh, dronken als een tor.'

De glimlach van juffrouw Ellen maakt een einde aan die van hem.

Sinds de bouw van Tara liggen er in de middelste slaapkamer alleen bergjes houtkrullen in de hoeken, er zijn geen meubels of kleden. 'Dit kan een mooie kinderkamer worden,' zegt juffrouw Ellen.

Cuffee heeft de paardenstal van Tara geverfd en dus haalt juffrouw Ellen Cuffee van de akker waar hij boomstronken aan het uittrekken was. Cuffee is blij dat hij wat anders kan doen, maar de opzichter klaagt tegen meester Gerald dat juffrouw Ellen zich met de veldslaven bemoeit en meester Gerald zegt tegen hem dat de bruid nu de baas is en de opzichter blijft mopperen maar meester Gerald luistert niet meer.

Juffrouw Ellen zegt dat Cuffee wrongel moet malen om verf van te maken en Cuffee vraagt waar de kleuren zijn en zij zegt dat ze pigmenten uit Savannah heeft meegebracht, blauw en groen en grijs en rood. Ze wil hemelsblauw in de kinderkamer, met het houtwerk in duifgrijs, en als Cuffee mooi werk levert op plekken waar het bezoek het niet ziet, mag hij ook beneden doen als het daar is schoongemaakt. Ze weet nog niet voor alle kamers welke kleur ze moeten worden, maar de hal wordt pompoengeel.

Meester Gerald rijdt over zijn akkers en houdt zijn opzichter in de gaten en gaat bij zijn buren langs, en 's avonds rijdt meester Gerald naar Twelve Oaks waar hij met meester John op de veranda gaat zitten en whisky drinkt. Meester Gerald strekt zijn laarzen uit en hij en meester John praten over welke paarden er zondag gaan winnen en de katoenoogst en of de regering Texas gaat 'annexeren' zodat het bij Georgia en South Carolina en al die andere Verenigde Staten komt. En dan pakken ze nog een whisky.

Soms komt meester Gerald zingend thuis en moet Toby hem van zijn paard helpen. Eén keer moet hij in de stal slapen omdat hij juffrouw Ellen niet wil storen. De volgende ochtend doet ze net of ze niet weet dat hij niet in bed heeft gelegen. 'Mijn lieve meneer O'Hara,' zegt ze tegen hem, 'wat was je vroeg op! Je moet het echt eens rustig aan doen.'

Meester Gerald laat zijn hoofd hangen.

Meester Gerald heeft helemaal niks geen bezwaren tegen alles wat we met Tara doen, en als iemand hem iets vraagt, zegt hij: 'Vraag maar aan juffrouw Ellen...' net of hij blij is dat hij zijn handen ervan af kan trekken.

Maar hij kijkt niet blij als hij op een dag thuiskomt en ziet dat zijn oude lievelingsstoel in een kar naar het Verblijf wordt gereden, zodat Big Sam erin kan zitten. Hij en juffrouw Ellen maken ruzie, hij wordt helemaal rood in zijn gezicht en zij praat steeds zachter en hij steeds harder.

'Meneer O'Hara,' zegt ze, 'wilt u nu echt de stoel van uw negervoorman inpikken? En erin gaan zitten?'

En daarmee was de kous af. Juffrouw Ellen liet een nieuwe stoel voor meester Gerald maken die niet uit elkaar dreigde te vallen en wel vier poten had, maar volgens meester Gerald zat die minder lekker dan zijn oude stoel.

Juffrouw Ellen stuurt een jong meidje naar de plantage van Wilkes zodat ze kan zien hoe het daar in de keuken toegaat. De kok van Wilkes weet wat je voor dure blanke lui moet koken, en meester Geralds kok is goed genoeg voor een vrijgezel, maar nu er een meesteres op Tara is, zullen we bezoek krijgen.

We gaan de keuken van Tara met boenders en emmers en loogzeep te lijf. Dat nieuwerwetse fornuis heeft allemaal roestplekken waar de pannen hebben gestaan en Teena maakt het opnieuw zwart. In de voorraadkamer staat beschimmeld meel en tafelzout vol klonten en thee die al zo lang in het blik zit dat hij tussen je vingers uit elkaar valt. In de voorraadkamer staan niet de spullen die juffrouw Ellen nodig heeft, en het meeste van wat er staat zou je nog niet aan een varken geven.

Juffrouw Ellen blijft opgewekt lachen. 'Ik neem later wel een kijkje in het vleeshuis.' Ze kijkt Cook aan. 'De sleutel?'

Cook geeft juffrouw Ellen de sleutel alsof die haar eigen kleine kindje is.

De volgende morgen zet juffrouw Ellen haar hoed op en doe ik mijn zondagse hoofddoek om en brengt Big Sam ons naar Leaksville. We moeten het rijtuig achter de winkel van Kennedy zetten omdat er in Main Street mannen rails en bielzen aan het leggen zijn. Iemand heeft een spoorweg gekocht en legt rails naar Atlanta, waar al andere spoorwegen zijn.

Juffrouw Ellen loopt meteen de winkel van Kennedy in, en ik erachteraan.

Er staat een neger te vegen en een andere legt nieuwe zakken meel neer. Meester Frank Kennedy staat er maar wat zenuwachtig bij. Hij haalt een hand door zijn haar en krabt aan zijn hand en zijn wang. Hij is blij kennis te maken met mevrouw O'Hara en hoe kan hij haar van dienst zijn...

Maar als ze zegt dat ze van nu af aan voor elke bestelling zal tekenen, begint hij te balken als een muilezel uit Carolina.

'Opzichter Wilkerson...'

'Is onze werknemer.'

'Maar hij...'

'Meneer Kennedy. U verkoopt zo veel van de goederen waaraan we behoefte hebben, en ik wend me niet graag tot een andere winkelier.'

Dan dringt het tot hem door wat ze zegt, en meester Frank begint breeduit te lachen, net of hij verliefd is. Hij buigt voor de meesteres. 'Mevrouw O'Hara, het doet me deugd u als klant te mogen blijven verwelkomen. Wilt u bij elke bestelling een factuur ontvangen?'

'Dat lijkt me het beste,' zegt juffrouw Ellen. 'Dat is wel zo zakelijk, vindt u niet?'

Echt, ik had nooit kunnen denken dat die sluwheid van juffrouw Solange haar in het bloed zat.

Leaksville is nu geen Leaksville meer. Het heet nu Jonesboro, maar het is nog altijd hetzelfde stadje.

Juffrouw Ellen schrijft meester Pierre: stuur behang uit Savannah. Met ons vieren boenen en schuren en schilderen we de wanden van de salon, maar het behang is er al voordat we klaar zijn. Juffrouw Ellen, Teena, ik en Pork dragen de rollen naar de salon en rollen ze uit om te zien wat meester Pierre en Nehemiah voor ons hebben uitgekozen. Allemaal kleine, rode bloemetjes op lichtbruin papier, allemaal door mekaar. Ik heb nog nooit van mijn leven zulke bloemen gezien, maar juffrouw Ellen vindt het mooi.

Ik en juffrouw Ellen hebben nog nooit behangen, maar Pork wel. Pork maakt de lijm van zemelen en plakt linnen op de houten wanden zodat je de naden niet ziet. Juffrouw Ellen heeft de meest vaste hand, dus zij knipt de banen voordat ik en Teena die opplakken. Het is een duivelse klus om ze rond de haard en de ramen te krijgen. Als we de hele kamer hebben gedaan, hebben we nog papier over, en juffrouw Ellen knipt een rand, net zoals de kroonlijst in het Roze Huis. Meester Gerald is helemaal in zijn sas als hij die kamer ziet. 'Zelfs bij John Wilkes is het niet zo mooi!' roept hij.

Hij hangt zijn schilderij van een groene Ierse wei boven de haard en zegt: 'Nu is Tara een echt thuis!'

Het is nu september en je kunt echt wel aan juffrouw Ellen zien dat het niet lang meer duurt. Ze vraagt de buurvrouwen op de thee. Meester Gerald zegt dat thee iets is voor in Savannah en dat ze in de Upcountry bals en barbecues hebben, maar juffrouw Ellen zegt: 'Meneer O'Hara, ik wil mezelf verwennen.'

Hij tilt haar op en zet haar snel weer neer en zegt: 'Hoe kom ik erbij, allemachtig, hoe kom ik erbij?'

En dus schrijft juffrouw Ellen de uitnodigingen aan de dames die ze zondag op de thee wil vragen. Daar hebben ze hier nog nooit van gehoord; hier in de Upcountry gaat iedereen altijd overal met mekaar heen. Als er een barbecue is, komen ze allemaal: kinderen, zuigelingen, ongetrouwde tantes, oma's, en ook de zwarten. Dus wanneer juffrouw Ellen de dames uitnodigt om ze beter te leren kennen komt de halve streek naar Tara. Juffrouw Ellen begroet iedereen op de veranda, maar ze vraagt alleen de dames binnen en de mannen en kinders niet, en de zwarten lopen achterom naar het Verblijf.

Meester Gerald is helemaal de kluts kwijt, met al die blanken die daar maar staan te niksen. Hij besluit met de heren te gaan jagen, dan kunnen ik en Dilsey op de kinders passen.

De heren gaan er allemaal in galop vandoor, en Dilsey en ik maken het ons gemakkelijk op de veranda. De oudste kinders zijn negen of tien, en de kleinste kruipen nog en likken de aarde van hun handen. Boyd en Tom Tarleton verzinnen allemaal spelletjes die de jongens kunnen doen, en Cathleen Calvert is de baas over de meidjes. De tweeling van Tarleton is twee, en ze waggelen zo snel als ze kunnen achter die kleine zwarte Jeems aan, en Joe en Alex Fontaine spelen met takjes. Als je genoeg kinders bij mekaar zet, bepalen ze zelf wel wat ze gaan doen en spelen ze totdat ze er vanzelf moe van worden.

Dilsey heeft indiaans bloed. Haar haar is steil en zo zwart dat het paars ziet. Ze heeft een spitse neus en een strakke mond en scherpe jukbeenderen. Ze noemt de gifsumak *'qua lo ga'*, maar hoe het ook heet, de koorts gaat er net zo goed van zakken. De katholieke voodoogeesten en de Cherokee-geesten zijn niet hetzelfde, maar als de Cherokee doodgaan worden ze net zulke geesten als de voodoo.

Als de kinders moe zijn, brengen we ze naar de keuken voor een suikerkoekje. Daarna leggen we ze in de kinderkamer. Dilsey zegt dat zij er wel bij blijft, dus ik ga naar beneden om te kijken wat de dames uitspoken.

De dames in de salon drinken thee en eten Cooks *beaten biscuits* met honing. Cook heeft een eeuwigheid het deeg voor die biscuits staan kloppen! Ze heeft het deeg uitgerold en het geslagen totdat alles eruit was wat je eruit kon slaan.

Ze drinken thee uit juffrouw Solange haar blauwe kopjes. Meesteres Ellen heeft het kopje met het gebroken oortje.

Teena heeft een schone jurk en een wit schort aan en staat met haar handen op haar rug voor het geval een dame iets nodig heeft.

Juffrouw Eleanor Wilkes is in Savannah en Boston en New York geweest. Zij en meester Wilkes zijn schilderijen en boeken wezen kopen. Ze zijn geleerd.

Juffrouw Ellen heeft dat allemaal niet gedaan en heeft al die dingen niet. Ze is een jonge vrouw die getrouwd is met een Ier en een kindje van een Ier gaat krijgen. Maar er zijn zo weinig dames in de Upcountry dat ze het niet te hoog in de bol kunnen krijgen.

Meester Gerald heeft lopen opscheppen, dus de dames weten dat juffrouw Ellen zelf niet Iers is, maar Frans. Haar papa heeft onder Napoleon gediend en haar mama is van Saint-Domingue ontsnapt. Ze weten dat juffrouw Ellen haar papa rijk is. Die dames uit de Upcountry vinden meester Gerald best een geschikte vent, maar Iers is Iers en Frans is Frans, dus de dames vinden dat juffrouw Ellen beneden haar stand is getrouwd. Meesteres Calvert was eerst de gouvernante van de kinderen van Hugh Calvert, maar toen ging de oude meesteres dood en is zij met meester Hugh getrouwd. Ze is een yankee. Yankees praten kortaf, net of ze bang zijn dat iemand hun tong steelt als ze te lang hun mond openhouden.

Naast haar op de canapé zit oude juffrouw Fontaine, grootma Fontaine, en die zit te snurken met het spuug op haar lip. De jonge juffrouw Fontaine ziet dat ik het zie en veegt het spuug van de oude juffrouw snel weg met een zakdoek.

Juffrouw Ellen vraagt naar kindjes krijgen zonder dat ze probeert te klinken of ze er echt iets van wil weten, maar die dames hier hou je niet voor de gek. Meesteres Munroe zegt dat het laatste kind bijna haar dood was geworden en dat zes er wel genoeg zijn, voor elke vrouw, en juffrouw Beatrice Tarleton zit op te scheppen dat ze er wel acht op de wereld heeft gezet, net een fokmerrie. Het stelt niet zo veel voor, als de hengst maar niet te groot is. Daar moeten de dames om lachen, en de oude juffrouw schrikt wakker en begint te schateren. Teena komt met de theepot en haalt nog wat sherry voor juffrouw Eleanor. Het valt niemand op dat juffrouw Eleanor de enige is die sherry drinkt, en ze vraagt of Henry Clay ooit de kans krijgt president te worden, en juffrouw Munroe, die een beetje kriegel wordt van het gesprek, zegt dat presidenten de zaken heel anders zouden aanpakken als ze kinderen konden krijgen, en daar zijn alle dames het mee eens.

Juffrouw Eleanor kijkt me aan met zo'n lachje van 'Wie ben jij?' en juffrouw Ellen zegt dat ik haar mammy ben en dat we al 'eeuwen' bij mekaar zijn. Juffrouw Ellen vertelt dat juffrouw Solanges eerste man me heeft gered van de rebellen en de marrons op Saint-Domingue, en dan zegt juffrouw Eleanor: 'Eerste man?' en trekt zo haar wenkbrauw op, en juffrouw Ellen zegt zomaar dat haar mama drie mannen heeft gehad.

Daar moeten die dames even over nadenken, en juffrouw Tarleton moet lachen en zegt: 'Meestal zijn het de mannen die hun vrouwen moeten begraven. Die moeder van je moet een taaie zijn geweest, als ze er drie heeft gehad.'

Juffrouw Ellen zegt: 'Ik vind het zo jammer dat ik mijn moeder nooit heb gekend. Mijn vader, Pierre Robillard, zorgt er ook nu nog voor dat haar portret van een rouwband is voorzien.'

Sommige dames mompelen instemmend, maar juffrouw Tarleton zegt: 'Ik heb zo'n hekel aan rouw. Waarom zou je een jaar van je leven verspillen aan rouwen om iemand die niet eens kan weten dat je rouwt?' Ze ziet aan mijn gezicht dat ik het er niet mee eens ben en vraagt: 'Mammy?'

Het is niet aan mij om me tussen die blanke dames te mengen, dus ik zeg alleen maar: 'Die muur tussen de dooien en de lui die nog leven, die is akelig dun,' en daar laat ik het bij.

'Van de rebellen en de marrons gered,' zegt juffrouw Eleanor. 'Dan mag je je gelukkig prijzen.'

Ik zeg 'Ja, ma'am,' zonder dat ik echt goed weet waarop ik ja zeg. Blanke dames zijn altijd zo goed in vragen waarop niks geen goeie antwoorden bestaan.

Juffrouw Calvert zegt: 'Saint-Domingue, dat was werkelijk een vreselijke tragedie. Het was toch ooit zo'n rijk eiland? Tegenwoordig horen we er nog maar weinig over.'

'Het heet nu Haïti,' zegt juffrouw Munroe.

Juffrouw Eleanor snuift. 'Voor mij zal het altijd Saint-Domingue blijven.' Ze kijkt juffrouw Ellen aan. 'Hoe staan de zaken in het fraaie Savannah? De vrolijkheid, de bals, de Franse keuken... Savannah is zo continentáál.'

De andere dames zijn eraan gewend dat juffrouw Eleanor zo zit te keuvelen en maken zich er niet druk om.

Meesteres Amy Hamilton is de schoonzus van meester Wilkes. Ze is in het zwart, omdat haar man is overleden, maar ze draagt zijn kind. Juffrouw Hamilton zegt dat Atlanta een grote stad begint te worden.

'Het zal nog heel lang duren voordat Atlanta werkelijk continentaal is,' zei juffrouw Eleanor.

De andere dames hebben met juffrouw Hamilton te doen, omdat haar man dood is en ze een kindje krijgt, dus niemand zegt er iets over, of Atlanta wel of niet continentaal is. De oude juffrouw zegt dat Atlanta vroeger Terminus heette, dat betekent het einde van de spoorlijn. Daar woonde niemand.

Meesteres Hamilton zegt: 'Atlanta is misschien niet continentaal, maar het is beslist kosmopolitisch.'

Ik dacht dat dat twee woorden voor hetzelfde waren, maar ik kan niet lezen.

Meesteres Beatrice Tarleton knipt met haar vingers naar Teena, en die wil de theepot pakken maar juffrouw Beatrice schudt met haar vinger van nee. Teena haalt een glas sherry voor juffrouw Beatrice, en die drinkt daarmee op juffrouw Eleanor, die niet mee kan drinken omdat ze net doet of ze nog geen vier glazen heeft gehad.

De dames zijn in hoepelrok, behalve juffrouw Beatrice, die draagt een damesrijbroek van tweed en een jasje dat bijna niet groot genoeg is om haar warm te houden en laarzen die tot halverwege haar bovenbenen komen. Pork heeft me al gewaarschuwd voor juffrouw Beatrice. Juffrouw Beatrice weet niet wat decorum is.

Juffrouw Beatrice zou liever samen met de kerels over hindernissen springen zodat de bovenste planken van de hekken eraf vallen en de koeien ervandoor gaan en de zwarten er weer op uit moeten om de koeien te vangen en de hekken te repareren.

Fairhill ligt helemaal aan de andere kant van het bos van Tara. Ze hebben het land voor Fairhill ontgonnen toen de Creek-indianen er nog zaten, en die lui van Tarleton sliepen met de deuren gebarricadeerd en geladen musketten naast hun bed. Ze kwamen hier het eerst en hebben de beste grond. Meester Jim is rijker dan Munroe of Wilkes of Calvert, dus het maakt niet uit waar juffrouw Beatrice in rondloopt, de dames zeggen toch 'wat goed' en 'dat is zo' op wat zij te zeggen heeft.

Juffrouw Beatrice is een taaie. Juffrouw Ellen moet niet veel van haar hebben, maar ik wel. Ze is net als juffrouw Solange, ze zegt wat ze denkt en maakt zich niet druk om wat anderen ervan vinden.

De dames proberen te bedenken wat ze nu moeten zeggen. Ze hebben de 'ree-nee-san-suh' (zo noemt juffrouw Eleanor het) van Tara bewonderd. Ze hebben juffrouw Ellen leren kennen, en omdat die nog geen kindje heeft, kunnen ze het niet over het kind hebben.

Juffrouw Eleanor heeft weer een glas sherry en praat over New York City, dat veel mooier is dan al die plaatsen waar de dames ooit zijn geweest. Juffrouw Tarleton springt overeind en loopt naar het raam. 'O kijk, daar zijn de heren weer. Gerald heeft zijn paard flink laten zweten.'

De dames zeggen het niet, maar ze zijn blij dat hun mannen er weer zijn, want nu kunnen ze hun kinderen en zwarten bij mekaar roepen en voor donker thuis zijn.

Teena heeft er genoeg van dienstmeisje te spelen en zit met haar achterste tegen het nieuwe behang en krabt waar ze niet zou moeten krabben.

Hoe Jezus niet komt en juffrouw Katie wel

*D*e aanhangers van Miller kijken alleen maar naar de tweeëntwintig-ste dag van de tiende maand in het jaar onzes Heeren achttienhon-derdvierenveertig, want dan komt Jezus. Dan komen er engelen en bazui-nen en vlammende strijdwagens met wielen gemaakt van ogen en zuilen van vuur en nog veel meer. De millerieten zeggen nooit waar Jezus van-daan komt, van de kant van Lovejoy of uit Fayetteville, dus niemand weet welke kant ze op moeten kijken, en de millerieten zeggen ook niet precies wanneer het gaat gebeuren: ergens tussen zonsopgang en zonsondergang, meer weten ze ook niet. De ongelovigen en afvalligen moeten die dag maar goed over hun schouder kijken.

Meester John en meester Gerald lopen op de millerieten te mopperen, want het zijn vooral yankees, en wat weten yankees er nou van? Maar meester Hugh Calvert, die denkt dat er misschien wel wat in zit. Die mille-rieten hebben het boek Daniël gelezen, en ze hebben zitten rekenen tot ze geen puf meer hadden. Meester Hugh zegt: 'Dat zijn slimme kerels, hoor, die dat hebben uitgerekend.' Sommige zwarten van meester Hugh raken helemaal in paniek, dus meester Hugh praat met ze en zegt dat hij maar een grapje maakt. Overmorgen komt de zon gewoon op, als altijd.

Als september oktober wordt, zit er kilte in de lucht en verkleuren de blaadjes sneller dan anders en hebben de rupsen van de beervlinder geen rode streep en loopt meester Gerald niet zo luid te mopperen. Meester Gerald denkt vaak dat hij meer weet dan meester John omdat meester Gerald beter is in kaarten en paarden en katoen verbouwen, maar de laat-ste tijd denkt meester Gerald dat er misschien wel wat in zit, in die boeken waar meester John zo op vertrouwt. Meester Gerald rijdt naar Twelve Oaks en vraagt aan meester John of het echt waar is dat de wereld vergaat. Meester John moet lachen en klopt meester Gerald op zijn rug en zegt dat hij hem graag duizend dollar wil lenen, terug te betalen met vijftig procent rente op de dag nadat de millerieten denken dat de wereld vergaat.

Eigenlijk wil meester Gerald niet piekeren over juffrouw Ellen en het kindje, en dus piekert hij over het einde van de wereld. Minder gedoe.

Meester Pierre heeft juffrouw Ellen een brief geschreven. Meester Pierre zegt dat Nehemiah me de groeten doet. Franklin Ward en Eulalie geloven dat de millerieten gelijk hebben, en de Benchleys lachen de laatste tijd niet meer zo hard. Meester Pierre zegt dat Franklin en Eulalie maar niet ophouden over Jezus. Ze geven niet hun geld weg of zo, maar op 22 oktober, als de zon ondergaat, zitten zij in de kerk, helemaal boven in de toren, zodat ze die vlammende strijdwagens met ogen in de wielen eerder kunnen zien aankomen dan alle anderen.

Zelf denk ik niet dat Jezus komt. Als Hij ons komt halen, waarom hebben we dan geen nevel om ons heen, net als al die mensen die op het punt staan om over te gaan? Ik zie geen nevel om de lui heen, alleen om Ouwe Amos, die in Afrika is geboren en niet meer van zijn strozak kan komen. Er zit geen nevel om opzichter Wilkerson, en dat is toch de eerste zondaar die Jezus op zijn donder zou geven.

Juffrouw Ellen denkt niet na over de millerieten. Jezus komt, of Hij komt niet. Ze is 's morgens zo misselijk en kan alleen een klein hapje eten, en ze maakt zich zo druk, want hoe moet het nou met Tara als zij met een kindje ligt. De linnenkasten op Tara zijn zo vol dat je er nog geen zijden zakdoekje bij krijgt, en de hammen en het spek uit de rokerij zijn geteld en Pork heeft de sleutel. Cook heeft een hele lijst van alles wat meester Gerald veertien dagen lang gaat eten. Als alles klaar is, gaat juffrouw Ellen in bed liggen en wordt Dilsey gehaald.

Meester Gerald wilde de duurste dokter uit Atlanta halen, maar daar moet juffrouw Ellen niks van hebben. Ze wil vrouwen: mij en Dilsey en juffrouw Beatrice, want juffrouw Beatrice heeft al zo veel veulens en kindjes op de wereld gezet.

Dan komt de Ier in meester Gerald naar boven, en hij zegt dat juffrouw Ellen meer waard is dan welk hengstveulen dan ook, en als meester Gerald zichzelf hoort praten, zegt hij: 'Bij de heilige maagd, ik ga jou niet verliezen en het kind ook niet!' Meester Gerald zegt dat hij de oude dokter Fontaine gaat halen, en juffrouw Ellen steekt haar kinnetje omhoog en zegt: 'Meneer O'Hara, een mannelijke dokter heeft met al zijn arrogante wetenschap en mannelijke ongeduld mijn moeder vermoord. Een fatsoenlijke vrouw luistert naar haar man, en dat heb ik altijd gedaan en zal ik blijven doen. Alleen niet wanneer het tegen haar christelijke geweten ingaat of wanneer het het kind betreft dat ze sinds de bevruchting heeft gedragen.'

Meester Gerald begint tegen te sputteren en te mopperen en wordt helemaal rood, maar ze geeft hem een zoen op zijn rode wang en zegt: 'Ik weet dat je het beste voor me wilt, het allerbeste, maar lieverd, hierin moet je me vertrouwen.'

Ik denk dat ik net zo veel weet over mensen beter maken als Dilsey, maar niet zo veel over het halen van kindjes. Dilsey en juffrouw Beatrice hebben al vaker bij vrouwen aan het bed gezeten, en de hand van de ene vrouw is net zoals die van de andere.

Juffrouw Beatrice wast haar handen en dept ze droog en tilt het laken op dat de delen van juffrouw Ellen bedekt en kijkt eens goed en zegt: 'Nog niet, Ellen, rust nog maar even goed uit.' En dan loopt ze de kamer uit en hoor ik haar tegen meester Gerald zeggen: 'Laat uw vrouw maar aan ons over, meneer. U hebt alles al gedaan wat een man kan bijdragen.'

Mannen moeten niet te dicht bij hun vrouw komen als die in het kraambed ligt.

De volgende dag, bij zonsopgang, komt juffrouw Katie Scarlett ter wereld. Ze was geen Jezus, maar ze was waarschijnlijk nog veel meer welkom dan Hij was geweest.

Op weg terug naar huis, naar Fairhill, springt juffrouw Beatrice over elk hek, en dat was niet erg geweest als Dilsey niet achter haar had gezeten, zich uit alle macht vastklampend. De oude dokter Fontaine komt na de bevalling bij juffrouw Ellen kijken. Hij zegt dat de dokter vaak na juffrouw Beatrice en Dilsey komt. Dokter zegt dat die twee nog nooit een mama of een kindje hebben verloren. Zijn zoon, de jonge dokter Fontaine, moet niks van vroedvrouwen hebben. De jonge dokter is 'wetenschappelijk' en dat soort dingen. De oude dokter is blij met alles wat werkt.

Net als alle papa's wilde meester Gerald een zoon, maar de eerste keer dat hij kleine Katie vasthoudt en haar warmte voelt, houdt hij van haar. Vanaf dat moment had meester Gerald zijn leven willen geven voor juffrouw Katie Scarlett O'Hara. Zo heeft meester Gerald haar genoemd, Katie naar zijn eigen moeder en Scarlett naar de achternaam van zijn oma. Meester Gerald zegt graag: 'Martha Scarlett heeft van haar leven nog niet verder gereisd dan zeventig kilometer buiten Ballyharry. En nou heeft ze een naamgenote in Amerika!'

De oude dokter Fontaine zegt dat juffrouw Ellen veertien dagen in bed moet blijven, maar een dag na de bevalling is ze al weer op. Ik begraaf de navelstreng van juffrouw Katie buiten bij de keukendeur, zodat Tara altijd het thuis van Katie Scarlett zal zijn.

Sommige lui zeggen dat kindjes als een rol stof ter wereld komen. Ze zeggen dat je een kind kan afknippen en vastnaaien, precies in de vorm die je wilt, een schort of een hoofddoek of een overjas, maar ik zal je zeggen dat dat niet zo is. Zodra dat kindje die oogjes opendoet, zie je al die oude vrouw die ze ooit gaat worden. Sommige kindjes zijn stil. Juffrouw Katie kan niet stilliggen, die kleine handjes en voetjes bewegen aan een stuk door. Kindjes zijn altijd gretig, maar juffrouw Katie grijpt naar mama's borst en laat niet meer los! Wil ook niks van de min weten. Dilsey heeft een mooi, jong, zwart meidje gevonden dat meer melk heeft dan een kind nodig heeft, maar denk je dat juffrouw Katie daar blij mee is? Ze jammert en sputtert tegen en ze zou die tepel nog weigeren als ze op sterven na dood zou zijn!

Meester Gerald zegt: 'Als je eenmaal het beste hebt gehad...' en dan wordt zijn hele gezicht rood en zegt hij: 'Ik bedoel...' en dan weet hij niet meer wat hij bedoelt, maar ik denk dat meester Gerald trots is dat juffrouw Katie niks van dat meidje wil weten!

Als ze begint te kruipen, wil ze naar voren, maar haar armpjes en beentjes duwen haar naar achteren, zodat ze overal tegenaan botst en niet meer van haar plaats komt. Dan wordt ze kwaad en begint ze te gillen, tot ik haar oppak en in het midden van de kamer zet en dan kijkt ze me aan en valt ze weer naar achteren, en haar mondje begint te trillen en het is de grootste ramp in de hele wereld, dat zij niet kan gaan waar ze heen wil. Ze is niet kwaad op mij en ook niet op haar mama. Juffrouw Katie is kwaad op d'r eigen. Ze weet al wat armen en benen zijn, dat zijn haar bedienden en die moeten doen wat zij zegt, niet andersom.

Papa's vergeten hun kindjes zodra ze die een naam hebben gegeven. Ze denken dat een naam geven het allerbelangrijkste is en papa's hebben nog meer belangrijke dingen te doen.

Meester Gerald en meester John Wilkes zijn tegen de oorlog met Mexico, maar de meeste lui in de Upcountry zijn voor. Meester Jim Tarleton, die afgevaardigde van Georgia is, zegt dat Amerika een *Manifest Destiny* heeft, en dat betekent dat je alles mag pakken wat niet zit vastgespijkerd.

In juli kruipt juffrouw Katie al heel wat beter en scharrelt ze bij me in de moestuin als ik ga wieden, en voor je het weet, kan ze lopen. Als juffrouw Katie valt, begint ze te brullen, maar ze staat meteen weer op.

Wanneer opzichter Wilkerson het katoen van Tara in Jonesboro gaat verkopen, gaat meester Gerald met hem mee. Misschien is meester Gerald bang dat de opzichter er anders met het katoengeld vandoor gaat en de benen neemt naar Texas en daar een nieuw leven begint.

Als meester Gerald genoeg katoengeld bij meester Kennedy in de kluis heeft liggen, gaat hij naar de paardenrennen.

Alle meesters gaan graag naar de paardenrennen, jong en oud. Op zaterdagmorgen komen er mensen met huifkarren en paarden en de benenwagen naar Jonesboro en de lui kopen van alles, katoen en varkens en slaven, en als ze alles hebben wat ze nodig hebben blijven ze tot aan het donker op de renbaan om te kijken wie er wint.

Soms gaan ik en kleine juffrouw Katie ook mee en dan brengt opzichter Wilkerson ons voor de paardenrennen weer naar huis, en dan lacht hij als meester Gerald zegt dat hij moet gaan, maar op weg naar huis lacht hij niet.

De wedren van twaalf uur is tussen twee paarden, over twee mijl, tussen beroemde paarden uit de streek, soms wel helemaal uit Macon. Alle heren kijken goed naar de paarden en de jockeys en ze hebben allemaal een mening, en een mening is op de renbaan niet goedkoop. Jonesboro is misschien niet zo deftig als Charleston, maar er zijn mannen die op zaterdagavond naar huis gaan en hun gezicht dan niet aan hun vrouw en kinders durven te laten zien. Meester Gerald lacht en roept wel een hoop, maar hij wedt nooit. 'Het lot en ik moeten op het paard van een ander wedden?' Hij trok zijn wenkbrauwen op toen hij dat zei.

Na de ren van twaalf uur gaan de meesters naar huis en is de baan voor de opzichters en arme, blanke lui. Sommige lui huren slaven als jockeys in. O, wat hebben die jockeys het hoog in de bol! Maar er rijden ook blanke kerels mee, behalve in de ren voor de muilezels.

Bij de muilezels mogen de zwarten ook gokken, en als ze geen geld hebben, zetten ze een hoed of een jas in.

Ik snap niks van gokken. Het leven is gevaarlijk en we weten niet of we morgen de zon wel zien opkomen. Ik snap niet waarom kerels hun jas moeten vergokken. Als je zout op zout strooit, wordt het echt niet zoeter!

Het eerste woordje van juffrouw Katie was 'Ma...', en dat zei ze op een ochtend in de kinderkamer tegen me, maar haar tweede was 'pa...' en dat zei ze tegen haar papa toen hij haar naar bed bracht. Ik laat meester Gerald denken dat dat het allereerste woordje van zijn dochter was. Hij vertelt het aan iedereen!

Nu de katoenprijzen zo laag zijn jut meester Gerald opzichter Wilkerson op en die jut de zwarten weer op om nog harder te werken en God helpe de arme zwarte die iets verkeerd doet, een zaadje morsen of de verkeerde zaadbol plukken of tuig laten breken. Hoe harder ze werken, hoe lager de prijs wordt. Er zit geld in de katoen, maar hoe harder je werkt, hoe minder je verdient.

Het tweede kindje, juffrouw Susan Elinor O'Hara, heeft haar tweede naam van juffrouw Eleanor Wilkes, maar dan anders geschreven omdat meester Gerald niks verschuldigd wil wezen. Juffrouw Suellen, zo noemen we haar, en ze is net zo vrolijk en zonnig als juffrouw Katie druk was en zij ziet geen verschil tussen de melk van de min en die van haar mama. Juffrouw Suellen is helemaal niet kieskeurig.

De meesters hebben het over de Mexicaanse oorlog. Eerste keer dat Amerika een ander land is binnengevallen. Ze vielen altijd hier binnen. De meesters lopen als pauwen in het rond, ze vinden zeker dat ze nu een beter land zijn omdat ze ergens zijn binnengevallen, net als de Britten en de Fransen doen. Meester Jim Tarleton zegt dat oorlog goed is voor de katoenprijs, dat oorlog goed is voor de planters.

'Maar niet voor onze zonen,' zei meester John Wilkes.

Er gaat twee keer per dag een trein naar Atlanta. Gokkers kopen een kaartje voor een dollar en gaan naar de rennen in Jonesboro.

Ik en juffrouw Beatrice en juffrouw Ellen zitten bij Dilsey als Dilsey haar kindje krijgt, Prissy, en dan krijgt juffrouw Ellen haar derde kindje, Caroline Irene, die last van krampjes heeft. Ze jammert en huilt en vindt niks goed. Pas als ze een half jaar is, doe ik weer een oog dicht.

Met Kerstmis brengt meester Gerald het whiskyvat naar het Verblijf en vieren sommige zwarten feest en zegt juffrouw Ellen tegen meester Gerald dat hij nu getrouwd is en drie kinders heeft en dat hij niks heeft aan zwarten die kotsen en neervallen. Ik zeg niks. Hoeft ook niet. Meester Gerald weet wat ik ervan vind!

Juffrouw Katie lijkt op juffrouw Solange. Ze is geen mooi kind, behalve die ogen, die zijn groen als een lenteblad. Wat haar lach zegt, dat denken haar ogen. Carreen is van het begin af aan al net zo serieus als haar mama, en ik bid dat niemand dat kind een boek over heiligen geeft.

Als ik niet had geweten waar Suellen vandaan komt had ik het nooit kunnen raden. Suellen is stiekem, en dat zijn haar papa en mama niet. Ik denk dat ze het van veel verder terug moet hebben, misschien wel van de oma van Solange of van de papa van oma Scarlett O'Hara. Als Suellen stiekem doet, zonder reden, zie ik soms bijna een oude vrouw in ouderwetse kleren rondsluipen.

Soms doet juffrouw Katie iets of houdt ze op een bepaalde manier haar hoofd scheef en dan hoor ik bijna juffrouw Solange tegen meester Augustin mopperen over geld of iets dergelijks, maar als ik naar Suellen kijk, zie ik die oude vrouw in oude kleren en wens ik bijna dat die oude vrouw zegt wat ze op haar lever heeft.

Iedereen is blij als de Mexicaanse oorlog voorbij is. Blanke lui zijn altijd blij als het oorlog wordt en blij als het weer voorbij is. Meester Geralds neef Peter uit Savannah heeft bij de militie gevochten en is officier geworden en de vrienden van Gerald hebben het erover dat ze een zwaard voor Peter moeten kopen, als aandenken, maar er komt niks van.

Op een ochtend is Big Sam het dak van onze tabaksschuur aan het dekken en klimt meester Gerald op het dak omdat er niks mooiers is dan uitkijken over Tara, over zijn akkers en zijn bossen en zijn gewassen en het huis en het vleeshuis en alles wat hij bezit.

Als meester Gerald een stemmetje 'Papa' hoort zeggen, kijkt hij om zich heen, maar hij ziet het kind niet op het weggetje of in de kar of op het erf of in de stal of ergens anders en als hij z'n eigen omdraait, rollen zijn ogen bijna uit zijn kassen, want juffrouw Katie staat boven aan de ladder en wil op het dak klimmen dat zo'n stuk boven de grond is. Later zegt meester Gerald tegen juffrouw Ellen: 'Heilige Maria, moeder van God! Mijn hart stond bijna stil!' Hij praat heel zacht tegen juffrouw Katie en komt langzaam op haar af totdat ze haar armpjes om zijn nek kan slaan. Big Sam gaat eerst langs de ladder naar beneden en daarna meester Gerald voor het geval juffrouw Katie haar greep verliest. Als meester Gerald beneden staat en juffrouw Katie op de grond zet, moet ze zo giechelen! Het is of ze nog nooit zo'n pret heeft gehad! Meester Gerald beeft als een riet en moet even gaan zitten.

Als meester Gerald het aan juffrouw Ellen vertelt, trekt die wit weg en vraagt ze wie er op juffrouw Katie had moeten letten en dan wordt Teena naar het melkhuis gestuurd en wordt Rosa naar het huis gehaald als binnenmeid.

Niet lang daarna is het avond en fonkelen de vuurvliegjes en hoor ik geneurie, een van die Ierse deuntjes van meester Gerald, en ik kijk stiekem de hal in, en daar zijn ze, de meester en de meesteres in mekaars armen en ze zijn aan het dansen. Zo gelukkig zouden ze nooit meer worden.

We hebben verdriet

*H*et lijkt tegenwoordig wel of ik van iedereen de mammy ben: van meester Gerald, juffrouw Ellen, juffrouw Katie, juffrouw Suellen, juffrouw Carreen, Pork, Rosa, Cookie, kleine Jack die huisjongen wil zijn, en van die zwarten die naar de keukendeur komen omdat er eentje ziek is of vervloekt, of een kruid nodig heeft dat ervoor moet zorgen dat een kerel van ze houdt. Mammy's zien alles en mammy's weten alles. Meesters mogen denken wat ze willen. Meester Gerald denkt dat hij een voet langer is dan hij echt is, en juffrouw Ellen denkt dat ze juist kleiner is dan ze is. Juffrouw Beatrice denkt dat die jongens van haar net zo goed zonder mammy kunnen opgroeien en is meer mama voor haar paarden dan voor haar zonen. Meesteres Eleanor denkt dat netjes de tafel dekken een bewijs van decorum is, en meester John denkt dat als hij maar goed doet en zich met zijn eigen zaken bemoeit en zijn boeken leest, er nooit wat ergs met Twelve Oaks kan gebeuren, of met de lui van wie hij houdt.

Mammy's krijgen alles te zien en komen alles te weten. We kunnen niet anders, en mammy's moeten hun werk doen. Dwaasheid, daar hebben we geen geduld mee.

Mammy's kunnen niet zeggen wat ze weten. Meester Gerald vraagt me vaak genoeg naar deze of gene zwarte, maar dan schud ik mijn hoofd en doe ik net of ik geen kwaad hoor of zie.

Die oude Denmark Vesey, die had wel een beetje gelijk met dat doen alsof. Een dwaas doet of hij meer weet dan hij weet, en mammy doet net of ze minder weet. Ik wist wat ik wist en heb het nooit aan iemand verteld. Ik heb niks gezien wat ik niet mocht zien, maar ik weet alles wat ik wil weten. Mammy's weten alles.

Juffrouw Ellen gaat de hele tijd bij de zieke en de oude lui langs en zit elke zondag in de baptistenkerk, en ze is niet eens een baptist, en na het eten roept ze de kinderen en huisslaven bij mekaar voor het gebed.

De meesters vieren feest als president Taylor is gekozen, want Taylor komt uit het zuiden; hij bezit een paar honderd slaven en heeft tegen de Mexicanen gevochten. De meesters denken dat generaal Taylor net zo denkt als zij, al hebben ze zelf nooit tegen de Mexicanen gevochten.

Juffrouw Ellen laat opzichter Wilkerson naar haar pijpen dansen, en als de rekeningen komen, betaalt juffrouw Ellen die en als er geld binnenkomt dan telt ze dat en ze kijkt alle rekeningen na, voor katoen en tabak, en ook voor alle kalveren, varkens en lammeren die naar de markt gaan. Als ze zo met haar halve brilletje op haar neus zit, ziet juffrouw Ellen er zo serieus uit dat ze de opzichter bang maakt, en die durft niet tegen haar in te gaan.

Juffrouw Ellen is af en toe misselijk en rekt zich soms kreunend uit en legt haar handen op haar rug, maar ze draagt het kind of het niks voorstelt en ze gaat pas in bed liggen als de baarmoeder zakt, twee uur voordat haar vliezen breken.

Meester Gerald heeft een zoon! Hij is zo blij dat hij de oude dokter een whisky inschenkt en juffrouw Beatrice en Pork een whisky inschenkt en zelfs mij een glas geeft, en ik drink niet eens. Hij tilt het kindje op, dat deed hij met geen van de meidjes, en kijkt onder het dekentje om er zeker van te zijn dat het een jongetje is. Juffrouw Carreen is te jong om te snappen wat er aan de hand is, maar juffrouw Suellen komt binnen en geeft de baby een zoen op zijn hoofd. Juffrouw Katie komt niet binnen. Ze zit op de schommelbank op de veranda en schommelt zo hard dat de kettingen rinkelen.

Als meester Gerald ziet dat het goed gaat met juffrouw Ellen en het kindje galoppeert hij met zijn fles whisky naar Twelve Oaks en Fairhill en komt hij pas met donker terug, zingend over een of andere knaap die in een oorlog gaat vechten, en dat is een droevig liedje, maar meester Gerald zingt het als een vrolijk liedje. Pork brengt hem naar boven en daar slaapt hij in de kamer aan de andere kant van de gang.

De kleine meester Gerald ligt te kirren en te schommelen in zijn wiegje, maar ik zie de hele tijd die nevel om hem heen, en ik doe of ik die niet zie. Mammy's zeggen niet alles wat ze zien.

Dat jaar is er met kerst een ontvangst op Tara. Meester Gerald maakt zelf de punch, en juffrouw Ellen drinkt thee met haar vriendinnen in de salon aan de andere kant van de hal. De mannen zingen kerstliederen en kloppen mekaar op de rug, en meester Buck Munroe vervloekt de yankees, want dat doet hij altijd, maar Zachary Taylor zit in het Witte Huis en het is kerst, dus het gevloek van Buck Munroe hoor je niet meer omdat de anderen zo hard 'God Rest Ye Merry, Gentlemen' zingen. De dames zingen 'Little Town of Bethlehem'. Meesteres Beatrice drinkt thee met de dames maar had liever in de andere kamer met de heren aan de whisky gezeten.

Om tien uur haal ik de kinderen naar beneden, en alle dames bewonderen de kleine Gerald, en juffrouw Katie gaat bij meester John Wilkes op schoot zitten en wil er niet meer af. Meester Gerald draagt kleine Gerald in het rond zodat iedereen kan zien hoeveel ze op mekaar lijken.

'Hij lijkt nog kleiner dan jij, Gerald,' zegt meester Jim, en de oren van meester Gerald worden helemaal rood.

Die kleine meester Gerald kirt en speelt zoals kleintjes doen, en als hij die nevel om hem heen al ziet, dan kan het hem niks schelen, en ik denk dat ik die nevel weg probeer te denken, want ik schrik net zo erg als ieder ander als ik die nacht wakker word van een laag geluid. Zoiets heb ik nog nooit gehoord. Ik spring uit bed en loop naar de wieg van de kleine meester Gerald. Hij is dood. Het kindje is nog warm, dus ik praat tegen hem en bid voor hem en smeek de geesten hem aan ons terug te geven, maar de nevel trekt weg en de kleine meester gaat ook weg. Ik vraag juffrouw Frances en juffrouw Solange en zelfs Martine waarom ze hem meenemen, maar ze geven geen antwoord.

Het was zo moeilijk om naar de slaapkamer van de meester en de meesteres te lopen. Harde klop op de deur. Ik hoef niks te zeggen, juffrouw Ellen ziet het aan mijn gezicht. Ze neemt de arme kleine meester Gerald in haar armen en wiegt hem en zingt een slaapliedje voor hem.

Elijah, de timmerman van Tara, maakt een klein kistje van cederhout, en dat ruikt zo goed in de ochtendlucht als we met de buren bij het grafje staan. Meester Gerald heeft een katholieke priester uit Atlanta gehaald voor de begrafenis.

We hebben verdriet. We hebben allemaal verdriet. Meester Gerald rijdt niet meer naar Twelve Oaks, en juffrouw Ellen zit voor zich uit te staren, alsof ze de wereld van de geesten kan zien waar haar kindje nu is.

Maar het is zaaitijd en het zaad moet de grond in en meester John Wilkes ligt met koorts, dus als meester Gerald niet op Tara zit, is hij op Twelve Oaks om de katoen voor Wilkes te zaaien. Hij is van 's morgens vroeg tot 's avonds laat weg, en hij komt pas na donker thuis en wast zich niet voordat hij op de veranda gaat zitten waar juffrouw Ellen met het eten zit te wachten. Hij drinkt het water zo uit de kan en giet de kan uit over zijn rode gezicht en handen, en meester Gerald zegt: 'Weet je, mevrouw O'Hara, mocht John doodgaan, dan doe ik Eleanor een bod op die akker van hem bij de rivier.'

Juffrouw Ellen is geschokt, maar dan ziet ze zijn mond trillen en moeten ze allebei lachen en dat is het mooiste geluid dat ik die hele lente heb gehoord.

In juli is meester Wilkes weer beter, maar nog wel zwak, en alles wordt weer bijna als vroeger. Elke zondag bezoeken juffrouw Ellen en meester Gerald het grafje van de kleine meester onder de ceders.

Meester Gerald was thuis in Ierland geen meester. Ik heb hem tegen juffrouw Beatrice horen vertellen dat 'de staart van een ploeghit' het enige was wat hij van paarden kende, maar nu is Gerald meester en zijn het geen trekpaarden meer waar hij op rijdt. De merries van meester Gerald worden door de hengsten van juffrouw Beatrice gedekt. Hij en juffrouw Beatrice bieden tegen mekaar op als er een goed paard op de baan van Jonesboro wordt verkocht, en als een paard voor de een niet goed is, wordt het aan de ander verkocht. Meester Gerald doet niks liever dan over hindernissen springen. Op de heuvels tussen Twelve Oaks en Tara, waar de paarden niet goed kunnen springen omdat het zo steil is, hebben de knechten van meester Wilkes een hele stapel nieuwe planken neergelegd zodat ze niet zo ver hoeven te sjouwen als de bovenste plank weer eens van het hek wordt geschopt.

Het duurt niet lang voordat juffrouw Ellen weer in verwachting is. O, ze zijn voorzichtig met haar. Ik heb nooit voorzichtiger lui gezien. De meesteres mag niet rijden en niet wandelen zonder dat Pork haar bij de arm houdt, en het paard voor haar buggy wordt vervangen door de oude Betsy die niet op hol kan slaan omdat ze te oud is om te rennen.

Juffrouw Eulalie Robillard stuurt een uitnodiging voor de bruiloft, want ze gaat trouwen met Franklin Ward uit Charleston, maar zo ver mag juffrouw Ellen niet reizen.

Juffrouw Katie verveelt zich en kan zich niet vervelen zonder kattenkwaad uit te halen, dus meester Gerald is blij als juffrouw Beatrice zijn dochter leert paardrijden.

Toby brengt ons naar Fairhill, bij zonsopgang, want juffrouw Beatrice begint graag vroeg. Als de staljongen de pony komt brengen, zegt juffrouw Katie: 'Nee.'

'Je hoeft niet bang te zijn, Katie,' zegt juffrouw Beatrice. 'Pinky is een doetje.'

Nou, juffrouw Katie laat zich door niemand zeggen dat ze bang is. 'Hij is… een dwerg! Ik wil een echt paard.'

'O?'

'Net als papa.'

'Ik weet niet of je al aan Geralds paard toe bent.' Juffrouw Beatrice moet om haar lachen, maar wee je gebeente als je om juffrouw Katie lacht.

'Net als papa,' zegt juffrouw Katie, en als juffrouw Beatrice haar niet het paard geeft dat ze wil, klimt ze weer in onze kar en slaat haar armen over mekaar en zegt tegen Toby dat die ons naar huis moet brengen.

Juffrouw Beatrice moet nu echt lachen, of ze nog nooit zo'n meidje heeft gezien. 'Kind, weet je zeker dat je wel een meisje bent? Je bent meer jongen dan dat kroost van mij!'

'Ik ben een meisje,' zegt juffrouw Katie, zo uit de hoogte dat juffrouw Beatrice weer in lachen uitbarst. Ze klapt er dubbel van.

'Tjongejonge!' zegt juffrouw Beatrice. 'Heb je ooit zoiets gezien?'

En juffrouw Katie bekijkt haar van top tot teen. Ze zegt: 'Mijn vader heeft me beloofd dat u me zou leren rijden. Ik ben hevig teleurgesteld.'

'Wel,' zegt juffrouw Beatrice, 'ik stel niet graag een meisje met groene ogen teleur. Billy, zadel Trinket. Korte stijgbeugels.'

Het paard is oud en plechtig en heeft vaker kinders gezien. Je ziet hem bijna denken: niet weer! Maar hij blijft stilstaan als juffrouw Katie haar voet in juffrouw Beatrice haar handen zet en op zijn rug klimt.

Ze ziet er zo klein uit, zo'n eind boven onze hoofden. Juffrouw Katie kijkt om zich heen, alsof de wereld er nu heel anders uitziet. Ik zie haar dat denken. Het paard briest en laat zijn hoofd zakken, zodat Billy zijn neus kan wrijven. Dat vindt juffrouw Katie maar niks en ze trekt aan de teugels, zodat Trinket zijn hoofd omhoog moet doen en ermee schudt, en het hoofdstel rinkelt en hij briest en schraapt met zijn voorbeen.

'Juffrouw Katie,' zegt juffrouw Beatrice, 'je wilt vast niet dat Trinket een klein meisje is, dus je moet ook niet doen of jij een paard bent. Je moet Trinket laten zijn wat hij is, en zolang dat niet tegen je wensen ingaat, moet je hem zijn pleziertjes gunnen. Als ruiter ben je met zijn tweeën, niet alleen.' Daar is ze zo tevreden over dat ze het nog een keer zegt. 'Met zijn tweeën, niet alleen.'

Ze bindt een touw aan het hoofdstel en laat Trinket rondjes lopen. Het stof stuift op rond zijn grote hoeven.

Nou, het paard zal niet haar dood worden, dat is het beste waar ik op kan hopen. Als we thuiskomen en haar moeder aan juffrouw Katie vraagt hoe de les was, zegt juffrouw Katie: 'Ik ben nu met zijn tweeën, niet alleen,' alsof dat heel belangrijk is.

Paarden en ik, we begrijpen mekaar niet. Ik vind paarden een 'noodzakelijk kwaad'. Zwarten kunnen jockey en staljongen worden en de paarden zadelen en borstelen en voeren, maar zwarte lui mogen geen paarden hebben. Paarden zijn net plantages. Paarden zijn voor de blanke lui.

Als ik weet dat paarden niet de dood van juffrouw Katie zullen worden, ga ik niet meer mee. Carreen en Suellen hebben mammy harder nodig dan zij, en dus gaat juffrouw Katie in haar eentje naar Fairhill, en al snel zit ze daar de hele dag.

Tegen kerst krijgt juffrouw Suellen pokken, dus natuurlijk krijgt haar zus het ook. Juffrouw Carreen blijft aan d'r eigen krabben totdat we haar handen in lappen katoen wikkelen, en ze huilt van ergernis tot haar ogen er dik van zijn. Meester Gerald gaat naar Atlanta om cadeautjes voor de meisjes te kopen en komt terug met sinaasappels, die ik sinds Savannah niet meer heb gezien.

In februari is meester Hugh Calvert nijdig omdat heren uit het zuiden met president Taylor in Washington hebben gesproken en president Taylor tegen ze heeft gezegd dat-ie zelf de troepen tegen ze zal leiden als ze zich van de Unie gaan afscheiden. Daar maakt meester Hugh zo'n drukte over dat er drie whisky's nodig zijn om hem kalm te krijgen.

In de lente is het tijd voor juffrouw Ellen haar kraambed, en Dilsey komt en juffrouw Beatrice, en ik ben er ook. Het lijkt niet goed, deze keer, dus we praten over van alles behalve het kindje; juffrouw Beatrice gaat maar door over juffrouw Katie en haar paarden.

Het kindje komt twintig minuten nadat de vliezen breken en glijdt er glad als vet uit. Hij is dood. Hij heeft rood haar. Er is iets niet goed met zijn vingertjes en teentjes, dat zie ik als ik hem was voor in het kistje, maar ik zeg er niks over.

Ik weet niet waarom meester Gerald hem Gerald noemt. Voor mij zal het tweede kindje altijd Rooie blijven.

Het kindje krijgt een plek in de schaduw naast zijn broertje. Tara gaat verder. Niet lang na de geboorte van Rooie valt president Taylor dood neer. Er zijn geen oorlogen. De prijs van katoen blijft hetzelfde. We hebben verdriet.

De winter erop is juffrouw Ellen weer in verwachting, maar niemand zegt er niks over want woorden kunnen vervloeken.

Gerald O'Hara wordt op een mooie zaterdag in september geboren. Het is nog niet koud. Juffrouw Ellen heeft een uur lang weeën en dan is hij er. Ik knip de navelstreng door maar begraaf die niet naast de keukendeur, want het kindje is wel met al zijn teentjes en vingers geboren, die Rooie niet had, maar hij heeft die nevel om hem heen, net als de eerste Gerald. Juffrouw Ellen is moe maar ze glimlacht wel, en ik zeg helemaal niks over die nevel en moet net doen of ik dolblij ben. Dilsey kijkt me aan of ze die nevel ook ziet. Die vrouw is een Cherokee. Het is niet te zeggen wát Dilsey ziet.

Op de ochtend nadat Gerald is geboren komt er een brief van Nehemiah die zegt dat meester Pierre er niet meer is. Met zijn laatste adem gaf meester Pierre juffrouw Ellen zijn zegen.

Meester Gerald brengt de brief naar juffrouw Ellen haar slaapkamer en doet de deur dicht. Een uur later komt hij naar buiten en zegt dat juffrouw Ellen moet rusten en ik breng thee en de theepot en juffrouw Solange haar blauwe kopje.

Na al die jaren heeft juffrouw Ellen nog steeds de ogen van de jongejuffer Ellen. We huilen. Ik zet het blad met de thee neer voor ik het laat vallen omdat ik zo moet huilen. 'O,' zegt juffrouw Ellen.

'Lieverd…'

'Hij…'

'Meester Robillard, hij is…'

'Mammy, hij is er niet meer. Ik wou dat…'

Dus ik zeg: 'Meester Pierre is blij vanwege het kindje, mevrouw. Hij is zo blij.' Het is moeilijk dat te zeggen want de nevel hangt rondom meester Gerald die naast haar ligt. Ik heb zo'n hekel aan die nevel! Die wil ik wegslaan!

Juffrouw Ellen is zo moe dat ze haar ogen niet open kan houden, maar ze zegt dat we naar Savannah gaan zodra kleine Gerald kan reizen, en ik zeg ja. Wat moet ik anders zeggen?

Juffrouw Ellen zegt dat ik tegen de kinders moet zeggen dat ze naar Savannah gaan, maar ik denk dat ik het vergeet.

Juffrouw Beatrice geeft juffrouw Katie een eigen hengstveulen, dus juffrouw Katie heeft niks geen tijd meer voor een broertje. Suellen en Carreen willen de kleine zien, maar dat vind ik niet goed.

Blanke lui vechten op de Krim, dat ligt ergens in Europa, en tijdens het eten legt meester Gerald aan de kinders uit wat de Krim is omdat hij niet over de derde Gerald wil praten, want die is nog geen week oud en teert nu al weg. Juffrouw Ellen kan er niks aan doen. De jonge dokter Fontaine, die kan er ook niks aan doen. De kruiden van Dilsey doen niks. Ik meng zwavel en reuzel en doe het op mijn vinger, zodat hij eraan kan zuigen, maar hij is te zwak.

Juffrouw Ellen slaapt als het kindje sterft. De kleine Gerald ligt weggestopt onder haar arm, met zijn mondje open. Ik doe zijn blauwe oogjes dicht, maar als ik hem probeer weg te halen schiet juffrouw Ellen overeind en wil ze hem vastgrijpen. Maar ze weet wel beter, en haar handen vallen neer als bladeren in de herfst. Ze zegt: 'Geen kindjes meer, mammy. Geen kindjes meer.'

'Ja, juffrouw.' Ik zeg niet: 'Meester Gerald zal nooit geen zoon krijgen,' want dat is niet aan mij.

Ik was het kleine lijfje, dat niet lang genoeg bij ons is geweest om echt vuil te worden. Ik zing een oud liedje voor de vriendelijke geesten die voor kindjes en kleine hulpeloze schepsels zorgen. Ik wil dit kleintje geen Drie noemen, maar die naam blijft in mijn hoofd zitten.

Die avond zit meester Gerald met de karaf in de salon en durft niemand naar binnen te gaan.

De volgende dag komt juffrouw Ellen haar bed uit. Bleek en zwak, maar het werk moet evengoed worden gedaan, daar helpt geen dood kindje aan.

Big Sam graaft een grafje naast de broertjes en Elijah maakt een kistje van cederhout. Gerald en Ellen halen niks geen priester; ik denk dat ze er niet tegen kunnen. De ochtendmist dampt van de bomen als we bij mekaar komen. De katoenoogst wacht, de paarden en karren wachten, zakken wachten, mannen staan met hoeden in hun handen en vrouwen hebben hun beste hoofddoek op. Pork laat het kistje in het graf zakken, zo plechtig als maar kan. Meester Gerald houdt juffrouw Ellen haar arm vast, en Big Sam staat vlak achter haar, voor als ze flauwvalt. Pork knielt in zijn beste broek om het kistje in het gat te stoppen. Carreen wil het op een schreeuwen zetten maar juffrouw Katie knijpt stevig in haar hand, net of die ervandoor wil gaan. Daarna moet meester Gerald toezien op het ont-

pitten van de katoen en moet juffrouw Ellen de boekhouding van de plantage doen en breng ik de meisjes naar de kinderkamer boven. Bij de deur
draait juffrouw Katie d'r eigen om en zegt tegen me: 'Mammy, ik denk dat
ik mijn veulen Beëlzebub ga noemen.'

Ik blijf doodstil staan, net of die woorden weg zullen gaan als ik me niet
beweeg. Juffrouw Katie trilt als een blad in de wind. Haar schoudertjes beven en ze kijkt me niet aan. Het arme schaap weet niet hoe ze d'r eigen
moet voelen. Ik sla mijn arm om haar heen. 'Beëlzebub is een mooie
naam, lieverd. Een erg mooie naam.'

Hoe jonge meester Wilkes naar huis komt

Dus we gaan niet naar Savannah. Ellens zuster Pauline schrijft dat meester Pierre zijn bezit onder zijn dochters heeft verdeeld, alleen geeft-ie L'Ancien Régime aan Nehemiah en laat hij hem vrij. Ik weet niet hoe Nehemiah zonder Pierre zal varen. Het is een ding om te doen of je meester bent als je een meester hebt, het is heel wat anders als je zelf meester bent.

In december komt er een krat aan bij het expreskantoor op het station van Jonesboro en gaan Big Sam en Prophet die ophalen. Het is het schilderij van meesteres Solange dat in het Roze Huis boven de haard hing, en juffrouw Pauline zegt in het briefje dat het volgens het testament voor juffrouw Ellen is.

Juffrouw Ellen laat meester O'Hara's Ierse schilderij naar hun slaapkamer boven brengen en hangt juffrouw Solange waar Ierland eerst hing. Meester O'Hara weet het nog niet zo. Hij haakt zijn handen achter zijn rug in mekaar en zegt: 'Ik weet het niet, vrouw O'Hara. Als ik hier straks zit, voel ik dan niet haar ogen priemen alsof zij de vrouw des huizes is en ik de staljongen?'

'Meneer O'Hara,' zegt juffrouw Ellen, 'iedere grote planter hoort een Franse aristocraat boven zijn haard te hebben.'

En als meester Gerald er dan nog niet gerust op is, zegt ze: 'Mijn beste meneer O'Hara, Solange Robillard is doodgegaan opdat ik kon worden geboren.'

Dus dat was dat. Soms, als hij denkt dat niemand kijkt, heft meester Gerald zijn glas op meesteres Solange. Meester Gerald is dankbaar voor wat hij heeft.

Als juffrouw Carreen haar oma daar voor het eerst ziet hangen, hapt ze naar adem of ze een geest heeft gezien. Juffrouw Katie staat even naar juffrouw Solange te kijken en vraagt dan aan mij: 'Word ik net als oma, mammy?'

Er flakkert iets achter mijn ogen. Net of ik wakker ben maar tegelijk droom. Droom dat ik op een grote kruising sta, meer wegen dan ik kan tellen. Ik kan elk van die wegen nemen, maar ik loop over de weg van juffrouw Katie, en ze draagt een groene jurk die bij haar ogen past en haar haar zit met een kam naar achteren en ze is een vrouw, volwassen. Maar juffrouw Katie is niet tevreden. Ik krijg in de gaten dat ze niet tevreden is.

Ik wrijf in mijn ogen en glip uit die droom en grijp dat oude paardenharen bankje vast. Als ik het maar stevig vast kan houden, dan val ik niet flauw. Ik zeg: 'Nee, lieverd. Nog niet.' Er loopt een koude rilling over me heen en juffrouw Katie vraagt wat er is en ik zeg: 'Er loopt er eentje over mijn graf. Het is niks, lieverd. Ga maar verder.'

Ik weet niet hoe het kan dat lui die wel willen zien niks zien en lui die niks willen zien het wel moeten zien.

De jonge meesteres Katie O'Hara wil geen vrouw zijn. Als ze een paard had kunnen wezen, was ze paard geworden. Ze zit altijd bij Beëlzebub en praat over niks anders. Juffrouw Ellen maakt zich zorgen over het decorum, want meisjes moeten ruiters bewonderen, en er niet zelf eentje zijn. Juffrouw Katie heeft geen geduld met de mooie jurken die Rosa voor haar naait, en die mooie gehaakte kraagjes en manchetten die haar tantes met kerst sturen verdwijnen in de kast en zien niks geen daglicht meer. Juffrouw Katie draagt lange jongensbroeken en jongenshemden van ribfluweel en rijlaarzen. Soms vergeet ze haar sporen af te doen, en de poot van de bank, die de vorm van een grote leeuwenpoot heeft, is een teen en een klauw kwijt.

Ze zit de godganse dag op dat paard. Ik kan haar helemaal niks in huis laten doen.

Suellen en Carreen groeien op zoals het hoort. Die begrijpen wat decorum is, maar juffrouw Katie snapt er niks van. Juffrouw Katie leren wat decorum is, dat is net deeg kneden als je geen gist hebt. 't Maakt niet uit hoe je staat te puffen en te duwen, het wordt een brood van niks.

Juffrouw Katie heeft niet door dat ze tegen het decorum ingaat, en juffrouw Beatrice laat juffrouw Katie haar gang gaan in plaats van haar kort te houden.

Meester Gerald geeft juffrouw Katie ook nooit een standje. Al die dingen die meisjes niet zouden moeten doen, die ziet hij door de vingers.

Na drie kleine Geralds is er iets doodgegaan in juffrouw Ellen. Ze doet wat ze moet doen; ze regelt het huishouden, gaat op bezoek bij de zieken, helpt iedereen die hulp nodig heeft. Elke dag bidt ze voor het gezin, en soms gaat ze met de trein naar Atlanta, naar de katholieke kerk. Maar haar hart is niet bij ons. Dat is bij die Geralds.

In augustus sterft juffrouw Eleanor Wilkes. De jonge meester Ashley Wilkes is in Europa als zijn mama gaat. Juffrouw Eleanor ligt opgebaard in de salon van Twelve Oaks, en de vrouwen zitten rond de kist en de mannen drinken whisky op de veranda en praten zachtjes met mekaar. Juffrouw Eleanor haar dochter, juffrouw Honey Wilkes, die valt flauw, dus juffrouw India wordt meesteres van Twelve Oaks. De kinderen van Wilkes hebben nooit een mammy gehad, en dat zie je.

Een paar avonden nadat zijn vrouw is begraven komt meneer Wilkes naar Tara en gaat met meester Gerald op de veranda voor zitten. Ze praten tot heel laat en de karaf is leeg voordat meester John weer naar huis rijdt. Meester Gerald komt somber binnen en omhelst juffrouw Ellen en houdt haar stevig vast, alsof hij bang is dat ze verdwijnt.

Een tijdje later kom ik thuis van de kerk, nog altijd in m'n zondagse goed, en dan komt juffrouw Katie de keuken in, met een paardendeken om d'r eigen heen, en ze knikt van 'Mammy, ik heb je nodig' en loopt de achtertrap op. In de slaapkamer laat ze de deken vallen en de achterkant van haar rijbroek zit onder het bloed. Ik schrik, maar juffrouw Katie maakt zich helemaal niet druk.

Ze laat de broek op de vloer vallen en stapt uit haar onderhemd. 'Sta niet zo te gapen. Haal eens een waslap voor me.'

'Het is opoe, lieverd.' Ik doop de lap in de waskom, maak haar schoon.

'Dat weet ik ook wel.' Ze is meer geërgerd dan bang. 'Ik heb Beatrice toch geholpen als papa's merries gedekt moesten worden?'

Ik hap naar adem. 'Wat heb je gedaan?'

Ze schudt haar hoofd, of ze moe is. 'Mammy toch…'

'Jongedames doen dat soort dingen niet! Ik ga het aan uw mama zeggen!'

Juffrouw Katie heeft haar papa helemaal in haar zak zitten. Haar mama niet, juffrouw Katie heeft respect voor juffrouw Ellen!

'Mammy! Dat is de natuur!'

'Daarmee is het nog niet goed. Jongedames horen niks van zulke dingen te weten.' De hele tijd veeg ik haar schoon, dijen en billen, en ik vouw een schone doek op die ik ertussen stop en we kijken mekaar aan en Katie is een vrouw en Ruth is een vrouw en ik kan er niks aan doen dat een lach mijn gezicht vindt.

'Lach je me uit?'

'Nee, ma'am, juffrouw Katie Scarlett O'Hara. Dat durft alleen een dapper man.'

En zo werd juffrouw Katie een vrouw. Het kon haar niks schelen, geen sikkepit.

Gras groeit over de drie grafjes. Bloemen gaan open en bloeien en gaan dood, juffrouw Ellen drinkt weer thee met de dames, en een voor een breken haar blauwe kopjes. Op Fairhill en Twelve Oaks en Tara en bij de Calverts en Munroes zijn barbecues, een, twee, drie per maand. Ik snap niet hoe er nog werk wordt gedaan. Jincy, de koetsier van Twelve Oaks, is zo goed op zijn viool dat hij van juni tot september niet eens op zijn kar zit!

Honey Wilkes is in de rouw, maar denk maar niet dat ze niet meer flirt! O nee! Honey vindt dit aan de jongens leuk en dat aan de jongens leuk, en ze noemt iedereen '*honey*', en zo komt ze ook aan haar naam. Bij de barbecue van Calvert zei Honey: 'O, Brent, ik heb nog nooit zo'n goede ruiter gezien!', en dat hoorde juffrouw Katie, en op weg terug naar Tara bleef ze maar zeggen, tot Suellen haar bijna een pets gaf, 'O, Brent! Wat ben je toch een goede ruiter!'

Juffrouw Ellen zegt: 'Katie, het getuigt van goede manieren als je een heer een complimentje geeft vanwege zijn talenten.'

'O, mama, dat zijn geen talenten. De tweeling van Tarleton, díé kan rijden. Maar Brent? Beatrice zegt dat ze een muilezel voor hem wil kopen omdat Brent er op een muilezel béter uitziet. Waarom liegt Honey over hem?'

'Honey líégt niet. Niet echt. Ze vleit hem, ja. Honey was Brent aan het vleien. Dat is het bijzondere talent van een dame, dat ze een heer een goed gevoel over zichzelf kan geven.'

'Brent Tarleton zit als een zak meel op een paard.'

'Ik twijfel er niet aan dat Brent zich van zijn tekortkomingen bewust is, liefje. Dat zijn we toch allemaal?'

Omdat ik denk dat juffrouw Katie gelooft dat zij helemaal geen tekortkomingen heeft, moet ik lachen, en ze begint tegen mij in plaats van tegen haar mama.

'Mammy, de Bijbel zegt toch dat we niet mogen liegen?'

'Dat weet ik niet, liefje. We mogen de naam van de Heer niet ijdel gebruiken, maar dat is een bepaald soort liegen, geen gewoon liegen. Soms is liegen misschien beter dan iets wat nog erger is.'

'O, mammy!'

Als juffrouw Katie haar zin zou krijgen, zou ze niet naar barbecues gaan, maar ze krijgt haar zin niet. Als juffrouw Ellen zegt: 'De O'Hara's komen,' dan bedoelt ze alle O'Hara's, plus de slaven, want wij tellen ook als O'Hara's, zelfs de allerzwartsten.

Maar als juffrouw Katie haar zin zou krijgen, zou ze ervandoor gaan op die rode duivel, die Beëlzebub. Dat paard heeft nooit een ander op zijn rug gehad, alleen juffrouw Katie. Als ze naar de wei loopt, als de zon net op is en er nog mist hangt, dan komt hij hinnikend naar haar toe, blij dat hij leeft en blij dat hij juffrouw Katie haar paard is. Juffrouw Katie is gekker op dat beest dan op haar eigen familie. Ze ziet Suellen en Carreen vaak niet eens staan, alleen als ze haar in de weg lopen.

Ze is haar papa's lieveling, en er zijn zo veel middagen dat ik meester Gerald en juffrouw Katie samen zie rijden, als vader en zoon.

Zonder juffrouw Eleanor en met meester Ashley zo ver weg weet meester John Wilkes niet wat hij moet beginnen. Als meester Gerald 's avonds niet op Twelve Oaks zit, zit meester John wel op Tara, en ze hebben het over katoen en paardenrennen en 'het Compromis', iets over het houden van slaven in Kansas – hebben ze die wel of mogen ze dat niet?

De vier ruiters van de Apocalyps komen eraan, maar niemand wil er iets over zeggen. Toen die millerieten zeiden dat de wereld zou vergaan, zat iedereen van 's morgens vroeg tot 's avonds laat te wauwelen dat Jezus zou komen en dat de wereld zou vergaan. En op de dag dat Hij had moeten komen kwam Hij niet en daarna vergat iedereen dominee Miller en zijn voorspelling.

Maar de oorlog komt zo groot en zo snel dat ik bijna denk dat ik de trommels kan horen! Maar niemand zegt wat over oorlog. Dan is het net of er oorlog komt, dus hou je mond! In plaats daarvan hebben ze het over president Pierce en wat-ie doet en over Stephen Douglas en Henry Clay en wat die allemaal hebben gedaan, en ze drinken whisky tot de karaf leeg is.

Meester Ashley Wilkes is al bijna drie jaar weg. Hij is naar Engeland, en naar Frankrijk, en al dat soort landen. Hij had genoeg tijd om meester John over die landen te schrijven.

Vooral meester Gerald is blij dat meester Ashley weer naar huis komt. Juffrouw Ellen is ook blij, want ze hoopt dat meester John niet meer zo eenzaam is als meester Ashley weer thuis is. Alle O'Hara's, behalve juffrouw Katie, zitten op Twelve Oaks als meester Ashley thuiskomt. Juffrouw Katie heeft haar enkel verstuikt en blijft thuis.

Jincy is hem gaan ophalen, en wij wachten op de veranda van Twelve Oaks en drinken zoete thee. Juffrouw Ellen en de meisjes Wilkes wuiven met hun waaiers. De bijen zoemen tussen de rozenstruiken die juffrouw Wilkes heeft geplant en die er niet zo patent meer bij staan nu ze er niet meer is. Meester Wilkes ziet wit als een katoenbol, maar hij lacht zoals hij in tijden niet meer heeft gelachen, en hij en meester Gerald drinken de *juleps* die Pork heeft gemaakt, want Pork is beroemd om zijn juleps. Ze zeggen dat het zo warm is en dat meester Hugh Calvert gisteravond zo dronken was dat hij van zijn paard is gedonderd en iets heeft gebroken, en ze zitten erbij te lachen of ze zelf nooit dronken zijn geweest. De huisnegers van Twelve Oaks hangen wat rond en laten zich niet wegjagen als juffrouw Honey ze probeert weg te jagen.

We houden op met praten als Jincy met de buggy aan komt rijden. De jonge meester is zo'n tijd weggeweest dat we niet weten of hij nog wel dezelfde knaap is die op Twelve Oaks is geboren en getogen. Is hij nog wie hij was?

De buggy staat nog niet stil of meester Ashley springt er al uit en neemt zijn papa in zijn armen, of hij hem nooit eerder heb gezien. Ze lijken op mekaar, maar John Wilkes is versleten als een ouwe lap en Ashley Wilkes is blinkend en scherp als een nieuw koperen muntje.

Ashley is veranderd. Hij was een stille knaap met grijze ogen die keken of hij er net was en zo weer weg zou zijn. Meester Ashley is veranderd. Hij heeft vrouwen gekend en is geen knaap meer.

Hij lijkt nog steeds meer te zien dan anderen, maar hij is niet meer zo afwezig als eerst. Zijn lach is vriendelijk en gemakkelijk en droevig.

Meester John vraagt naar Rome en de Grieken, en meester Gerald vraagt naar Ierland. Meester Ashley is op plaatsen geweest die meesters belangrijk vinden. Hij is niet in Haïti of Afrika geweest.

We zitten allemaal bij mekaar te praten. Jincy legt een pakje naast de voordeur van Twelve Oaks.

'Dat heb ik in Parijs gevonden,' zegt meester Ashley.

Meester John trekt zijn wenkbrauwen op.

'Dat vindt u vast wel mooi. Sentimenteel.'

Meester John begint hard te lachen, en al snel lachen we allemaal mee ook al snappen we de grap niet.

Het is een schilderij van soldaten tijdens een veldslag, alleen vechten ze niet omdat ze een gewond hondje verzorgen.

'Vernet,' zegt meester Ashley tegen zijn vader, even plechtig als een rechter.

Meester John kijkt ook plechtig, maar zijn lip trilt. 'Voor in de hal? De salon?'

Alleen de mannen Wilkes lachen. Wij bewonderen het schilderij van meester Vernet van soldaten die voor een hond zorgen terwijl het oorlog is. Waarom pakken ze die hond niet op en gaan ze er niet vandoor, dat denk ik.

Meester John probeert niet te lachen. 'Subliem.'

'De mens is onmenselijk tegen honden,' zegt meester Ashley.

Dan verandert er iets in meester John zijn ogen, want de grap is niet meer grappig. 'De mens is voorbestemd om te rouwen.' Ashley Wilkes zijn papa heeft het niet meer over dat schilderij.

'Moeder heeft niet geleden?'

Meester John lijkt te gaan huilen, en dat wil hij niet doen waar wij bij zijn. 'De dood was genadig. Eleanor is in de armen van haar Verlosser.'

'O, Ashley! Lieve Ashley!' Honey en India Wilkes verbreken de betovering. Ze omhelzen hem zo stevig dat hij bijna zijn evenwicht verliest en hij zegt: 'Voorzichtig met de vermoeide reiziger!'

Honey steekt haar tong uit.

Alles is weer zoals het was. Meester Gerald vraagt naar Ierland, en hij is pas tevreden als Ashley hem van dag tot dag vertelt hoe die van Dublin naar Cork is gereisd en dat het elke dag regende en dat de zon niet echt onderging, maar eerder in de mist verdween.

'Ja, daar is het nat hoor,' zegt meester Gerald lachend en hij slaat met zijn handen op zijn bovenbenen alsof hij het daar zelf nat heeft gemaakt.

'En hoe staat het met onze dierbare natie? Moeten we op Frémont of op Buchanan stemmen?'

Zijn papa zegt Buchanan, en meester Ashley zegt dat de Europeanen denken dat we hier oorlog krijgen, en ik voel een steek in mijn hart en moet even in de schommelstoel gaan zitten die altijd juffrouw Eleanor haar lievelingsstoel was. Ik wuif koele lucht naar me toe en zie de gezichten van de lui wazig worden en de stem in mijn oor is van juffrouw Ellen, die drukt een glas thee in mijn hand.

'Het gaat wel,' zeg ik. 'Ik wil alleen geen oorlog.'

'Het gezond verstand zal zegevieren, mammy,' zegt meester John.

Maar meester Ashley kijkt met die droeve ogen en zegt: 'O ja? De dwazen beleven geen plezier aan kennis. Ze beleven plezier aan hun eigen dwaasheid.'

'Natuurlijk zegeviert gezond verstand,' zegt meester John kortaf.

Ik? Ik denk er net zo over als meester Ashley.

Dan komt er een kar met zes paarden ervoor de oprijlaan van Twelve Oaks op en er staat een groot krat op dat met touwen is vastgebonden.

Meester Ashley zegt tegen Mose dat-ie met een stel mannen naar zijn mama haar rozentuin moet komen. Ze moeten stutten en touw en blok en koevoeten en zulks meebrengen.

En daar lopen we allemaal naar de tuin waar juffrouw Eleanor zo veel rozen heeft geplant dat twee zwarten er dag in, dag uit mee bezig zijn. Die rozen worden beter verzorgd dan sommige kinders. De kar komt de tuin in en de knechten tillen dat krat eraf en Mose zet een koevoet op dat krat, en daar zit een metalen paard in. Een groen paard dat steigert en met zijn hoeven zwaait. Ik heb mooiere paarden gezien.

Meester John veegt een traan van zijn gezicht.

'Etruskisch,' zegt meester Ashley op een toon dat je wel moet denken dat meester Etruskisch een erg goede maker van groene, metalen paarden is.

'Eleanor... Ze... Ze had dit zo mooi gevonden.'

'Ik heb het voor moeder gekocht. Haar prachtige tuin smeekt om een fontein.'

'Ze zei zo vaak...'

Wel, we hebben allemaal het gevoel dat we ergens zijn waar we niet moeten wezen, ergens waar het niet voor ons is. Die lui van Wilkes, die kunnen je dat gevoel geven.

In dat krat zit nog meer dan dat grote, groene paard. Meester Ashley heeft een zilveren beker uit Ierland meegenomen voor meester Gerald. Ik weet niet waarom ze het een stijgbeugelbeker noemen, want daar krijgt nog geen kind een voet in. Meester Gerald wordt er helemaal druk van. Hij wil weten waar meester Ashley hem heeft gekocht, en als meester Ashley vertelt waar, zit meester Gerald te grijnzen of hij die zilverwinkel heel goed kent en er al zo vaak langs is gelopen.

Meester Ashley heeft een mooie, kanten sjaal voor juffrouw Ellen en kanten kraagjes en manchetten voor zijn zusters. Misschien had hij die sjaal wel voor zijn mama Eleanor gekocht, maar hij geeft hem aan juffrouw Ellen.

Meester Ashley vraagt naar juffrouw Katie en juffrouw Ellen zegt: 'Ze is gisteren van haar paard gevallen en heeft zich bezeerd. Ik heb gezegd dat ze thuis moest blijven.'

Meester Ashley moet lachen, alsof juffrouw Ellen en hij iets weten wat andere lui niet weten. 'Juffrouw Katie... gevallen? Ze lijkt meer op kleefkruid dan op een klein meisje.'

'Ze is geen klein meisje meer, Ashley,' zei juffrouw Ellen.

'Ah.'

Later die avond hou ik juffrouw Katie gezelschap op de veranda van Tara als meester Ashley komt aangereden. Die man steekt altijd netjes in zijn kleren. Zelfs toen hij nog een klein knaapje was, heb ik hem nooit met kreukels in zijn goed gezien. Hij heeft zijn reiskostuum verruild voor wat anders en zijn gepoetste laarzen glanzen rood als bloed en die grijze broek is strakker dan het hoort en dat witte hemd lijkt nog nooit eerder gedragen en hij draagt een gouden dasspeld en een hoed die bijna net zo wit is als dat hemd.

Hij neemt zijn hoed af voor juffrouw Katie en glimlacht. Ze schiet overeind, net of ze door de bliksem is getroffen. Hij komt het trapje op en geeft haar een handkus als een Fransman en zegt dat ze zo groot is geworden. Ze zegt helemaal niks. Misschien kan ze dat niet.

Hij zegt: 'Wat naar dat je gevallen bent.'

Juffrouw Katie wil het uitleggen, maar het lukt niet. 'Boomtak' is het enige wat eruit komt.

'Dat krijg je ervan als je door het bos wilt galopperen.' Hij trekt zijn kleine blauwe zijden pochet uit zijn zak.

Even denk ik dat hij daar een ring in heeft zitten, maar het is een oud stukje koper.

'Als je dit vastmaakt aan het hoofdstel van Beëlzebub zal hij lage takken voortaan uit de weg gaan.'

Juffrouw Katie weet niet hoe ze hem moet bedanken. Ze bloost. Hij zegt: 'Deze sierschijf hing tweeduizend jaar geleden aan een Romeins hoofdstel.'

'Ik weet wanneer de Romeinen leefden,' zegt juffrouw Katie, scherper dan haar bedoeling is.

'Daar twijfel ik niet aan,' zegt hij, met die vriendelijke glimlach, en juffrouw Katie weet niet goed wat ze moet doen en dus knikt ze als een klein meisje. Als ze merkt hoe gek dat staat, gaat ze rechtop zitten, ernstig: 'Dank u, meneer Wilkes. Beëlzebub zal het altijd koesteren.'

Waarom heren liever dameszadels hebben

De sierschijf is een plat stukje koper waarvan de voorkant zo afgesleten is dat ik niet eens goed kan zien wat erop staat, ik denk het gezicht van een of andere koning, maar juffrouw Katie vindt hem prachtig en laat hem door Toby vastmaken aan Beëlzebub zijn hoofdstel, met twee draden, zodat hij niet los kan raken. Ze zegt tegen Beëlzebub dat hij nu een Romeins strijdros is, en zo kijkt dat paard haar ook aan, heel belangstellend, maar hij snapt er geen sikkepit van, en ze loopt om hem heen of ze dat stukje koper voor de eerste keer ziet en zegt: 'O, Beëlzebub, waar heb je dit vandaan? Een cadeau van een bewonderaar?'

Dat hele gedoe maakt haar zo brutaal.

Als ze niet met haar papa aan het rijden is, dan is ze wel met juffrouw Beatrice aan het rijden. Zij en dat paard gaan bijna elke dag naar Fairhill. Als zij zich buiten in het zweet aan het rijden is, gonzen de jonge heren uit de buurt als bijen om juffrouw Honey en juffrouw Suellen heen. Die meisjes zijn net lentehoning – waterig maar zo fijn en zoet!

Die meisjes, en ook juffrouw Carreen en juffrouw India Wilkes, die weten wat decorum is. Die komen de dagen zonder rimpeling door. Juffrouw Katie niet, die maakt rimpelingen als een meerval in ondiep water. Ook al zie je juffrouw Katie niet, je weet dat ze er is!

De meeste meesteressen zijn meestal niet vrijer om te doen wat ze willen dan ik of Pork of andere zwarten. Ze moeten queues dragen en ze moeten uit de zon blijven om hun gezicht bleek te houden en ze moeten elke heer die in de buurt zit vertellen dat hij de beschaafdste heer is die ze ooit hebben ontmoet. Dat is allemaal niks voor juffrouw Katie O'Hara!

Andere vrouwen komen met problemen naar juffrouw Ellen. Ze komen met hun geheimen en problemen naar juffrouw Ellen omdat ze weten dat juffrouw Ellen geduld heeft, net als die heiligen waarover ze zo veel las toen ze nog klein was. Er zullen nooit geen vrouwen naar juffrouw

Katie komen. Ook al is juffrouw Katie volwassen, dan nog zullen er nooit geen vrouwen haar hun problemen vertellen. Juffrouw Katie is geen heilige, geen juffrouw Ellen. Ze heeft helemaal niks van een heilige. Als juffrouw Ellen ziet dat er eentje pijn heeft, dan doet ze er wat aan. Juffrouw Katie ziet niet of er eentje pijn heeft, die ziet niet of er eentje het moeilijk heeft, die ziet alleen juffrouw Katie!

Ik vraag me af: waarom hou ik van haar? Waarom wil ik weten wat ze allemaal uitspookt? Waarom loop ik haar altijd achterna? Ze is heel anders dan ik. Ze is heel anders dan de meeste andere lui!

Omdat ze is wie ze is! Ze is meer juffrouw Katie dan juffrouw Carreen juffrouw Carreen is, en zelfs meester Ashley is niet zo veel wie hij is als juffrouw Katie is wie ze is. Ze is als de zon die ondergaat en de maan die opkomt. Daar kun je alleen maar blij mee zijn, meer kun je niet doen.

Decorum is het enige wat tussen jou en de duivel in staat. Het enige schild waarmee je Satan kunt wegjagen is decorum en een brede glimlach. Als je vrolijk bent en als je decorum vertoont, dan zal die ouwe duivel je overslaan, dan zoekt hij naar een andere zondaar om zijn streken mee uit te halen.

Juffrouw Beatrice weet niks van decorum, maar juffrouw Katie hemelt haar altijd op. 'Beatrice dit' en 'Beatrice dat', alsof juffrouw Beatrice Tarleton en haar kroost zo'n goed voorbeeld zijn. 'Het kan Beatrice niet schelen of haar huid "lelieblank" is, mammy,' zegt juffrouw Katie. 'Beatrice denkt dat de meeste "heren" dwazen zijn.'

Mijn afkeer van die vrouw is zo groot dat ik er knopen van in mijn maag krijg.

Ik durf juffrouw Katie niet te vertellen waar juffrouw Beatrice allemaal geen verstand van heeft. Dit wil ik tegen haar zeggen:

Ja, juffrouw Beatrice, die werkt hard, ja, ze doet wat een meesteres moet doen, en ze bidt en ze is dapper en ze doet geen domme dingen en ze weet meer van paarden dan de meeste mannen. Maar die man van juffrouw Beatrice, meester Jim, die heeft vierhonderd hectare en zwemt in het geld. Af en toe gaat meester Jim naar de heren die Georgia besturen en laat hij ze wetten maken die iedereen moet gehoorzamen. Zelfs belangrijke, blanke meesters luisteren naar juffrouw Beatrice en lachen braaf, al zegt ze nog zulke gekke dingen!

Maar dat komt omdat ze met die man getrouwd is! Als juffrouw Beatrice een blanke armoedzaaier was geweest, zoals mevrouw Slattery, of een zwarte als Teena, had ze haar mond moeten houden en altijd moeten lachen!

Alles wat juffrouw Beatrice heeft, heeft ze omdat ze met meester Hugh getrouwd is. Daarom maken je mama en ik ons zo druk over met wie je gaat trouwen, want als je met de verkeerde man trouwt, dan ben je niemand. Dan ben je de vrouw van een zuiplap of een gokker of een armoedzaaier. En als je helemaal niet trouwt, dan word je een oude vrijster die aan het einde van de tafel zit en niks durft te zeggen omdat je je familie niet tegen de haren in wilt strijken. Dan zou juffrouw Katie iedereen stroop om de mond moeten smeren! Vrouwen die nooit trouwen en vrouwen die met een sukkel trouwen, die hebben het zwaar!

Acht jaar geleden steeg juffrouw Katie op haar eerste paard. Ze reed altijd schrijlings, als een jongen, maar nu is ze groot, en dus laat juffrouw Ellen de zadelmaker in Jonesboro een mooi dameszadel maken, rood, net als Beëlzebub.

Nou, juffrouw Katie is bang voor haar mama, dus die gaat niet brutaal doen. Ze bedankt haar mama, maar een week later vraagt Big Sam aan mij waarom dat dameszadel in de tabaksschuur hangt en waarom Toby elke keer dat juffrouw Katie gaat rijden twee keer moet opzadelen en afzadelen.

En dus vraag ik het aan juffrouw Katie, en die zegt dat ze 'er de voorkeur aan geeft' om net zo te rijden als ze altijd heeft gedaan, net zoals papa Gerald doet.

Dus ik zeg tegen haar: 'Lieverd, er is nooit geen dame geweest die paardrijdt als een man.'

Ze gaat ertegenin. Juffrouw Beatrice heeft juffrouw Katie verteld dat 'Catharina de Grote' met een herenzadel reed en tegen haar 'hofdames' zei dat zij ook zo moesten rijden. Ik zeg tegen juffrouw Katie dat die 'hofdames' nog lang kunnen wachten als ze denken dat een heer ze dan nog het hof wil maken.

Juffrouw Katie gaat pas volgende herfst naar de school voor jongedames in Fayetteville, maar ze weet nu al van alles. Ze vertelt me dat 'hofdames' belangrijke dames aan een hof waren, dat het de dochters van meesters waren, die dames die net als Catharina de Grote reden als een man.

'Catharina de Grote was geen dame uit Georgia,' zeg ik. 'Misschien waren die "hofdames" niet op een echtgenoot uit. Misschien hadden ze er al eentje.'

Een frons op juffrouw Katie haar voorhoofd. 'Wat kan het een echtgenoot schelen of ik met een dameszadel kan rijden?' Juffrouw Katie kijkt met grote onschuldige ogen, als een kind.

Ik zeg niks meer. Sommige dingen gaan zelfs mammy's niet uitleggen.

Als het zomer wordt, komen Charles en Melanie Hamilton, de neef en nicht van Wilkes, naar Twelve Oaks en ook naar alle barbecues. Hun papa en mama zijn dood en ze wonen in Atlanta bij hun tante Pittypat, en die kan een spotvogel nog gek maken, zo veel praat ze! Omdat Charles Hamilton in Atlanta woont, durft hij niet zo veel als de tweeling Tarleton. Juffrouw Melanie is een klein verlegen meidje maar ze weet wat decorum is.

Charles en Melanie zijn vrienden met de meisjes Wilkes en Suellen, maar juffrouw Katie ziet die twee niet staan.

Soms gaat juffrouw Katie met meester Ashley uit rijden. Ze galopperen niet, ze praten. Meester Ashley denkt dat juffrouw Katie nog altijd een kind is omdat ze als een jongen rijdt. Het is geen geheim dat ze samen uit rijden gaan, maar ze hangen het ook niet aan de grote klok.

Meester Ashley kan geen kwaad. Hij zal er geen misbruik van maken. Die tweeling Tarleton en die jongens van Calvert, die vertrouw ik voor geen cent, maar juffrouw Katie laat die knapen nog eerder haar sporen zien dan dat ze met een of andere jongen ergens in de schaduw gaat zitten en hem te goed leert kennen.

De lijfknecht van de tweeling, Jeems, is met die twee opgegroeid, en Jeems weet precies wat de tweeling doet en wat alle anderen doen! Jeems is altijd welkom in de keuken van Tara! Cook schenkt thee voor hem in en hij vertelt de mooiste verhalen.

Jeems zegt zulke grappige dingen. 'Stuart en Brent Tarleton, dat zijn de beste, snelste ruiters van heel Clayton County, op een méisje na.'

Jeems slaat op zijn dij. Gistermorgen zijn ze achter juffrouw Katie aan gegaan, Stuart voorop en daarna Brent, door het bos, over de geploegde akkers, en toen ging Brent voorop en raakte Stuart achterop en ze plonsden door de voorden en hun paarden raakten buiten adem en juffrouw Katie werd steeds kleiner totdat ze haar helemaal niet meer konden zien. 'Duivelsgebroed,' zegt Jeems tegen ons. 'Zo noemen ze dat beest, Beëlzebub. Duivelsgebroed.'

Ik zeg niks tegen juffrouw Ellen over dat dameszadel dat in de tabaksschuur hangt te verstoffen en Big Sam zegt ook niks, maar juffrouw Ellen komt erachter dat haar dochter als een jongen rijdt en niet als een meisje, en juffrouw Ellen zegt tegen juffrouw Katie dat ze de boel heeft bedot en dat dames dat nooit doen, wat er ook gebeurt. Ze zegt tegen juffrouw Katie dat het niet damesachtig is om als een man te rijden en dat een meisje dat niet als een dame rijdt nooit een echtgenoot zal vinden.

Juffrouw Katie doet net of ze er spijt van heeft, maar lang zal dat niet duren. Ze trekt een vastberaden gezicht en zal wel een andere manier vinden om schrijlings als een jongen te rijden.

Ik vind het maar niks, waar juffrouw Beatrice mee bezig is, om juffrouw Katie in iemand als haar te veranderen. Juffrouw Katie heeft geen duur huis en geen plantage en geen geld, en als ze zo dom blijft doen, heeft ze straks ook geen echtgenoot die haar dat kan geven!

Dus ik zeg tegen juffrouw Katie dat haar mama gelijk heeft. Als ze blijft rijden als een jongen zal ze haar echtgenoot vreselijk teleurstellen.

Het kan juffrouw Katie niet schelen of ze wel of geen echtgenoot krijgt. Ze heeft niks geen aandacht voor jongens, behalve voor die dromerige Ashley.

Maar ze wil ook niet horen dat ze iets niet krijgt. Dat vindt ze niet fijn.

Als juffrouw Katie vraagt waarom echtgenoten teleurgesteld zijn als ze merken dat hun vrouwen als jongens hebben gereden, bedenk ik iets heel slechts. Ik ben katholiek gedoopt, ik ben met een methodist getrouwd en ik zit elke zondag boven in de baptistenkerk in Jonesboro. Ik weet hoe de ondeugden van Satan eruitzien, dus ik weet dat het slecht is, wat ik heb bedacht.

Meester Gerald heeft juffrouw Katie aangemoedigd in dit gekke paardengedoe. Meester Gerald gaat 's avonds met haar uit rijden en dan springen ze over de hekken als ze denken dat niemand het kan zien. Meester Gerald heeft het voortdurend over juffrouw Beatrice: juffrouw Beatrice dit en juffrouw Beatrice dat. Juffrouw Ellen blijft glimlachen, maar het is een scherpe glimlach. Ik? Ik denk dat meester Gerald schulden te betalen heeft. Dus ik ben zoet als een taart van zoete aardappels als ik tegen juffrouw Katie zeg: 'Dat moet je aan je papa vragen, lieverd. Je moet maar aan een echtgenoot vragen wat een echtgenoot van een vrouw wil.'

Dat was de ondeugd van Satan. Dat weet ik. Ik bid om vergiffenis.

Juffrouw Katie gaat met haar vader praten, maar ze wacht tot de familie klaar is met eten en juffrouw Ellen boven bij Carreen zit, die verkouden is.

Meester Gerald zit in de stoel die juffrouw Ellen heeft gekocht toen hij zijn oude stoel aan Big Sam heeft gegeven. Na al die jaren ziet de nieuwe stoel er net zo slecht uit als de oude stoel. Alles verslijt en we merken het niet eens.

Vanavond is meester Gerald tevreden. De prijzen zijn goed, we hebben goede regens gehad, de bollen van de katoen staan op knappen. Meester Gerald heeft zijn sigaar afgebeten en schenkt een whisky in, maar hij weet niet dat het kruitvat op ontploffen staat. Ik ga met mijn naaimandje in een stoel achter in de kamer zitten. Ik pak de sok die ik moet stoppen, en dat ziet hij vanuit zijn ooghoeken, en ik mompel iets over 'sommige heren die niet weten dat je een sok moet afrollen voordat je hem aantrekt', maar niet hard, net hard genoeg zodat hij het kan horen. Als ik niet mompel, weet meester Gerald niet of ik wel ademhaal.

Juffrouw Katie komt binnen en gaat aan zijn voeten op de vloer zitten en kijkt hem poeslief aan. Ze springt op om zijn sigaar aan te steken. Ze vraagt of hij water wil voor door zijn whisky.

Ze hebben het over paarden. Ze denkt dat niemand op Beëlzebub kan rijden, zelfs juffrouw Beatrice niet, alleen zij en haar papa. Ze vertelt hem dat ze laatst in Jonesboro Kennedy van de winkel hoorde zeggen: 'Uw vader, Gerald, die is klein en Iers maar hij staat zijn mannetje!' Dat vindt meester Gerald fijn om te horen en hij zwelt helemaal op, maar hij is niet dom en juffrouw Katie is niet de eerste die hem voor de gek probeert te houden. Hij zegt: 'Vleierij, poesje. Vleierij heeft al de nodige goede kerels de kop gekost.' Maar hij is ook blij en wil best nog wat meer van wat goeie kerels de kop heeft gekost. Hij zegt dat president Buchanan aan de kant van de planters staat, tegen de yankees, en juffrouw Katie zit met haar mond open, alsof ze verbaasd is dat haar papa weet wat de president doet. Meester Gerald laat de woorden van president Buchanan door zijn mond rollen. 'Wat goed is en wat doenlijk is, zijn twee heel verschillende dingen.'

Juffrouw Katie wil weten wat 'doenlijk' is.

Meester Gerald zegt: 'Doenlijk, poesje, dat is wat men kan bereiken. Daaraan heb ik zelf altijd de voorkeur gegeven.'

Ze is zo onder de indruk, want haar papa is zo wijs, en haar gezicht straalt en hij trekt aan zijn sigaar en ik tuur in het mandje met sokken vol gaten en probeer mijn lachen in te houden.

Juffrouw Katie weet precies wat ik denk, en ze kijkt naar me, even fel als een wasbeer in een strik, en natuurlijk begin ik daar helemaal van te schudden, als een pudding, en ik kijk de andere kant op omdat ik haar niet meer aan durf te kijken.

Juffrouw Katie besluit dat ze het maar beter kan vragen voordat ik begin te bulderen van de lach, dus ze probeert zo lief mogelijk te kijken, met dat verbaasde gezichtje. 'Papa, mag ik u iets vragen?'

Bloedserieus zegt hij: 'Nee, dat mag niet, juffrouw Katie. Meester Gerald O'Hara mag níét worden gestoord!' en hij grinnikt en klopt haar op de schouder. 'Je weet dat ik geen nee kan zeggen tegen een mooi meisje.'

Ze trekt een gezicht, en dat ziet hij niet, maar ik wel. Met haar zachtste, liefste stemmetje zegt juffrouw Katie: 'Papa, er zijn van die malle lieden die zeggen dat ik met een dameszadel moet gaan rijden, en niet zoals u en juffrouw Beatrice mag rijden. Maar als ik vraag waarom, dan geven ze nooit antwoord of draaien ze eromheen. Als ik schrijlings blijf rijden, zal ik op een of andere manier mijn echtgenoot teleurstellen als ik trouw. Misschien trouw ik wel niet. Misschien trouw ik wel nooit. Maar als ik dat wel doe, wil ik niet graag mijn echtgenoot teleurstellen. Wat bedoelen ze nu eigenlijk? Hoe zal ik hem teleurstellen?'

Meester Gerald spuugt zijn whisky uit alsof hij zeep heeft ingeslikt en kucht en hoest en drukt zijn sigaar uit en hij hoest zo hevig dat juffrouw Katie hem op zijn rug moet kloppen en meester Gerald net zo rood wordt als een rijpe appel.

Als hij weer tot bedaren is gekomen drinkt hij zijn whisky en slikt en zij zit op de leuning van zijn stoel en zegt: 'U weet alles wat een mens over paarden kan weten, mijn lieve vader. Hoe kan schrijlings rijden mijn echtgenoot teleurstellen?'

Meester Gerald kijkt me vragend aan, maar hij weet meteen hoe juffrouw Katie hierbij is gekomen, en ik glimlach om hem te laten weten dat mammy hem niet gaat helpen. Hij dept zijn mond met een zakdoekje en kucht opnieuw, om tijd te rekken. 'Katie, Katie, ik geloof dat ik toch wel wat water wil.'

Zodra ze weg is, kijkt meester Gerald me zo kwaad aan!

Als ze met het water komt, nipt hij ervan en laat hij zo'n zwak glimlachje zien dat mannen laten zien als ze net doen of ze kleine jongetjes zijn en dan zegt hij tegen juffrouw Katie dat haar mama het haar zal uitleggen, van dat dameszadel. Hij zegt: 'Misschien heeft ze je al gewaarschuwd.'

Daardoor moet ik in mijn zakdoek proesten, maar ik doe net of ik mijn neus snuit.

Juffrouw Katie jammert: 'Maar waarom? Hoe kan ik een paard inhouden als ik als een zadeltas aan zijn flank bungel?' Ze beent de kamer uit en stommelt naar boven, en meester Gerald schudt met zijn vinger naar me, maar hij zegt niks.

Ik weet niet of juffrouw Katie ooit aan haar moeder heeft gevraagd hoe schrijlings rijden een maagd kan schaden. Juffrouw Katie is er nooit mee gestopt.

Hoe ik Judas ben

De katoen van Tara brengt twaalf cent op, en dat was die herfst het enige goede nieuws. Graan is de helft van wat het is geweest, de banken en de spoorwegen van de blanke lui gaan op de fles, en in Kansas schieten de abolitionisten en slavenhouders op mekaar. Ik denk: niet weer. De geesten zijn dof en rusteloos, ze draaien allemaal in het rond of ze ruimte aan het maken zijn.

Dilsey bezoekt Tara met haar domme dochter, Prissy. We zitten op de veranda bij de keuken. Alles is stil, als vlak voor een grote storm.

Dilsey zegt tegen me: 'Generaal Jackson heeft opa bij Horseshoe Bend gedood. Opa was een Red Stick. Dit was hun land. Dít land' – ze kijkt rond of er achter elke struik van Tara een Red Stick zit – 'was het land van de Creek. Hier, deze plek!'

Ik zeg: 'Lui hebben altijd andere lui doodgemaakt. Het lijkt wel of ze er niks aan kunnen doen.'

Ze zegt: 'Het gaat weer gebeuren.'

Geesten dwarrelen om ons heen als motten tegen een verlicht raam. Ik huiver. Ik zeg: 'Daar kunnen jij en ik niks aan doen.'

Dilsey zegt: 'Die Red Sticks wisten hoe je dood moest gaan. Wat denk jij, zouden de meesters daar goed in zijn?'

Op Tara gaat het zoals altijd. Na het eten zet Pork bloemen op de slaapkamer van de O'Hara's. Juffrouw Ellen dart door de hele streek om al die lui te bezoeken die hun eigen niet kunnen redden. Opzichter Wilkerson is niet zo gemeen als vroeger. Big Sam zegt dat hij een vrouw heeft.

Op zaterdag gaan Sam en meester Gerald naar Jonesboro om katoen te verkopen en ze blijven voor de veiling van paarden en slaven. Sam zegt dat meer meesters hun slaven verkopen dan dat ze kopen. Als de meesters bang zijn, moeten de slaven eronder lijden.

Als meester Gerald katoen heeft verkocht, legt hij het geld bij Frank Kennedy in de kluis. Af en toe laden hij en Big Sam hun pistolen en nemen ze de trein naar Atlanta, waar ze het geld van Tara naar de Georgia Railroad Bank brengen.

Als ze weer thuis komen, zegt meester Gerald tegen juffrouw Ellen dat de Georgia Railroad Bank staat als een huis. De Georgia Railroad Bank gaat niet op de fles, zoals al die andere banken.

Juffrouw Ellen kijkt haar man een hele tijd aan zonder een woord te zeggen. 'Meneer O'Hara. Mijn drie dochters en ik hebben vertrouwen in je oordeel.'

Meester Gerald loopt de veranda op om een sigaar te roken. Later rijdt hij, zonder er veel woorden aan vuil te maken, naar Twelve Oaks om aan meester John te vragen of die nog geruchten over de Georgia Railroad Bank heeft gehoord.

De zondagen zijn rustig en vredig en de wind fluistert in de ceders rond de baptistenkerk in Jonesboro, waar de blanken en de zwarten bidden dat dingen beter worden voordat ze nog erger worden. De dominee gaat te-keer tegen de renbaan van Jonesboro. Hij zegt dat 'renkoorts' erger is dan waterzucht of gele koorts, maar dat maakt geen einde aan het gokken. Hoe minder geld de meesters hebben, hoe meer ze inzetten, zo lijkt het.

Tarleton wedt tegen Calvert, Calvert wedt tegen Wilkes, Wilkes wedt tegen Tarleton. Meesters glimlachen en knikken alsof ze het niet erg vin-den, maar ze houden hun handen vlak bij hun pistolen.

Op Twelve Oaks oogsten ze hun katoen een maand later dan op Tara, dus bij Wilkes beginnen ze pas met oogsten als de paniek al is uitgebroken en er bijna geen kopers voor katoen meer te vinden zijn. Dilsey zegt dat meester John meestal wint met gokken, maar dat hij op sommige zondag-ochtenden 'stil is als het graf'.

Op de meeste ochtenden zijn juffrouw Katie en de rode duivel Beëlzebub al op pad als ik naar de keuken kom, en soms komen ze niet voor donker thuis. Juffrouw Katie is bang voor haar mama. Als haar mama boos is, laat juffrouw Katie haar hoofd hangen en heeft ze spijt, maar de volgende och-tend is ze er weer vandoor.

Juffrouw Beatrice brengt meester Gerald een bezoek, en ik bedien ze zelf.

Juffrouw Beatrice zit rechtop in de harde, paardenharen stoel. Ze heeft haar rijkleren aan en haar lange, leren handschoenen op haar schoot. Meester Gerald doet of ze hem elke dag een bezoek brengt, of dit niks bijzonders is.

Ik zet het theeblad op het tafeltje en ga in de hoek staan, waar Pork altijd staat als hij moet bedienen.

Juffrouw Beatrice zegt: 'Gerald, als ik onwelkome waarheden moet mededelen, heb ik liever iets sterkers dan thee.'

Het duurt niet lang voor hij de karaf heeft gepakt. Zijn glas is vuil en hij wil me om een schoon glas sturen, maar juffrouw Beatrice zegt: 'Schenk het maar in mijn theekopje, Gerald.'

En dat doet hij. Ze drinkt het op en steekt haar kopje opnieuw uit.

Hij bedient haar tot ze met haar vinger heen en weer gaat om aan te geven dat hij weer kan gaan zitten. 'Het gaat om je dochter, Gerald.'

'Welke van mijn dochters, Beatrice?'

Ze kijkt hem aan. 'Als je denkt dat Katie op Fairhill met mij aan het rijden is... Dat is niet zo. Ik zit elke ochtend op haar te wachten, maar meestal word ik teleurgesteld. Ik vrees niet voor haar als ruiter, want ze kan beter rijden dan de meeste mannen en ze is zeker beter met paarden dan mijn eigen zonen. Ik vrees voor haar reputatie, Gerald. En zoals je weet, maak ik me minder zorgen over reputaties dan de andere vrouwen hier in de buurt.'

'Maar...'

'Je dochter is even wild als een Cherokee. Ze laat de herten in de bossen en de veldslaven tussen het graan schrikken. Terwijl de heren Wilkes, Calvert en, helaas, Tarleton hun fortuin op de renbaan van Jonesboro op het spel zetten, gaat jouw dochter om met de stalknechten en jockeys – blanken én zwarten – die voor de paarden op de renbaan zorgen. Katie O'Hara is, zo heeft Jeems me verzekerd, erg gezien bij die lieden.'

Dus als juffrouw Katie die avond thuiskomt, staat meester Gerald klaar om toe te slaan. Ik mag niet in de salon komen als hij haar een uitbrander geeft. Juffrouw Katie komt bleek en zonder iets te zeggen weer naar buiten. Zo heb ik haar nog nooit gezien. Ze zegt niks meer over juffrouw Beatrice en rijdt niet meer naar Fairhill.

Maar ze is niet genezen. Nog lang niet. De volgende morgen zijn zij en dat paard al op pad voor er ook maar iemand wakker is, en ze komt pas thuis als de zon al onder is.

De meester en de meesteres zijn van streek en weten niet wat ze moeten beginnen. Het voelt als een adder aan hun borst! De meesteres wil het kind niet slaan, dat zou toch niet helpen. Meester Gerald wil het paard niet verkopen. Ze komen niet verder!

Juffrouw Katie vertelt me niet wat ze voelt of denkt. Ze zegt tegen niemand wat, misschien alleen tegen dat verdraaide paard. Beëlzebub doet zijn naam eer aan.

Dilsey komt niet vaak naar de kerk, maar die zondag komt ze wel, zodat ze me daarna kan aanklampen.

De dominee had een goede preek, en ik voel me 'verlost'. 'Zijn die lui van Wilkes nog aan het gokken?' vraag ik.

'Ja. Mammy...'

Het kan me geen sikkepit schelen wat ze bij Wilkes doen. Dat zijn hun eigen zaken. Ik probeer tegen te houden wat gaat komen, waarvoor Dilsey deze zondag naar de kerk is gekomen en waarvoor ze op me stond te wachten. Het hart weet al wat er komt, voor het hoofd het weet.

Dilsey zegt dat Mose, dat is de lijfknecht van meester Ashley Wilkes, dat die gisteren bij de paardenrennen was, en terwijl de meesters langs de reling stonden te wedden, zat Mose bij de jockeys en de staljongens en zag hij juffrouw Katie. Juffrouw Katie had haar prachtige haar onder een herenhoed gestopt en ze droeg de rijkleren van een jongen en ze zag eruit als een jongen met zwart haar en groene ogen. Boer Able Wynder stond met juffrouw Katie te praten. Boer Wynder herkende haar niet. Hij wilde juffrouw Katie als jockey inhuren. 'Als je die rode bruut aankunt, jongen, dan kun je mijn merrieveulen ook aan. Ik betaal je van tevoren een dollar, en je krijgt de helft van de winst.'

Mose zei tegen Dilsey dat juffrouw Katie ook niet als haar eigen klonk. Ze praatte met een lage, grommende stem, als een jongen. Juffrouw Katie had die dag niet meegedaan met de rennen, maar ze dacht er wel over na!

Nou, ik laat me niet door Dilsey van streek maken, dus ik doe net of het niet belangrijk is. 'O, ze doet gewoon dwaas. Meester Gerald weet er alles van.'

Dilsey glimlacht, zo van 'ik weet dat je liegt' en zegt: 'Soms wou ik dat ik was "verlost", maar daar toon ik dan berouw voor.'

En dat vindt ze grappig en ik niet.

De hele week hou ik juffrouw Katie als een havik in de gaten. Ik sta zelfs nog vroeger op dan haar, en ik bied aan ontbijt voor haar te maken omdat Cook nog niet wakker is. Nee, ze heeft geen honger. Nee, ze wil geen koffie of thee. 'Te vroeg voor je, hè mammy?'

'Iemand moet een oogje op je houden.'

Ze lacht als het mooie meisje dat ze is en tikt met haar rijzweep tegen haar broek als ze naar buiten loopt.

Als ze er in galop vandoor gaat, is de zon nog maar een roze streep boven de Upcountry. Cook loopt nog in nachthemd te gapen.

'Hemel, mammy,' zegt ze. 'Ben jij dat?'

'Ik ben blij dat je eindelijk opstaat,' zeg ik. ''t Fornuis is al aan.'

Ik vraag aan Big Sam en de knechten of ze hun ogen open willen houden, en meestal weet ik precies waar juffrouw Katie heeft gezeten nog voor ze 's avonds thuiskomt. Ik weet het als ze over hekken is gesprongen en door de stronken heeft gegaloppeerd die nog niet zijn verbrand.

Juffrouw Ellen is wanhopig. Ze denkt erover om juffrouw Katie naar juffrouw Pauline in Savannah te sturen. Ik moet ervan rillen als ik aan die twee onder één dak denk, en ik denk dat meester Gerald er ook van rilt. Misschien gelooft hij het zelf als hij tegen zijn vrouw zegt: 'Poesje groeit er wel overheen.'

De week is bijna afgelopen. Op zaterdag ben ik al op en druk bezig als Katie de keuken in komt. Nee, ze wil niks eten, en het gaat me niks aan waar ze vandaag gaat rijden. Juffrouw Katie trekt zo'n verschrikkelijk koppig gezicht. Waarom heeft ze haar haar onder haar pet gestopt? Dat wil ze niet zeggen.

Als ze weg is, maak ik Pork en Toby wakker. Ik zeg dat Toby de slaap uit zijn ogen moet wrijven, de kar moet inspannen en die voor moet rijden. Dan ga ik naar boven, naar de meester zijn slaapkamer. Ik glip zonder te kloppen naar binnen. Meester Gerald zijn ene blote been steekt tussen de dekens uit en juffrouw Ellen ligt er net zo kalm bij als in een doodskist.

Ik schud meester Gerald bij zijn schouder, en hij wordt snel wakker. Hij gaat rechtop zitten en kijkt naar juffrouw Ellen, maar ik leg mijn vinger op mijn lippen en knik naar de hal. Eenmaal buiten zeg ik: 'Meester Gerald, uw oudste dochter heeft u nodig.'

Pijn schiet over zijn gezicht, maar hij kleedt zich aan.

Pork staat bij de voordeur met meester Gerald zijn beste jas en hoed en koffie met wat whisky erin. Meester Gerald kijkt hem aan, verbaasd, 'Weet jij er ook van?' maar Pork is stil als een kerk.

Toby ment de kar, met meester Gerald naast hem. Ik zit achterop, mijn voeten bungelen over de rand.

Ik dacht dat we meteen naar de renbaan zouden rijden, maar in Jonesboro stoppen we achter de winkel van Frank Kennedy. Binnen koopt meester Gerald wat van die snoepjes met malrove die ik zo lekker vind.

Heel wat boeren en opzichters. Ze zijn klaar met het verkopen van hun speenvarken of hun veulen of hun jonge slaaf en kopen pruimtabak of whisky of hoefmessen of terpentine om hun dieren beter te maken – van alles wat je in de winkel kan krijgen.

Meester Frank woont boven de winkel en begint vroeg en blijft tot laat. Frank Kennedy is lelijk als een meerkoet, maar we weten allemaal dat hij op een dag rijk zal zijn. Hij koopt overal land dat nu goedkoop is, want er is Paniek en de meeste lui hebben niks geen geld.

'Een bijzonder goede morgen, Frank.'

'Gerald. Fijn je te zien.' Meester Frank vraagt meester Gerald niet waarom hij in de stad is als er vandaag toch geen veiling is, maar meester Frank vraagt meester Gerald nooit naar wat meester Gerald niet wil dat hij vraagt. Meester Frank vraagt naar juffrouw Suellen, of ze het goed maakt en in goede gezondheid is. Hij vindt Suellen aardig. Meester Gerald zegt dat ze aan de school voor jongedames Frans leert, en dansen, en borduurwerk en dergelijke.

Meester Gerald heeft het over Franks vader, die hij nog kent van toen hij naar de Upcountry kwam. 'Gouden kerel,' zegt hij. 'Gouden kerel, die vader van je.' Frank Kennedy zijn vader was een Ier.

Een boer komt tussenbeide die hoefijzers maat acht wil.

'Zorg goed voor hem, Frank. Hij doet eerlijk werk!' Dikke knipoog. Meester Gerald haalt zijn horloge tevoorschijn. Na de grote ren van twaalf uur zijn er nog drie, vier rennen voordat de rennen van de boeren beginnen, waaraan Jan en alleman zijn paard kan laten meedoen.

Meester Gerald gaat op een vat met spijkers zitten en pakt zijn pijp. Ik ga naar buiten en geef Toby een paar malrovesnoepjes.

Mensen, paarden, wagens. Ik zie juffrouw Katie nergens.

En dus zit ik met meester Gerald te wachten en brei aan mijn kindersokjes. Ik ben niet goed in breien, maar ik heb nog nooit een zuigeling gezien die iets tegen sokjes had of een jonge moeder die er niet blij mee was.

Frank Kennedy komt de *Macon Telegraph* brengen, en meester Gerald leest die krant om de tijd te doden.

Boeren komen hem begroeten en nieuwtjes vertellen. Hij knikt even naar Angus MacIntosh, die even naar hem knikt. Heel vroeger is er iets gebeurd tussen de lui van meester Gerald en de lui van meester Angus, en ze hebben jaren later aan de andere kant van de oceaan nog steeds een beetje mot. Lui vergeten niet wie ze pijn heeft gedaan en koesteren dat.

Meester Gerald is vriendelijk tegen Amos Trippet, die geen heer is maar de beste Ossabaw-varkens en Dominique-kippen fokt. Amos belooft vier varkens voor Tara als het slachttijd is. Meester Gerald tikt tegen zijn krant en zegt tegen Amos: 'Heb je ooit zoiets gehoord? "Ik ben nimmer voorstander geweest van sociale en politieke gelijkheid tussen het blanke en zwarte ras, noch was of ben ik ervoor negers stemrecht te geven, zitting te laten nemen in een jury, een ambt te laten bekleden of een blanke te laten huwen; en ik wil hieraan toevoegen dat er een lichamelijk verschil bestaat tussen het blanke en zwarte ras dat naar mijn mening immer zal verhinderen dat beide rassen op basis van sociale en politieke gelijkheid met elkaar kunnen samenleven." Wat vind jij van die Lincoln, Amos?'

'Ik denk dat hij tot senator wil worden gekozen.' Oude Amos heeft rood haar en een dunne nek, net als een van zijn Dominique-hanen. Amos moet me niet. Hij vindt dat ik mijn plaats niet ken. 'Wat denk jij van die man, mammy?'

'Ik heb nooit geen Lincolns gekend. Nooit gehoord dat er Lincolns in Clayton County zitten.'

'Steek niet de draak met mammy, Amos. Als je mammy dwarsboomt, krijgen je beste varkens cholera en worden je muilezels kreupel.'

Ze lachen alle twee om aan te geven dat het een grapje is en dat ze niet bang zijn. Heus niet.

Wat denk ik? Ik denk dat het geen sikkepit uitmaakt wat een of andere meester in Illinois zegt om te worden gekozen.

Ze hebben het dus over politiek tot Amos en meester Gerald daar niks meer over weten te vertellen. Amos gaat verder met zijn eigen zaken en meester Gerald loopt door de winkel om te kijken of hij misschien nog wat ziet staan wat hij vergeten is maar wel nodig heeft. Het ruikt in de winkel naar melasse en zwavel en klauwenvet.

We wachten tot juffrouw Katie zo diep in de ondeugden zit dat ze er niet meer uit kan kruipen.

Meester Gerald praat met iedere klant in de winkel van Kennedy, net of hij de eigenaar is, en als meester Frank dat niet leuk vindt kan hij er niks van zeggen want hij is Frank en Gerald is Gerald.

Ik haal de verkeerde steken uit en brei ze opnieuw. Als de kerkklok twaalf uur slaat, schudt meester Gerald Toby wakker. Ik en Toby zitten achterin, meester Gerald ment. We draven langs boeren die de koeien en schapen en varkens die ze hebben gekocht voortdrijven of meetrekken. Een paar slaven, jongens nog, worden aan stroppen om hun nek meegevoerd.

We komen vader en zoon Wilkes tegen. Meester John met een rood gezicht. Hij zegt: 'Ik heb nog nooit zoiets gezien, Gerald. Ons paard won met een hele lengte!'

Jonge meester Ashley zegt: 'Ik geloof niet dat Gerald belangstelling heeft voor ons onverdiende geluk.' Hij haalt zijn horloge tevoorschijn. 'De trein uit Atlanta? Onze neef en nicht?'

Meester John moet heel wat hebben gewonnen. 'Gerald, vriend, kun je geloven dat Melanie en Charles Hamilton de voorkeur geven aan Atlanta boven ons prachtige platteland?' Hij wappert met zijn handen om alles om ons heen aan te geven.

'Breng die twee maar eens mee naar Tara, John.' Meester Gerald tikt tegen zijn hoed en klakt met zijn tong en daar gaan we weer.

De paarden staan klaar aan de start. Jockeys, zwart en blank, allemaal even ernstig, die praten met hun paarden, zeggen dat ze hun best moeten doen, vragen en smeken of ze alles willen geven wat ze kunnen. Meester Gerald laat de zweep knallen, en we galopperen zo snel over het binnenste stuk van de baan dat ik en Toby ons met twee handen vast moeten houden. Beëlzebub zie je niet zomaar over het hoofd.

Paarden steigeren en dansen en lopen in rondjes van opwinding. Een klein mannetje met een rood vest en een hoge hoed steekt een pistool in de lucht. Mannen springen voor ons opzij. Mannen schreeuwen naar ons en een jongen grijpt naar onze leidsels, maar we rijden tussen de lui door, de baan op, recht naar de startlijn.

Juffrouw Katie draagt jongenskleren en heeft een grote pet over haar haar getrokken. Ze wacht op het pistool, maar de man schiet nog niet omdat onze kar over de baan rijdt.

Lui beginnen te vloeken. Ruiters kijken ons verbaasd aan.

Juffrouw Katie lijkt heel erg op een jongen. Juffrouw Katie is veel bruiner dan een dame hoort te zijn en zit op haar paard of ze altijd al jockey is geweest. Haar handen zijn te slank voor een jongen, maar ze zijn ook bruin.

Ik weet ook wat ze denkt. Ze wil Beëlzebub de sporen geven en over de baan rennen, maar je hebt geen ren als er niet eentje is tegen wie je kunt rennen.

Meester Gerald kijkt heel streng naar juffrouw Katie en pakt Beëlzebub bij zijn hoofdstel.

Ze zegt: 'Papa! Toe! We kunnen winnen.' Beëlzebub kromt zijn hals en beeft helemaal, zo graag wil hij rennen. 'We kunnen winnen!'

'Katie, je bent een meisje,' zegt haar vader. 'Je kunt het niet eens proberen.'

Hoe juffrouw Katie juffrouw Scarlett wordt

*M*ammy's lopen nooit trots als een pauw rond. Ze zien wat ze zien en ze weten wat ze weten en soms zeggen ze wat ze weten maar meestal niet. Meestal luisteren ze naar de lui die dingen vertellen die ze gisteren al wisten. Mammy's knikken en glimlachen. Knikken en glimlachen.

Cook is bezig beslag voor de biscuits te maken. Cook vertelt over juffrouw Katie en de jongen van Tarleton en ik luister met één oor, ik laat door mijn hoofd gaan wat ik zag toen juffrouw Katie gisteravond naar huis kwam rijden.

Cook vindt het allemaal een grote grap. 'Maar goed, juffrouw Katie komt aanrijden op dat grote rode paard, daar waar Suellen en India Wilkes zitten te picknicken. Cade Calvert en die tweeling van Tarleton halen allerlei lekkers uit die mand, hoewel die meisjes dat ook heel goed zelf kunnen. "Zal ik nog een kopje water pakken, juffrouw India?" "Misschien een gemberkoekje?"' Cook moet ervan kakelen. 'De meest verwende meisjes van heel Noord-Georgia.'

'Zegt Jeems dat?'

'Die was met de tweeling mee, hè? Wat ik net al zei, voordat jij begon: daar komt juffrouw Katie, die was al sinds het krieken van de dag op pad. Juffrouw Katie zit onder de spatten rode klei en ook dat paard van haar is smerig. Ze komt aan galopperen en er stuift zo veel stof op dat de meisjes beginnen te kuchen en het stof van hun eigen af moeten kloppen, en o wat zijn ze boos!'

Ik zeg tegen Cook: 'Geef dat beslag eens hier. Je moet het veel harder kloppen.'

Juffrouw Katie rijdt als een duvel in de rondte sinds haar pa haar bij die paardenrennen heeft weggehaald. Ze is dag in, dag uit aan het rijden, van 's morgens vroeg tot 's avonds laat. Misschien is ze aan het piekeren, en misschien gaat dat beter te paard.

Meester Gerald vertelt heel niks van wat er die dag in Jonesboro op de renbaan is gebeurd, en juffrouw Katie zegt ook niks en ik ook niet. Het meeste van wat je geheim wil houden komt toch wel uit, maar niet omdat er wordt geroddeld. Mammy's roddelen niet.

Half Clayton County zat die zaterdag op de renbaan, en wie er niet was, heeft het wel gehoord van de lui die er wel waren, maar meester Gerald en juffrouw Ellen doen gewoon als altijd, of er niks is gebeurd.

Juffrouw Ellen zegt tegen juffrouw Katie dat ze zoiets nooit meer moet doen, want anders stuurt ze haar naar de baptisten in Savannah waar ze vier keer per dag moet bidden en de preek op zondag de hele dag duurt.

Maar juffrouw Katie is aan het piekeren. Er is die dag iets gebeurd, en ze is er nog niet uit.

Cook vertelt hoe juffrouw Katie de picknick van de meisjes heeft verstoord. 'Juffrouw Katie houdt geen rekening met juffrouw Suellen, en ook niet met juffrouw India. Ze wil dat die jongens op hun paard klimmen en doen wie het eerste bij de rivier is.'

Ik moet ervan zuchten. 'Dat arme kind.'

'Dat arme kind, kom op! De jonge meesteres moet maar eens een lesje krijgen! Dat vind ik. Juffrouw India en juffrouw Suellen waren zo van streek. Ze hadden zo'n fijn uitje, de jongeheren waren zo charmant, en dan maakt juffrouw Katie opeens al hun hoedjes stoffig. Juffrouw India goot haar glas thee leeg en zei: "Brent, wil je zo goed zijn wat verse thee voor me te halen? Het lijkt wel of we midden in een Arabische zandstorm zitten."' Cook drukt de rug van haar hand tegen haar voorhoofd, net als juffrouw India altijd doet als ze van streek is.

Ik weet dat juffrouw India niet veel van juffrouw Katie moet hebben. Ze vindt het maar niks als juffrouw Katie met meester Ashley uit rijden gaat, al zijn ze net zo onschuldig als een stel zuigelingen. Juffrouw India vindt dat de dochter van een Ier niet goed genoeg is om met haar broer uit rijden te gaan.

Cook zegt: 'Juffrouw Katie kijkt niet eens naar juffrouw India en juffrouw Suellen, of ze er helemaal niet zijn. Ze wil gaan rijden, ze wil dat die jongens haar achterna gaan zitten, maar die jonge meesters staan niet meer zo te trappelen om 't haar naar de zin te maken. Het is anders dan vroeger.'

'Ze hebben er vast genoeg van dat ze altijd de snelste is,' zeg ik.

Cook zegt: 'Dat paard van juffrouw Katie, dat danst maar in de rondte, en die meisjes trekken lelijke gezichten, en die jongens schuifelen met de neuzen van hun schoenen in het stof en zeggen geen woord.' Cook kakelt van de lach.

Ik zeg:'Juffrouw Katie is gek op dat paard.'

'Dat zal best, dat zal best! Juffrouw Katie zegt:"Brent, ik ben eerder bij de voorde dan jij."

"Ik heb vandaag geen zin om te rijden, Katie," mompelt die knaap dan. En dan snapt juffrouw Katie het eindelijk. O, ze snapt het maar al te goed! Heel de wereld staat op zijn kop! Die jongens die haar altijd veel leuker vonden dan de andere meisjes vinden haar niet meer leuk.'

Ik vraag me af wat juffrouw Katie nu denkt. Ze heeft zaterdag geen wedstrijd gereden. De jongens willen dat ook niet meer. Dát gejaag is nu voorbij.

'Jeems zei dat juffrouw Katie lijkbleek zag. Maar ze gaf niet op. Niet onze juffrouw Katie. Ze zegt:"Een kwart dollar dat ik eerder bij de voorde ben."

En jonge Brent, die krabt eens op zijn hoofd en zegt: "Drommels, juffrouw Katie. Het is veel te warm om te rijden. Bind dat paard eens vast en kom even zitten."

Juffrouw Katie zegt niks, maar je ziet die gedachten als horzels door haar hoofd gaan. Jeems wacht achter een boom, voor het geval juffrouw Katie met Beëlzebub door de picknick van de meisjes galoppeert. Maar dat doet ze niet. Juffrouw Katie zegt: "Brent, ik heb nog nooit meegemaakt dat jij nee zegt tegen een uitdaging." En dan gaat dat kind er in haar uppie vandoor.'

Het is al donker als juffrouw Katie eindelijk thuiskomt. De meester en meesteres weten niet wat er is gebeurd, maar de zwarten wel. Pork is zo somber dat meester Gerald vraagt of hij soms ziek is. Pork is op Katie gesteld, net als ik.

Ik zie haar in het licht van de lantaarn bij de staldeur en ga haar helpen. Ze is Beëlzebub aan het borstelen, hard, of ze die borstel dwars door hem heen wil duwen.

Dat paard is helemaal uitgeput. Hoofd hangt naar beneden. Arme beest is half dood gereden.

Het heeft geen zin om te doen of ik niet weet wat er aan de hand is. Ik zeg:'Het is al goed, lieverd. Het is goed. Het duurt niet lang meer voordat je doet wat alle dames doen. Wat alle dames in Georgia doen. Het zijn allemaal dames, van je mama tot mevrouw Tarleton, al zijn ze nog zo verschillend. Het is niet zo erg. Je krijgt een huis en genoeg te eten, een man die van je houdt, kindjes om voor te zorgen. Zo gaat het al sinds Adam en Eva. Lieverd, je bent geen jongen, en dat wil je ook niet wezen. Jongens rijden in de paardenrennen en zitten in dure kantoren, maar jongens gaan ook dood in oorlogen en komen aan de galg.'

Juffrouw Katie zegt niks geen woord. Ze wil niks van mij en ook niks van een ander. Ze komt niet naar binnen voor het eten.

De ochtend na de picknick waar geen van de jongens juffrouw Katie achterna wilde zitten, moet Cook er nog steeds om lachen en klop ik beslag voor de biscuits. Dat moet je echt hard kloppen. Ik kijk op als juffrouw Ellen de keuken in komt lopen en zegt: 'Begin nog maar niet aan de eieren. Katie is nog niet beneden.'

Ik zeg: 'Juffrouw Katie is nooit zo laat. Ze is altijd al met dat paard uit rijden.'

Juffrouw Ellen glimlacht als een van die heiligen die weten wat verder niemand weet.

Cook legt worstjes op een bord en schuift het in de warmhoudoven.

En nu, vraag ik me af.

Uren later komt juffrouw Ellen weer terug, zo blij als maar kan. 'Mammy, kun je het ontbijt opdienen?'

Dat doet Rosa altijd, of Cook. Pork serveert het middageten en het avondeten en de drankjes voor de heren. Mammy's bedienen niet aan tafel. Ik ben verbaasd.

Juffrouw Ellen klapt in haar handen. 'Mammy, dit is een dag om te jubelen.'

Jubelen, dat ken ik uit de Bijbel, dan zullen we allemaal worden bevrijd. Ik heb juffrouw Ellen in maanden niet zo gelukkig gezien, maar er is niemand bevrijd.

'Ja, mevrouw,' zegt ik. Cook maakt snel de roereieren zoals meester Gerald die graag heeft en legt worstjes en biscuits op de borden. 'Juffrouw Ellen wil dat ik opdien,' zeg ik.

'Zo hoort het niet,' zegt Cook.

'Juffrouw Ellen is de meesteres, tenzij er iets is veranderd.' Ik zet de borden op het dienblad.

'Laat niks vallen,' zegt Cook.

'Daar zullen je worstjes niks van krijgen,' zeg ik, want ik wil niet denken aan waarom het een dag is om te jubelen.

In de eetkamer zit juffrouw Katie op dezelfde stoel als altijd. Handen in haar schoot gevouwen.

Meester Gerald kijkt niet naar zijn dochter. Hij kijkt nergens naar. Hij steekt een vinger onder zijn kraag en trekt eraan. Hij is blij dat hij zijn hoofd kan buigen als juffrouw Ellen begint te bidden. 'Zegen ons heer, en deze spijzen...'

Ik wil knarsetanden. Ik wil roepen: 'Ik ben je mammy! Als ik moet helpen, hoef je het alleen maar te vragen!'

Niemand lacht om juffrouw Katie. Ik denk dat ze iedereen die had durven lachen dood had gemaakt. Ik houd mijn mond stijf dicht.

Ze heeft het krulijzer te heet laten worden en nu is haar prachtige, zwarte haar verschroeid en ongelijk en rafelig. Haar groene ogen zien er rood en pijnlijk uit, en er kleven stukjes verbrande kurk aan haar wimpers. Het poeder ligt dik als wagenvet op haar gezicht.

'... door Christus, onze Heer. Amen.' Juffrouw Ellen pakt haar vork.

Juffrouw Katie haar boezem is door het korset omhooggeduwd en ze heeft een middeltje van niks. Ze draagt die groene dansmuiltjes die van haar mama zijn geweest.

Juffrouw Katie zit in haar eten te prikken.

'Katie, zusje.' Suellen giechelt niet. Nog net niet. 'Je ziet er prachtig uit.'

'Liefste Katie.' Juffrouw Ellen maakt er korte metten mee. 'Morgenochtend zal Rosa je helpen met aankleden.'

'Ik kan ook wel helpen.' O ja, dat wil Suellen wel, dat zie je. Juffrouw Katie had zout water kunnen bevriezen met die blik van haar.

Juffrouw Katie bet haar lippen met een servetje. Ze kijkt naar iedereen aan tafel. 'Jullie mogen me van nu af aan Scarlett noemen.' Ze kijkt naar haar vader. 'Ter nagedachtenis aan de mama van mijn dierbare papa.'

Meester Gerald is van zijn stuk gebracht. 'Maar... mijn poesje... Scarlett... dat is mooi.'

'Onze lieve grootmoeder...' Scarlett laat haar hoofd hangen, net of ze denkt aan een ouwe dame die ze nooit heeft gekend.

Meester Gerald weet eigenlijk niet wat hij moet zeggen.

Ik kan hier niet naar kijken maar ik moet kijken. Mijn kleine Katie als een mooie vogel die door een orkaan zijn veren is verloren. Zo trots. Zo ontzettend trots. Ik sta glimlachend op en ga koffie inschenken.

Juffrouw Carreen merkt dat er iets aan de hand is maar ze snapt niet wat. 'Maar... Scarlett,' zegt ze. 'Katie...'

'Lief zusje, Katie is niet meer. Papa, wat bent u vanmorgen ongewoon stil.'

'Ik denk aan van alles, lieverd. Ik denk aan... dingen...'

Juffrouw Ellen heeft wat ze wil. En ik ook, denk ik. Juffrouw Ka... juffrouw Scarlett weet nu wat decorum is, en ik wou dat ik me er beter onder voelde.

'Waar rijd je vanmorgen naartoe, liefje?'

Scarlett rolt haar servet op en schuift het in haar servetring. Het servet valt weer open, en ze duwt het half in de ring, zodat het heel dwaas half opengevouwen naast haar bord ligt. 'Ik ga vanmorgen niet rijden,' zegt ze.

'O nee?'

'Ik ga vandaag niet rijden.'

'O.'

'Vader, misschien kunt u hem mee naar buiten nemen.'

'Maar ik...'

'Het paard heeft beweging nodig.' Ze lacht even, maar grappig is het niet. 'Hij is gewend aan...' Ze bezwijkt bijna, maar houdt zich in. 'Aan een flinke portie beweging.'

En jij niet? denk ik. Maar ik zeg niks. Het is niet aan mij om dingen te zeggen.

'Papa, vindt u hem geen goed paard?'

'Ja, natuurlijk, poesje, maar...'

Het kon de ene of de andere kant uit gaan. Juffrouw Scarlett speelde met vuur toen ze zei, net of het een grapje tussen hen was: 'Er is toch zeker geen betere ruiter dan Gerald O'Hara.'

Daar is meester Gerald blij mee, dat wist ze wel. Hij kijkt zo dommig, zoals kerels altijd kijken als een knap meisje ze vertelt wat ze willen horen. En meester Gerald is een volwassen vent! Die jongens van verderop, van Tarleton en Calvert en Fontaine, die zijn kinderspel.

Ik keek niet meer naar haar, want ik wilde niet zien dat juffrouw Scarlett haar best deed om niet te huilen.

Ik denk: arm kind.

Ik denk: arme Beëlzebub.

Ik denk: arme jongeheren.

Hoe juffrouw Scarlett harten breekt

*A*ls er in Clayton County nog een jongen was die geen gebroken hart had, dan kwam dat omdat hij Scarlett O'Hara nog niet had ontmoet.

Dat kind was niet dom, en het duurde niet lang voordat ze in de gaten kreeg hoe jongens in mekaar zitten. Scarlett was geen mooi meisje – o, ik bedoel niet dat ze lelijk was, als juffrouw India, maar ze was ook geen grote schoonheid. Ze bestudeerde die jongens, en binnen de kortste keren had ze van haar eigen een sieraad gemaakt dat jongens wilden hebben. Een kostbaar sieraad waar ze net niet bij konden.

Ze legt het er dik bovenop. Denk je dat Scarlett niet weet dat een jongen opfleurt als een knap meisje hem vergelijkt – in zíjn voordeel – met Andrew Jackson of Jozua of – zonder het rechtuit te zeggen – met de beste stier in de wei?

Het ging niet altijd als vanzelf. Hulpeloos overkomen, dat kostte haar moeite. Maar als jongedames hulpeloos horen te zijn… 'Wil je me alsjeblieft helpen met afstijgen? Mijn stijgbeugel zit zo ver boven de grond!' Dat was niet gemakkelijk voor haar. Ze was heel wat bekwamer dan al die jongens voor wie ze hulpeloos probeerde te lijken.

God nog aan toe, dat kind dat eerst over de hoogste hekken in de hele streek sprong, houdt nu de arm van een jongen vast als ze van het blok in de koets stapt en zegt: 'Niet te snel, hoor.' Lieve hemel, nee. Juffrouw Scarlett heeft zo'n gevoelige maag, die 'begint helemaal te dansen als we te snel gaan'.

Nee, gemakkelijk was het niet. In het begin, als een jongen nog liep te twijfelen omdat hij niet wist wat hij moest doen, verloor juffrouw Scarlett nogal eens haar geduld en deed ze het zelf. Maar ze leert hoe de jongens zijn, ze doet steeds zwakker en zwakker totdat een zuchtje wind haar al van streek maakt!

Haar beste trucje kost haar geen moeite. Juffrouw Scarlett is altijd goed geweest in zich helemaal op één ding richten, zonder zich druk te maken over andere dingen. Wanneer ze over hindernissen sprong, was dat het enige waaraan ze dacht, ze dacht niet aan haar hemd dat los kon komen zodat er van alles te zien was wat je niet mag zien, en ze dacht ook niet of ze haar klusjes wel had gedaan of waarvoor ze die avond moest bidden bij het gebed met de hele familie. Wanneer juffrouw Scarlett zich iets in het hoofd haalt, wat ze wil doen of waarover ze wil nadenken of wat ze wil hebben, dan gaat het nog maar om dat ene ding, en niet om twee en zelfs niet om anderhalf. Wanneer juffrouw Scarlett die groene ogen van haar op een jongen richt die nog maar net uit de korte broek is, dan heeft die knaap net zo veel kans als een sneeuwvlok in Georgia in juli! Maakt niet wat uit wat hij zelf denkt – als hij al iets denkt –, hij ontsnapt echt niet aan die groene ogen die hem zo staan te bekijken, helemaal, van top tot teen, zoals niemand ooit eerder heb gedaan, behalve misschien zijn mama toen hij nog in de luiers lag. Die jongen heeft nooit geweten dat de zon en maan om hem draaien, en om niemand anders! Hij heeft nooit geweten dat hij zo slim was! Hij heeft nooit geweten dat hij net zo sterk was als die stier in de wei, waar geen dame dicht bij in de buurt durft te komen, al weet iedere dame dat ze iets als die stier nodig heeft als ze eenmaal getrouwd is. Die jongen krijgt misschien wel rode oortjes, en hij begint misschien wel te stotteren, maar er is nog geen jongen geweest, nog nooit, die zich van juffrouw Scarlett haar ogen heeft afgewend, totdat zij haar hoofd schudt en hem wegstuurt alsof hij niet meer is dan een prul. Die blik, daar hoeft ze geen moeite voor te doen. Het is haar beste wapen.

Het duurt niet lang voordat de jongens naar Tara komen als bijen naar gemorste honing. 's Morgens zitten er jongens op de veranda en er scharrelen nog jongens rond als bij de schemering de lampen worden aangestoken. Juffrouw Ellen schrijft juffrouw Scarlett in op de school voor jongedames in Fayetteville. Juffrouw Scarlett moet leren wat decorum is voordat het te laat is.

Juffrouw Scarlett wil er niet heen, want dan mist ze de barbecues en picknicks en bals, maar ze gaat toch. 't Enige op de wereld waar juffrouw Scarlett bang voor is, is haar mama.

De eerste keer dat meester Gerald op Beëlzebub stapt, gooit dat beest hem eraf. Tweede keer ook. Meester Gerald kan goed rijden, maar hij is geen ruiter voor Beëlzebub. De zaterdag nadat juffrouw Scarlett naar haar school in Fayetteville is vertrokken, brengt meester Gerald dat paard naar Jonesboro om het te verkopen.

Als juffrouw Beatrice daarvan hoort, is ze spinnijdig. Ze wil niet dat een ander Beëlzebub koopt, en als juffrouw Scarlett niet meer op hem kan rijden, kan meester Gerald dat paard het beste terugbrengen naar Fairhill. Daar is juffrouw Beatrice heel duidelijk in. Zo duidelijk dat wij van Tara niet naar de volgende barbecue op Fairhill gaan. Juffrouw Beatrice haar zonen geven er niks om dat hun mama zo kwaad is. Ze kunnen net zo goed hun tijd verspillen in Fayetteville als op Tara, en dat doen ze dus.

Als juffrouw Scarlett thuis is, gaan zij en meester Ashley uit rijden of zitten ze te praten of gaan ze picknicken zoals ze deden toen juffrouw Scarlett nog zo'n wildebras was. Na een picknick in de tuin van Twelve Oaks komt juffrouw Scarlett thuis en zegt tegen me: 'De Bourbon-roos bestaat sinds de tijd van de koning van Bourbon.'

Scarlett vraagt aan meester Ashley of het waar is dat appelschimmels sneller zijn dan grijsbruine paarden, en wordt een paard met een wit hoofd echt eerder blind? Als het meester Ashley al is opgevallen dat ze nu met een dameszadel rijdt, dan zegt hij daar niks over.

Meester Ashley heeft een hoge dunk van zijn eigen en is wel heel erg een heer, maar hij was goed voor juffrouw Scarlett en er gebeurt nooit iets ongepasts tussen die twee. Ze hebben geen chaperonne nodig.

Meester Gerald is erg op meester Ashley gesteld en zegt niet dat meester Ashley misschien beter zijn hoofd uit zijn boeken kan halen en wat meer aandacht moet schenken aan het zaaien van de katoen en het wieden en het oogsten.

Als juffrouw Scarlett hoort dat Beëlzebub is verkocht, vraagt ze aan meester Gerald of hij ook dat hoofdstel met dat oude sierbeslag heeft verkocht. Hij zegt dat het paard met hoofdstel en al is verkocht. Van dat koper vindt ze erger dan van dat paard. Ik zei het al, juffrouw Scarlett denkt aan één ding tegelijk.

Ze geeft geen sikkepit om die school en vraagt haar mama wat een dame aan Frans en retoriek heeft als een dame toch gaat trouwen en kindjes gaat krijgen en een huis vol personeel heeft. Juffrouw Ellen zegt dat jonge vrouwen nu meer kansen hebben dan vroeger en dat juffrouw Scarlett dankbaar moet zijn.

Juffrouw Scarlett vraagt zich af of er zo veel is veranderd: mannen zijn toch nog mannen en vrouwen vrouwen?

Juffrouw Ellen zegt dat mannen en vrouwen grotendeels hetzelfde zijn, maar dat heren en dames elke generatie anders zijn. 'We veranderen, liefje. Je denkt misschien van niet, maar dat is wel zo.'

'Een meisje op school zei dat een Ier geen heer kan zijn.'

'Lieve, lieve Scarlett,' zegt haar mama, lachend of ze nog nooit zoiets geks heeft gehoord, 'sommige mensen geloven alles.'

Ik zou niet graag dat meisje zijn dat meester Gerald heeft beledigd. Juffrouw Scarlett houdt van haar mama en haar papa en Tara. Ik denk dat ze ook een beetje van mij houdt.

Juffrouw Scarlett geeft niks om een schoollokaal vol jonge meesteressen, maar als de jongens eenmaal langskomen, vindt ze het heel wat minder erg op de academie. Juffrouw Scarlett en de schooljuffrouw zitten in de salon thee te drinken met een jongeman die niet weet wat hij moet zeggen, en juffrouw Scarlett helpt hem ook niet. Toby rijdt me er op een middag heen, zodat ik de japonnen kan brengen die ze wil hebben, dus ik ben er ook bij als Brent Tarleton over politiek begint en over de katoenprijs, die niet meer stijgt, en de economie groeit ook niet meer. Juffrouw Scarlett doet zo belangstellend en dankbaar omdat Brent zulke belángrijke dingen weet zodat meisjes zich daar hun hoofdje niet over hoeven breken!

Beëlzebub wordt doodgemaakt. De man die hem heeft gekocht kan ook niet op hem rijden en de man die het paard van hem koopt ook niet. En dus wordt hij doodgemaakt. Ik zeg niks tegen juffrouw Scarlett, maar ik denk dat ze het wel weet. Juffrouw Beatrice begint rond te vertellen dat Scarlett een 'kleine, groenogige huichelaarster' is.

Er komt oorlog aan, en juffrouw Ellen zit veel te bidden. Als het op Tara niet te druk is, neemt ze 's morgens de trein naar Atlanta voor de katholieke mis.

De zomer is voorbij en de meeste katoen op Tara is geplukt als er nieuws komt over meester John Brown. Opzichter Wilkerson komt naar het huis gerend met zijn pistolen, een grote en een kleine, in zijn riem gestoken. De meester en de meesteres zitten met Suellen op de veranda. De opzichter vraagt meteen waar juffrouw Scarlett en juffrouw Carreen zijn.

Meester Gerald zegt nogal kortaf dat juffrouw Carreen op haar kamer zit en dat juffrouw Scarlett in Fayetteville zit. Hij is kwaad dat de opzichter hem stoort terwijl hij met juffrouw Ellen zit te praten.

Maar juffrouw Ellen hoort hóé hij het vraagt. 'Wat is er mis, Wilkerson?'

Pork geeft net de bloemen in de vensterbank water en ik neem de tijd en de opzichter kijkt naar ons en zegt: 'Laat ons alleen.'

Pork trekt een gezicht. Hij is de bediende van meester Gerald. Ik neem niet eens de moeite om een gezicht te trekken.

De opzichter legt zijn hand op het grote pistool en zegt met een stem die klinkt alsof er iemand gewond zal raken: 'Jullie hebben me gehoord.'

Meester Gerald staat op. Zijn mond wordt een streep en hij ziet rood, maar juffrouw Ellen pakt zijn arm. 'Toe, Gerald. Pork. Mammy. Laat ons even alleen, alsjeblieft.'

Pork en ik mopperen, maar we gaan wel.

Naar het achtererf, waar we horen wat er allemaal aan de hand is.

Wat blijkt: Big Sam en de opzichter stonden bij het krieken van de dag bij Kennedy in de winkel om schaarpunten voor de ploeg te kopen toen er een telegram kwam waar de meesters onrustig van werden. Een telegram over een slavenopstand in Virginia, geleid door een blanke, ene John Brown. Big Sam zegt: 'Wilkerson keek of ik wat bij me had en pakte mijn mes af en hield me de hele weg naar huis onder schot.'

Daar op het erf bij de keuken begint alles om me heen te draaien en ik hap naar adem, net of ik ga flauwvallen. Big Sam en Pork laten me zitten en Rosa haalt water en een koele doek voor me. Ik wil mijn ogen dichtdoen, maar dat durf ik niet, want de geesten dansen aan de binnenkant van mijn oogleden, de geesten die ik nooit meer wil zien.

De meesters in Jonesboro sluiten hun slaven op in de schuren en vleeshuizen, overal waar maar een sterke deur met een slot op zit. Big Sam zegt dat de militie van Georgia bijeen wordt geroepen en dat de jonge meesters met hun zwaarden en hun pistolen rondrijden en dat de slaven die niet zijn opgesloten maken dat ze wegkomen.

Niemand weet wat er precies is gebeurd en niemand weet wat we moeten doen. De meesters weten het niet, en de slaven ook niet.

Later horen we dat opzichter Wilkerson iedereen op Tara wil opsluiten. De opzichter zegt tegen meester Gerald dat hij te goed is voor zijn nikkers en dat zijn nikkers daardoor in opstand komen. Juffrouw Ellen zegt dat meester Gerald de meester is, en als de opzichter het niet met meester Gerald eens is, moet hij maar op zoek gaan naar een plantage waar het hem wel bevalt.

Meester Gerald stuurt Big Sam erop uit om meester John Wilkes te waarschuwen. Meester Ashley gaat in galop naar Fayetteville om juffrouw Scarlett op te halen, die achter op zijn paard naar huis komt.

Nou, we worden die dag en die nacht niet opgesloten, maar meester Gerald en de meesteres en de meisjes slapen allemaal bij mekaar op de slaapkamer en meester Gerald heeft zijn pistolen bij de hand. Pork pakt het geweer en zet de stoel buiten voor de deur. Je wil die nacht niet boven de gang op lopen tot Pork ligt te snurken!

De jonge meesters bewaken de wegen, en ik zou niet graag als zwarte zonder pasje worden gepakt.

De volgende morgen komt juffrouw Ellen de keuken in als Cook ontbijt staat te maken. Ze staat zo aandachtig te kijken dat Cook er zenuwachtig van wordt en een bord laat vallen dat in drie stukken breekt. Ik zeg: 'Juffrouw Ellen, u was een rimpelig kleintje toen ik u voor het eerst in mijn armen hield. En ik heb bij uw kindjes, bij Scarlett en Suellen en Carreen, met mijn eigen handen de navelstreng doorgeknipt.'

En dan zegt juffrouw Ellen: 'Het spijt me, mammy. Die vreselijke toestand met Brown…' Ze gaat terug naar de eetkamer, waar ze hoort.

De telegraaf in Jonesboro ratelt dag en nacht. John Brown zijn opstand wordt gestopt, hij wordt omsingeld. Dag erna marcheren de soldaten naar binnen. Dag daarna wordt hij gepakt.

Brown was zijn gezonde verstand kwijt! Wilde die gek soms dat ik juffrouw Scarlett ging doden? Dat Big Sam Carreen vasthield terwijl Pork haar keel doorsneed? Een slavenhandelaar snapt beter hoe de zwarten in mekaar zitten dan die John Brown. Brown zat in zijn eigen te praten, die dacht dat bloed iets oploste. Bloed is bloed. Bloed is bloed!

Zeven dagen na de opstand van Brown is juffrouw Scarlett jarig.

We hebben geen zin om het te vieren, en daarom vraagt juffrouw Ellen de familie Wilkes op de thee in plaats van een hele barbecue te houden. Charles en Melanie Hamilton en tante Pitty komen ook mee. Juffrouw Pitty kan het alleen maar hebben over die blanke lui die in hun bed zijn vermoord. Ze zegt: 'Net als die Denmark Vesey in Charleston. Honderden onschuldigen, zomaar in hun bed vermoord.'

Ik verbeter juffrouw Pitty niet. Niet het goeie moment voor zwarten om blanke lui te verbeteren.

De blanke meesters zeggen dat ze niet in een Unie kunnen zitten waar lui als John Brown in opstand komen. Meester Gerald en meester John zijn kwaad op meester Jim Tarleton omdat die vóór de Unie is. Juffrouw

Ellen zegt dat ze met hun politiek naar buiten moeten gaan, de veranda op, en ze mogen die karaf whisky meenemen.

Meester Ashley prijst een of ander goed boek en juffrouw Scarlett zit te knikken of ze dat boek en nog een heleboel andere ook heeft gelezen.

Ik doe in de keuken net de taartjes en broodjes op een bord als juffrouw Melanie binnenkomt en vraagt of ze kan helpen. Ik zeg nee, dank u, maar ze zegt: 'Vele handen maken licht werk, nietwaar?'

'Niet als het blanke handen zijn,' zeg ik, en ze schrikt even voor ze moet lachen. Voor zo'n klein meisje heeft ze een grote lach.

'Nou, mammy,' zegt ze, 'ik zal mijn best doen om aan je verwachtingen te voldoen.'

'Die heb ik niet,' zeg ik tegen haar. 'Die heb ik lang geleden al opgegeven.'

Ze trekt een nadenkend gezichtje. 'Je maakt een grapje.'

Deels wel, maar dat ga ik niet zeggen.

'Ik zou erg ongelukkig worden als ik niet langer de hoogste verwachtingen koesterde. Kunnen we niet minstens het beste ervan hopen?'

Ze is zo oprecht dat ik wel eerlijk antwoord moet geven. 'Meestal gaan dingen heel anders dan we hopen.'

'Dat is waar,' zegt ze. 'Maar zoals Paulus al schreef: "De geringe last die we tijdelijk te dragen hebben, brengt ons een eeuwige luister, die alles omvat en alles overtreft. Wij richten ons niet op de zichtbare dingen maar op de onzichtbare, want de zichtbare dingen zijn tijdelijk, de onzichtbare eeuwig."'

'Mmm,' zeg ik. 'Wij zijn zeker "tijdelijk".'

De lach van juffrouw Melanie verlicht de keuken alsof de zon zelf binnenkomt. Ik moet ook lachen, ik kan er niks aan doen. Cook staat ook te grinniken.

'Met hoop op de eeuwigheid.' Juffrouw Melanie pakt mijn blad met koekjes van me over. 'Wanneer we weer bij degenen zijn die we liefhebben.'

Juffrouw Melanie heeft haar mama en haar papa verloren. Zij en haar broer Charles, het zijn wezen. Wezen weten alles wat een mens kan weten over 'tijdelijk'.

Juffrouw Melanie bedient juffrouw Ellen als eerste, en daarna juffrouw Pittypat. Daarna komen de jonkies aan de beurt. Ze brengt de koekjes naar de heren op de veranda en bedient dan haar broer, Charles, voordat ze zelf één koekje neemt.

Juffrouw Melanie Hamilton, die weet wat decorum is!

John Brown of geen John Brown, we hebben katoen te oogsten, en de knechten op Tara beginnen al zodra de dauw van de bollen is. Meester Gerald rijdt van de akkers naar de pers en terug om er zeker van te zijn dat alles goed gaat. Als er niet genoeg handen zijn, komt hij van zijn paard en plukt hij zelf mee!

Er zijn er in het Verblijf weer drie geboren, en juffrouw Ellen en ik hebben het er maar druk mee, boven op al die andere dingen die we moeten doen. Toby brengt juffrouw Carreen en juffrouw Suellen elke morgen naar Twelve Oaks, waar ze les krijgen, samen met juffrouw India en juffrouw Honey. Meester Ashley heeft van de bibliotheek een leslokaal gemaakt.

Juffrouw Ellen krijgt een brief van juffrouw Pauline die zegt dat Nehemiah is heengegaan. Juffrouw Ellen haar hand trilt en ze moet huilen. De *Savannah Gazette* schrijft dat er van alle vrije zwarten die in zaken zitten geen een in zo'n hoog aanzien stond als Nehemiah.

Nehemiah is gestorven zonder dat hij ooit met iemand over de bezem is gesprongen. Ik denk daar niet graag aan, dus dat doe ik ook niet. Ik vraag me af of hij nog broers en zussen had. Hij heeft er nooit wat over gezegd.

Juffrouw Scarlett is weer terug op de school voor jongedames, waar al die jongens lastig komen doen.

Op de tweede december wordt meester John Brown opgehangen. Juffrouw Scarlett zegt: 'Brown heeft mijn verjaardag al verpest, ik ben blij dat hij niet ook nog Kerstmis verpest.'

Dat jaar staat er op Tara een van die nieuwerwetse kerstbomen in de salon. Ik snap niet wat een ceder met het kindeke Jezus te maken heeft, maar de blanke lui vinden zoiets leuk. Er is eerst bal op Twelve Oaks, daarna op Tara en dan op Fairhill, maar sommige lui gaan niet naar Fairhill omdat meester Jim voorstander is van de Unie. Juffrouw Scarlett gaat niet omdat juffrouw Beatrice nog steeds kwaad op haar is vanwege Beëlzebub.

We gaan ons afscheiden

Ik heb de meeste lui van wie ik hou verloren, en de meeste zijn op een nare manier gestorven.

De storm van de oorlog komt brullend als een uitgehongerde leeuw naar Tara en ik herinner me dingen. Ik kan het niet tegenhouden! Ik vind het vreselijk om mijn ogen dicht te doen. Elke nacht weer denk ik aan die geweven mand die te groot was voor de maniok maar we hadden geen andere. Ik had me erin verstopt en deed of niemand me kon zien, en dat was denk ik ook zo, want ze zagen me niet toen ze kwamen.

Ik heb me in die mand verstopt. 'Ki kote pitit-la? – o, waar is dat kind?' zong mama altijd, en dan sloeg ik mijn hand voor mijn mond om niet te giechelen.

De planters hebben het bijna nooit meer over het weer, of over wat de katoen moet opbrengen. Ze hebben het over wie er president wil worden en wat het Congres doet en zulks. Als de planters niet mopperen over het weer of de prijs van de gewassen weet je dat het flink mis is.

Hun hele leven zijn ze al aan het zaaien en wieden en verzorgen en piekeren. Het leven was zo langzaam dat je bijna nooit wat zag veranderen. Dat is niet meer zo. De dingen gaan nu sneller dan de locomotief uit Atlanta! Dat voorjaar valt de Democratische partij in twee delen uit mekaar en wordt de Constitution Union-partij opgericht, en sommige meesters zijn voor de een en andere voor de andere.

Op vier juli gaan we met ons allen naar Jonesboro, waar Congreslid Stephens een toespraak houdt. Juffrouw Ellen wil er niet heen, maar meester Gerald zegt dat meester John Wilkes bij Stephens op het podium staat en dat de arme blanken misschien wel gaan rellen en dat meester John al zijn vrienden nodig heeft.

Pork zegt tegen me dat meester Gerald twee pistolen in zijn jas heeft, maar ik zeg dat niet tegen juffrouw Ellen en ook niet tegen de meisjes.

Pork gaat niet mee. Pork zegt dat er bij ruzies tussen meesters geen plaats is voor zwarten.

In Jonesboro hangen overal waar je kijkt de vlaggen en slingers in rood, wit en blauw. Aan de andere kant van het spoor, in de schaduw van de bomen, is een podium met nog meer slingers neergezet en daar staan meester John Wilkes en meester Jim Tarleton te praten met een man die zo klein is dat hij net een jongetje in het pak van zijn vader lijkt. Het mannetje ziet bleek, als een lijk van gisteren, maar hij praat druk en houdt meester Jim zo stevig bij zijn arm dat zijn jas ervan kreukt. Ik denk dat die man meester Stephens is.

De blanken die voor de afscheiding zijn, staan met hun vrienden aan de oostkant van het station, en de lui die voor de Unie zijn, staan aan de westkant. De oudere jongens van Tarleton staan bij hun papa. Boyd heeft zo'n stok met lood erin, en Tom heeft zijn hand in zijn zak. Raif en Cade Calvert staan net een meter verder. De mama van die jongens van Calvert, dat is een yankee.

Juffrouw Ellen praat met meesteres Calvert omdat er verder niemand met haar wil praten.

Het is juli, het is heet. Dames staan in de schaduw van hun zijden parasols. Ze zwaaiden met waaiers van palmbladeren.

De tweeling Tarleton, Stuart en Brent, die hebben geen aandacht voor politiek. Die staan onder een boom India Wilkes het hof te maken.

Het is bijna twaalf uur en de mannen beginnen te mopperen, maar dat stopt als de vaten met whisky aankomen. Ik denk dat ze het met opzet rustig aan hebben gedaan. Blanke lui en whisky, dat gaat niet goed samen.

Ik sta op het perron, een eind van de menigte. De lijfknecht van meester John, Mose, is de enige andere zwarte.

'Wat denk je hiervan, mammy?'

'Ik denk dat we hier niet thuishoren.'

Geschreeuw bij het vat whisky, dat is genoeg voor ons. We glippen het station in, waar we uit de ramen kunnen kijken zonder dat ze ons goed kunnen zien.

Bij het volgende loket hangt de dienstregeling. Mose kan een klein beetje lezen en zegt dat er vanuit Jonesboro elke dag, behalve op zondag, zes treinen naar het zuiden gaan en acht treinen naar het noorden. Ik zeg dat ik niet hoef te kunnen lezen om dat te weten. Mose zegt dat er twee treinen meer naar het noorden gaan dan dat er naar het zuiden komen, dus op een dag zullen de treinen hier op zijn. Ik weet helemaal niks van treinen. 'Kijk juffrouw Scarlett eens,' zeg ik. 'Kijk eens hoe ze naar die tweeling van Tarleton loopt, of ze niks geen zorgen heb. Mooie dag voor een wandelingetje. "O, dag Stuart! Dag Brent! Dat jullie hier ook zijn!"'

Mose zegt: 'Juffrouw Beatrice zegt dat juffrouw Scarlett...'

'Ik weet wat juffrouw Beatrice zegt,' zeg ik. 'Dat weet iedereen.'

Meester John Wilkes wil het liefste in de Unie blijven, maar dat neemt niemand hem kwalijk omdat meester John de hele tijd boeken zit te lezen en zijn katoen zo laat zaait. Maar ze nemen het meester Jim Tarleton wel kwalijk dat hij voor de Unie is omdat hij rijk is en jaagt en gokt en in het rond galoppeert en drinkt en omdat zijn katoen altijd veel opbrengt. Als meester Jim voor de Unie is, kunnen zij dat dan misschien ook oplopen, net zoals kinderen mazelen oplopen?

Deze bijeenkomst is voor de Unie, maar bijna iedereen hier is vóór afscheiding van de Unie, en daarom kwam de whisky niet snel. Meester Jim steekt zijn handen omhoog en iedereen is stil, behalve de lui die nog een lege beker hebben.

Hij stelt het kleine mannetje voor als Congreslid Stephens. Wat ik al dacht. Meester Jim zegt dat meester Stephens een heel belangrijke blanke uit Georgia is, vanwege wat hij allemaal is en doet.

Ik zie aan het lelijke snuitje van India Wilkes dat juffrouw Scarlett met de tweeling bezig is. Die jongens staan met open mond, als een zuigeling die zijn tepel kwijt is.

Sommige lui klappen voor meester Stephens, andere jouwen hem uit. Zijn stem is groter dan hij, en we staan ver weg maar ik kan elk woord verstaan.

'Jeruzalem, Jeruzalem, dat de profeten doodt, en stenigt wie naar haar toe zijn gestuurd...' Dan houdt het boegeroep wel op, want anders is het net of je God uitjouwt als je Stephens uitjouwt. Hij blijft niet lang bij de Bijbel, maar begint meteen over wat iedereen wil weten: 'Zal de bevolking van Georgia zich afscheiden van de Unie indien de heer Lincoln tot president van de Verenigde Staten wordt gekozen? Landgenoten, ik zeg u eerlijk, duidelijk en openhartig dat ik niet van mening ben dat dat de juiste oplossing is.'

God of niet, dat komt hem op boegeroep te staan. Vooral de mannen bij de kar met whisky laten een erg hard 'Boe!' horen.

Meester Stephens zegt dat de planters 'floreren ondanks de regering'.

Maar hij zegt dat ze het zonder de regering niet zo goed zouden doen als ze het nu doen. Hij rekent voor dat bezit in Georgia twee keer zo veel waard is dan tien jaar geleden, vanwege de regering. Ik vraag me af of ik en Mose ook bij dat bezit horen.

De lui horen meester Stephens beleefd aan, maar ze juichen als hij aan het einde van zijn toespraak zegt dat als Georgia zich afscheidt hij dat ook zal doen. 'Hun zaak is mijn zaak, en hun lot is mijn lot, en ik vertrouw erop dat alles zijn rechtmatige beloop zal hebben.' Alle lui klappen tot hun handen pijn doen, ook die jongens van Tarleton en Calvert. Die jongens hebben nooit bloed door een maniokmand zien druppelen.

We genieten van een mooie, lange herfst. De bladeren kleuren bloedrood en goudgeel om ons eraan te herinneren wat we kunnen verliezen. Lincoln wordt gekozen, en de lui die in de Unie wilden blijven hebben het nu over afscheiden, en de Unionisten zijn niet veranderd, ze zijn alleen stiller dan eerst.

Juffrouw Scarlett is klaar met haar school en komt terug naar Tara. Als het weer goed is, gaat juffrouw Scarlett met meester Ashley uit rijden, en als het koud is of waait zitten ze in de bibliotheek van Twelve Oaks. Juffrouw Scarlett weet helemaal niks van schilderijen of landen in Europa en geeft niks om boeken lezen, dus ik denk dat ze vooral luistert. Misschien kan ze van meester Ashley leren wat decorum is.

De bals in de Upcountry zijn niet als die in Savannah, maar dit jaar zijn ze zo chic als maar kan. Op alle plantagehuizen hebben ze van die nieuwerwetse bomen. Die bij Munroe vliegt in de brand, maar ze kunnen het doven. Hetty Tarleton staat met haar japon te dicht bij de haard en vliegt ook in de brand, maar haar papa en meester Jim rollen juffrouw Hetty over de vloer en doven het vuur voordat ze kan verbranden. Ashley Wilkes zegt tegen juffrouw Ellen dat het bal op Tara net zo chic is als de bals die hij in Europa heeft meegemaakt. Europa is zeker niet zo chic als Savannah, denk ik.

Juffrouw Scarlett baant zich een weg door de jongeheren alsof ze rijp koren zijn. Cade Calvert is zo verlegen dat hij begint te stotteren als hij met haar probeert te praten, en dus rijdt hij naar ons toe om een bloem op juffrouw Scarlett haar stoel op de veranda te leggen. Elke ochtend laat hij één bloem achter. Meestal ligt de bloem van een dag eerder er nog, dus dan ruilt hij die om voor een nieuwe bloem. Als er niks in bloei staat, laat hij takjes van de hulst, het krentenboompje of de vogelkers achter.

South Carolina heeft zich van de Unie afgescheiden, dus nu wil Georgia dat ook doen, en ze roepen de bestuurders bijeen om te kijken hoe. Meester Jim Tarleton gaat ernaartoe, en zijn oudste jongens, Boyd en Tom, gaan met hem mee. Meester Jim zegt dat ze 'getuige zijn van een historisch feit'.

Nadat er is gestemd om de Unie te verlaten beginnen de planters uit de streek een militie. Ze willen die een sterke naam geven, iets als de Clayton Greys of Inland Rifles of de Rough and Readies. Juffrouw Calvert naait een vlag met een bol katoen erop en de tekst 'Clayton County Volunteers', maar niet alle leden van de militie verbouwen katoen en juffrouw Calvert is een yankee, dus ze bedanken haar en noemen zich de Troop, zoals ze de hele tijd al deden. Ashley Wilkes is de kapitein en Raiford Calvert is de luitenant. Ze zijn al door de heren heen voordat ze genoeg cavaleristen hebben, dus de mannen die geen heren zijn en geen paarden hebben krijgen paarden die anderen afstaan. Als juffrouw Beatrice haar paarden afgeeft, zegt ze dat ze die weer heelhuids terug wil hebben. Iedereen denkt dat de yankees er na één veldslag met de staart tussen de poten vandoor gaan en dat Georgia dan afgescheiden is.

Wanneer de Troop op de renbaan in Jonesboro gaat oefenen en die mannen lachend met hun zwaarden zwaaien, hangt de nevel zo dik om ze heen dat ik niet weet of ze nu nog in deze wereld zijn of al met een voet in de wereld hierna staan. Lachende jongens, verdrietige jongens, vrolijke jongens, nukkige jongens, dappere jongens en bange jongens; de nevel hangt om allemaal heen.

Vorige week kwam Dilsey in de koets van meester John terug van het huis van Slattery, want juffrouw Slattery krijgt een kindje. Het donderde en het bliksemde en het goot van de lucht, en toen Dilsey uit de koets keek, zag ze de benen van een paard ernaast. Hoe groot is een paard met benen zo hoog als het raam van een koets? Dilsey deed haar ogen dicht. Ze vroeg Jincy ernaar, maar die had niks gezien.

Op sommige avonden komen de vier ruiters zo dicht bij Tara dat ik het hoefgetrappel hoor.

Hoe zal het wezen om alles te verliezen? Geen Tara, geen Twelve Oaks, geen Jonesboro, geen Atlanta, geen spoorlijn, geen katoenvelden, geen melkkoeien, geen kippen, geen varkens, niks? Hoe zal het wezen als al die jongens uit de Upcountry naast de drie Geralds liggen?

Ik zit tot na middernacht te verstellen. Juffrouw Ellen zegt dat ik te goed ben om te verstellen en dat Rosa het moet doen. Ik zeg niet tegen haar dat ik wakker lig vanwege die maniokmand en mijn lieve Martine en mijn arme Jehu, die werd opgehangen omdat hij met opgeheven hoofd wilde lopen.

Iedereen vindt het machtig mooi om die jongens met hun zwaarden te zien zwaaien en de heren voor de dames te zien buigen en de tweeling van Tarleton op en neer over de renbaan te zien gaan, en de oude meneer Mac-Rae, die in de Mexicaanse oorlog heeft gevochten, zegt tegen jongens die nooit een oorlog hebben gezien hoe erg het allemaal is maar het klinkt heldhaftig. Zo erg kan het nooit zijn! Meester Ashley heeft een boek met legeroefeningen bestudeerd en hij geeft commando's en ze stoppen hun zwaarden weg en gaan min of meer naast mekaar staan, en als kapitein Wilkes dan iets brult, trekken ze allemaal tegelijk hun zwaard en dan fonkelt het en is het zo'n gekletter als ik nog nooit heb gehoord en ook nooit meer wil horen.

Elke jongen die ze verliefd op haar laat worden is verliefd op juffrouw Scarlett.

De meisjes zijn jaloers. Honey en India Wilkes, Betty Tarleton, Sally Munroe, zelfs juffrouw Scarlett haar eigen zussen zijn jaloers. Maakt juffrouw Scarlett zich druk? Dat doet ze niet. Ze betovert iedere jongen die ze tegenkomt, maar voordat ze indruk kunnen maken, loopt ze alweer weg.

Juffrouw Scarlett is net een lijster, ze wil zo graag zingen dat het haar niet kan schelen wie er naar haar lied luistert. Misschien is het niet haar bedoeling om zo met die jongens te dollen, maar dollen doet ze.

Wanneer Stuart Tarleton van de universiteit wordt gestuurd, zegt hij tegen juffrouw Scarlett dat hij zich weg heeft laten sturen om bij haar te kunnen wezen. Juffrouw Scarlett doet net of ze hem gelooft. Ze zegt tegen de jonge meester Stuart: 'Je moet je toekomst niet vanwege mij vergooien.'

Stuart zegt dat hij misschien niet eens een toekomst heeft, maar dat meent hij niet, dat soort dingen menen jongens nooit, maar hij zegt het zodat hij beter lijkt in de ogen van juffrouw Scarlett.

Jongens kennen geen 'wacht even' of 'rustig aan'. Ze willen wat ze willen, en snel. Een meisje dat weet wat decorum is, kan ze nog afweren. Een meisje dat dat niet weet, geeft een halve belofte en een knipoog tot het duidelijk is en dan druipen ze af. Ik wil niet weten wat die jongens 's nachts dromen.

De Troop oefent twee keer in de week, en als ze klaar zijn met al dat gezwaai gaan ze naar Robertson's Tavern, want al die vaderlandsliefde, die maakt dorstig.

Jeems is met de tweeling Tarleton, zoals altijd. Jeems is een schavuit. Hij heeft een vrouw bij de Munroes, en Missy van Tarleton is van hem in verwachting. Jeems is naar het schijnt de enige zwarte die in Robertson's mag komen als de lui van de Troop hun eigen daar zitten te feliciteren en stoer zitten te doen en zitten te drinken en elke yankee wegjagen die er toevallig naar binnen loopt. Jeems weet hoe hij niet moet opvallen. Hij verandert in wie hij moet wezen.

Die jongens zitten te drinken en stoer te praten over wat ze tegen die yankees gaan doen totdat Cade Calvert zegt: 'De yankees zijn niet allemaal slecht. Sommige yankees zijn blij dat we ons afscheiden.'

'Er zijn geen goede yankees,' zegt Stuart Tarleton.

De stiefmoeder van Cade, een yankee, en de vader van Stuart Tarleton zijn allebei tegen afscheiding, dus de jongens hebben het zwaar te verduren.

Cade Calvert moet al sinds hij klein is van alles over zijn stiefmoeder aanhoren. Stuart is al van twee universiteiten gestuurd en zal binnenkort van een derde worden gestuurd. 'Laten we hopen dat de yankees blij zijn dat we ervandoor gaan,' zegt Cade Calvert. 'Opgeruimd staat netjes.'

'Wat bedoel je daarmee?' vraagt Stuart Tarleton.

'Wat bedoel je met "Wat bedoel je daarmee?"' zegt Cade Calvert, en hij voegt er ook nog eens 'Rooie klootzak' aan toe. Hij steekt zijn hand in zijn zak. Blijkt dat hij niks anders in zijn zak heeft dan een pijp die hij wil roken, om te laten zien dat hij geen hoge dunk heeft van Stuart Tarleton, maar Stuart denkt dat hij zijn pistool wil pakken en dus trekt hij dat van hem, maar dat gaat al af voordat hij het goed heeft kunnen richten en de kogel verdwijnt in het been van Cade Calvert en Cade roept: 'Verdomme!' en gooit een tafel om als hij op de vloer valt.

De jonge dokter Fontaine neemt de leiding en snijdt Cade zijn broek open om het te kunnen zien, en daar wordt Cade kwaad als een natte kip van omdat het de broek van zijn uniform is.

De kogel is er schoon doorheen gegaan, zonder bot te raken, en Cade Calvert bloedt niet dood, dus ze maken er allemaal grappen over.

Blanke meesters maken graag grappen als ze bang zijn.

Als juffrouw Scarlett ervan hoort, wil ze precies weten hoe het ging, tot ze ontdekt dat ze mekaar in de haren vlogen vanwege politiek, en niet vanwege haar.

Hoe ik de zoon van de beul ontmoet

*U*pcountry is de mooiste plek die Le Bon Dieu ooit heeft geschapen. Het is niet het Paradijs, maar voor ons zondaars komt dit het dichtst in de buurt. Meester Gerald heeft een groot hart en juffrouw Ellen haar hart is soms afgeleid, maar ze probeert altijd goed te doen. Juffrouw Scarlett… die is wie ze is. Ieder meisje dat ik ooit heb gekend, had wel een klein stukje van juffrouw Scarlett, maar alleen juffrouw Scarlett is helemaal juffrouw Scarlett!

Op de ochtend van de barbecue bij Wilkes zijn alle wolken weggetrokken en zijn we allemaal in ons nopjes. Big Sam, Teena, Rosa, Dilsey en Cook zijn al naar Twelve Oaks om daar te helpen. Ik had bij juffrouw Ellen op Tara willen blijven, maar het is een veel te mooie dag. Meester Gerald ment, dat doet hij altijd. De jongelui zijn levendig. Ik heb ze nog nooit zo levendig gezien. O, ze zijn mooi en volmaakt. Jonge meisjes hebben graag lief. Jonge meisjes zijn net speeldoosjes, speeldoosjes hebben niks te zeggen over de muziek die ze moeten laten horen, en jonge meisjes ook niet.

De koortsstruik en de judasboom en de wilde appel en de laurier en de wilde pruimen staan allemaal in bloei, en als we over de weg rijden, ruiken we eerst de koortsstruik en dan de wilde appel en dan de wilde pruim, en het is of je eerst flarden hoort in het Frans en dan in het creools en in het Engels en daarna in het Cherokee.

Meester Gerald heeft Dilsey en die domme dochter van Dilsey gekocht, Prissy. Ik geloof dat ik er wel blij mee ben. Ik denk dat Dilsey en ik mekaar eerst wel een beetje in de haren zullen vliegen, maar we komen er vroeg of laat wel uit. Meester Gerald heeft opzichter Wilkerson eindelijk de laan uit gestuurd. Het zal tijd worden.

Ik vergeet mijn verdriet en leef vrolijk en blij in de dankbare zonneschijn van Le Bon Dieu. Wat ik ook doe, het leven gaat toch zoals het gaat.

Op Twelve Oaks worden we door Jan en alleman begroet. De staljongens van Wilkes houden ons span vast, zodat de O'Hara's kunnen uitstappen. Frank Kennedy wil Suellen het hof maken, dus hij helpt haar uit te stappen en vraagt nog voordat ze op adem kan komen of hij iets voor haar kan halen. Meester Gerald begroet meester John, en Honey staat naast haar papa of zij de meesteres van Twelve Oaks is. De meisjes O'Hara kirren en babbelen zoals ze altijd doen, alleen houdt juffrouw Scarlett zich in omdat ze juffrouw Scarlett is.

Twelve Oaks is het chicste huis van de hele streek. Ze hebben zuilen. Ze hebben geen gewone veranda aan de voorkant, als op Tara, maar een heel grote. Twelve Oaks heeft zelfs een wenteltrap, maar niet zo'n mooie als die van Jehu. Je ruikt de rozen in de tuin en de barbecue aan de achterkant van het huis.

Er staat een man half in de schaduw op de veranda. Hij staat niet bij de rest. Hij is niet van hier. Een man met zwart haar, die naar juffrouw Scarlett staat te kijken. Hij gaat niet naar haar toe, hij staat alleen maar te kijken! Ik hoef niet te vragen of hij gevaarlijk is. De eerste keer dat je een ratelslang met zijn staart hoort ratelen weet je dat hij gevaarlijk is!

Het is of de zon achter een wolk verdwijnt en de vrolijkheid van al die lui maar schijn is. Er loopt er eentje over mijn graf.

Zo is het wel genoeg! Ik loop naar de achterkant van het huis, waar de zwarten van alles op de barbecue klaarmaken. Er staan picknicktafels onder de bomen, en Pork en Mose zijn de tafels aan het dekken. Big Sam staat te zweten bij de vuurkuil. Big Sam is beroemd om zijn barbecue.

Het zijn niet alleen de meesters en meesteressen die decorum moeten vertonen. Een barbecue moet ook een toonbeeld van decorum zijn. Een barbecue is buiten, je zit niet in een benauwde eetkamer. De rook van het vuur gaat in het haar van de dames zitten, zodat die ernaar gaan ruiken, en er staat whisky en wijn verstopt achter de buxusheggen zodat de baptisten kunnen doen of er geen drank is. Je moet veel te veel eten hebben, zodat iedereen meer eet dan zou moeten: beaten biscuits, het jonge groen van de paardenbloem en de karmozijnbes voor de blanke lui, en varkensdarmen, schenkels en zoete aardappels voor de zwarten. Hun tafels staan zo ver van die van de blanken dat ze niet kunnen horen wat er wordt gezegd, maar ze horen het wel als ze worden geroepen.

De hammen van Able Wynder zijn een toonbeeld van decorum. Die varkens eten eikels tot in de herfst, als de nachten koud worden. Na het slachten worden de varkens gebroeid en geschuurd, en nog dezelfde dag worden er worsten van het bloed en de lever gemaakt en worden de darmen schoongemaakt en gepekeld. De hammen liggen tien dagen in het zout voor ze worden gerookt. Ze worden elke dag omgedraaid, zodat de ene kant niet donkerder wordt dan de andere, en het vuur mag niet te heet worden, je moet je hand tussen de ham en de vlammen kunnen houden. De hammen moeten roken, niet verbranden. Twee maanden, zo lang worden ze gerookt. Daarna worden ze in een koel en donker vleeshuis gehangen om bij te komen. We eten de hammen die vorige herfst zijn gerookt, voordat Lincoln werd gekozen en South Carolina zich afscheidde en de jonge meesters naar de oorlog gingen. De hammen hebben een geschiedenis. Die hammen zijn wat!

Er zijn barbecues als er eentje jarig is of wordt gedoopt of wordt begraven. Vandaag is er een barbecue om een verloving te vieren. Melanie Hamilton gaat met Ashley Wilkes trouwen. Ze zitten wat afzijdig van de anderen. Hij zit op een melkkrukje aan haar voeten. Ze lachen of ze Adam en Eva zijn, de enigste mensen op aarde.

Soms weet ik nog hoe dat voelt, maar meestal niet. Sommige dingen die de jongelui voelen zijn dingen waar oude lui verdriet van hebben. Soms vraag ik me af hoe ik hier ben beland. Soms denk ik dat ik ergens anders had moeten zijn.

Als de blanke lui alles hebben wat hun hartje begeert, mogen de zwarten gaan zitten. Rosa en Toby hebben een leunstoel voor me aan het hoofd van hun tafel gezet. Mose rechts van me, Pork links, met Big Sam naast hem. Jeems zit in het gras aan onze voeten. We hebben het over dit en dat en dan vraag ik wie die man met het zwarte haar is die klaar is met eten en nu met meester John een sigaar aan het roken is.

Mose zegt dat die man met Frank Kennedy mee is gekomen. De man met het donkere haar doet zaken met meester Frank, hij koopt elke baal katoen die Frank Kennedy te koop aanbiedt. 'Meester Butler zegt dat er oorlog komt. De federalen gaan een blokkade inzetten. Dus als we nog katoen aan Engeland willen verkopen, moeten we het nu doen.'

'Butler?' fluister ik.

'Meester Rhett Butler,' zegt Pork.

'Wat noemt hij zijn thuis?'

Pork zegt: 'Charleston. Zijn familie heeft een plantage aan de Ashley.'

De zon schiet weer achter een wolk en komt niet meer terug. Het voelt of ik een klap krijg. Pork en Mose merken er niks van, maar Jeems vraagt of ik wat thee wil, of wat water uit de bron?

Pork en Mose zitten vrolijk over die man met het zwarte haar te kletsen, want die is goed voor schandalen! Er brandt bij zijn zaak een rode lamp in het raam en keurige heren glippen via de achtertrap naar binnen om te kopen en te verkopen. De man met het zwarte haar is al zo vaak in yankeeland geweest dat hij bijna zelf een yankee is. Hij heeft een bastaardzoon in New Orleans…

Ik leg mijn vork neer. Ik drink bronwater. Slikken doet pijn. Die man met het zwarte haar, die is de hele nacht met een jong meisje aan de zwier geweest, en toen haar broer hem uitdaagde, schoot hij hem dood.

Alles draait in de rondte. Jeems vraagt of het goed met me gaat.

'Ja, natuurlijk!'

Frank Kennedy weet van het schandaal, maar hij doet tóch zaken met die man?

Pork zegt: 'Meester Kennedy heeft een telegram naar de bank gestuurd. Butler heeft geld genoeg.' Pork valt even stil. 'Hij is misschien een heer, maar hij is geen heer uit Savánnah.'

Jeems zegt dat hij nog nooit zo lekker heeft gegeten.

Mose zegt: 'Het is net zoals altijd.'

Rhett Butler is dat jongetje dat met de helm in zijn vuist werd geboren. De geur van geroosterd vlees is zo zwaar en sterk dat ik ervan stik. Ik sta opeens op en Pork vraagt waarom, maar ik loop meteen naar het gemak en raak alles kwijt wat ik net heb gegeten.

Als ik weer naar buiten kom, geeft Dilsey me een vochtige lap aan, en ik veeg mijn zweterige voorhoofd af. Dilsey en ik kunnen beter met mekaar opschieten. Ik drink water en spuug en veeg mijn mond af.

Ik zet mijn stoel zo neer dat ik Butler kan zien, die naar juffrouw Scarlett zit te kijken, en die is net een bijenkoningin in een zwerm bijen, met al die mannen en jongens die om haar heen darren. Ik kijk naar Butler en hij kijkt naar juffrouw Scarlett en – dat kan niet waar zijn, dat zie ik verkeerd! – ze zit toch niet naar meester Ashley kijken? Ja, dat doet ze!

Mijn hele hoofd tolt. Al dat verdriet komt naar boven en spookt door mijn hoofd en juffrouw Scarlett zit naar meester Ashley te gluren en daar heb ik me zo in vergist. Mammy's horen zich niet te vergissen! Niemand ziet waar juffrouw Scarlett mee bezig is, behalve ik en die Butler en misschien meester Ashley, al laat hij niks merken en heeft hij alleen oog voor juffrouw Melanie. O, hij is zo dol op haar! En juffrouw Scarlett probeert hem duidelijk te maken dat hij op die manier naar háár moet kijken. Kijk maar eens hoeveel mannen er aan haar voeten liggen!

Ik heb het nooit geweten. Ik dacht dat ze als broer en zus waren, ik heb nooit gedacht dat juffrouw Scarlett een oogje op meester Ashley had. Ze zijn zo verschillend. Ze zijn zo verschillend als de Upcountry en Parijs in Frankrijk!

Butler voelt dat ik naar hem kijk, en hij draait zich om en glimlacht en trekt een wenkbrauw op, alsof alleen wij dit weten, en verder niemand. Hij doet helemaal niet verwaand, nee; zijn ogen lachen. Ik kijk de andere kant op.

Na een tijdje zijn de blanke lui klaar met eten en hebben de mannen hun sigaren gerookt. Meester Wilkes pakt het bordje van juffrouw Melanie. Juffrouw Melanie voelt dat ik naar haar kijk en glimlacht naar me of we familie zijn, maar dat zijn we niet. De zwarten staan op, ruimen de tafels af, halen wijn of whisky voor de heren en een tweede dessert voor wie nog wil.

Iemand zegt iets over politiek, en dat brengt de boel op gang. De vrouwen kermen en gaan er snel vandoor, maar de heren komen naar mekaar toe als honden die willen vechten. Pork vertelt me meer dan ik wil weten over Rhett Butler. Dat zijn papa zo belangrijk is, dat zijn papa hem heeft onterfd. O Pork, ik weet al alles wat ik moet weten over die Butlers!

Jeems bemoeit zich ermee. 'Meester Stuart moet niet veel van meester Rhett hebben. Stuart zegt dat meester Rhett het te hoog in de bol heeft. Stuart wil hem graag eens aftroeven!'

Ik ben doodmoe van al die mannen en van al dat stoere gedoe. Wie is het grootst! Wie heeft het meeste geld! Wie heeft het grootste huis! Voor wie buigen de andere mannen! Ik ben die mannen spuugzat!

Rhett Butler begint te praten, en ik denk dat Stuart nu misschien de kans krijgt om hem af te troeven. De mannen van Clayton County hebben door die oorlog maar één ding aan hun kop: ze gaan vechten en ze gaan winnen. Wie er nog aan twijfelt, kan dat maar beter voor z'n eigen houden. Je mag hier niet twijfelen!

Maar die Rhett Butler, die geen goede naam en geen vrienden en geen familie in de Upcountry heeft, die zegt dat ze klop zullen krijgen van de yankees en dat ze het veel te hoog in de bol hebben om dat te kunnen zien.

Stuart is niet de enige bij wie dat verkeerd valt. Ze mopperen en mompelen en spugen hun tabakssap uit of ze Butler in zijn ogen spugen.

Hij hoeft nog maar één woord te zeggen. Ze smeken om dat ene woord, want dan wordt het een erezaak. Ze willen het zo graag.

Butler houdt op, voordat hij dat ene woord zegt. Het is het wreedste wat hij die dag heeft gedaan. Meester John gaat naar hem toe, en ze praten zachtjes met mekaar alsof er geen ongedurige troep kerels is die hem graag een kopje kleiner wil maken. De twee lopen samen naar het huis, als de beste vrienden! Dat is het dus. Niemand gaat tegen meester John in als zijn zoon zijn verloving viert. Stuart zegt, zo luid dat de anderen het kunnen horen: 'Ik denk dat we meneer Butler nog wel eens terug zullen zien.' De anderen knikken instemmend.

Dus de mannen gaan weg en de zwarten ruimen op en de vrouwen gaan in het huis rusten omdat er later die avond nog een bal is.

Ik moet aan de slag, maar ik kan niet uit mijn stoel komen. De zwarten lopen zachtjes rond, en de groene dag flakkert, net als wanneer de zon de Flint kietelt. Bij die heldere rivier zie ik juffrouw Scarlett en Rhett Butler; ze staan voor een kistje dat zo klein is dat er wel een kindje in moet liggen. Ze staan naast mekaar, maar ze zijn niet samen en houden niet mekaars hand vast. De zon stuitert op dat water, en hij en zij galopperen in een buggy door de straten van een stad met huizen en gebouwen en alles om hen heen staat in de brand. Dilsey zegt: 'Mammy…?'

Ik zeg: 'Het gaat wel,' en knijp mijn ogen zo stijf dicht dat ik de geesten eruit knijp. Ik wil het niet weten. Ik wil het niet. Le Bon Dieu helpe me!

Dilsey praat zachtjes en veegt mijn voorhoofd af zoals een mama met haar kindje doet, en ik laat haar bijna haar gang gaan, het is zo lang geleden…

Ik doe mijn ogen open. 'Ik moet wat water hebben,' zeg ik, en dat komt ze brengen.

Bankjes worden opgestapeld. Stoelen worden op mekaar gezet, en grote pannen en schalen en lange tangen worden op het gras gelegd om te drogen. Wat zouden de blanke lui zonder ons moeten beginnen? Hoe kunnen ze zaaien en wieden en oogsten zonder zwarten, hoe kunnen ze keukens en barbecues hebben zonder zwarten?

De lui gaan uitrusten. De O'Hara's in de slaapkamer van Honey Wilkes. De baljurken van de meisjes hangen aan de deur van de kast, Carreen en Suellen liggen opgerold op de vloer en meester Gerald ligt in het slede-bed. Hij glimlacht vragend als ik naar binnen kijk, maar ik knik en doe of ik wat belangrijkers te doen heb en hij laat zich terug op het kussen vallen.

Juffrouw Scarlett is niet in de achtertuin en ook niet op de veranda, en in de keuken is ook niemand, alleen de kokkin van Wilkes die zit te snurken in haar stoel. Ik denk aan juffrouw Katie op die Beëlzebub, met haar meisjeshaar weggestopt onder haar pet omdat ze zo graag met de rennen mee wilde doen en al die mannen wilde verslaan, en toen vreesde ik voor haar en nu doe ik dat weer. Ik ben juffrouw Scarlett haar mammy! Ik ben haar mammy!

Ik loop net door de hal als ik Scarlett hoor roepen, kwaad en verdrietig. De haren op mijn hoofd komen overeind.

Meester Ashley rent de bibliotheek uit als een man die uit de gevangenis ontsnapt. Hij ziet mij niet, hij ziet niks. Hij is in zijn hoofd nog steeds waar hij net was.

De stilte is zo luid dat ik het zonlicht op de pluisjes stof hoor tikken. Dan een harde bons in de bibliotheek, net of er iets breekt. Mijn hart springt uit mijn lijf. De duivel heeft het druk vandaag. Ik hoor twee stemmen maar versta niet wat ze zeggen.

Dan komt juffrouw Scarlett naar buiten, net als meester Ashley daarnet, en haar gezicht is bleek en woedend. Opgejaagd door de spotlach van een man, als een konijn door een hond. Scarlett is zo kwaad dat ze langs me loopt zonder me te zien staan, al is ze zo dichtbij dat ik haar kan aanraken. Alles wordt weer stil. De klok in de hal geeft seconden en minuten en jaren aan.

Ik hoor een lucifer die wordt afgestreken. Een man die in zichzelf neuriet. Ik ruik een sigaar.

Ik wil het niet, maar ik word die kamer in gelokt.

Overal langs de wanden staan boeken. Boeken boven de ramen, boeken onder de ramen. Rode boeken en zwarte boeken en groene boeken en blauwe. Boeken op de tafel naast de bank en de stoel waar Rhett Butler zijn sigaar zit te roken. Lui die Lucifer hebben gezien zeggen dat hij zo mooi was. Zijn haar is zwart als een nacht zonder maan, zijn ogen lachen maar zijn mond niet. Hij is net een kat, golvend en sluw. Net als Beëlzebub maakt hij je nog eerder dood dan dat hij je de baas laat zijn.

Ik hurk neer om de gebroken schaal op te rapen. Rhett Butler denkt na over waarover hij nadenkt. Ik ben niets voor hem: een dikke, oude, zwarte vrouw, een dienstmeid die opraapt wat er over is.

Ik haal scherven uit de hoek en van achter de stoel en van onder de plint. Dat is niet meer te lijmen. Dat wordt nooit meer heel. Net als die blauwe theekopjes van juffrouw Solange, daar is er ook nog maar eentje van over.

Ik veeg de scherven op met mijn schort en kom overeind en wacht tot hij me ziet staan.

Zijn glimlach is verbaasd, maar niet onvriendelijk.

'Meester Butler,' zei ik tegen hem, 'uw papa heeft mijn man opgehangen.'

Dat schrikt hem op uit wat hij aan het denken was. Zijn ogen worden hard en hij kijkt naar me zoals niet vaak lui naar me kijken.

Hij blijft me aankijken, maar ik heb de waarheid gezegd, dus na een tijdje blaast hij zijn adem uit en zegt: 'Mijn vader heeft minder scrupules dan de meeste mensen.'

Ik weet niet wat scrupules zijn, maar Langston Butler heeft ze zeker niet.

Ik heb zo veel te zeggen dat ik bijna niks uit kan brengen. 'Ik heb u gezien.'

Meester Butler zegt: 'Ik kan niet zeggen dat dat me verheugt. In de regel word ik liever niet gezien. Zoals je wellicht weet, kan men tot grote bloei komen indien men wordt onderschat.'

Als ik eenmaal doorheb wat hij daarmee bedoelt, knik ik. Ik zie hem en hij ziet mij. God, ik kan wel huilen! Ik kan niks tegen deze man beginnen, zoals ik ook niks tegen juffrouw Scarlett kan beginnen.

'Mijn oprechte deelneming,' zegt hij, op een toon of hij het meent.

Hij glimlacht naar me, alsof hij het niet zo bedoelt, het verdriet dat hij en juffrouw Scarlett elkaar zullen doen omdat ze van mekaar zullen houden. Ik zeg niet tegen hem dat ik weet wat er gaat gebeuren.

Ik neem de scherven uit meester John zijn bibliotheek mee naar het erf om ze weg te gooien. Daarna loop ik naar boven, langzaam, als de oude, dikke nikker die ik ben geworden.

Ki kote pitit-la?

*D*e orkaan doet wat hij moet doen en trekt weg naar de zee. Al die jongens en meisjes die wilden trouwen zijn getrouwd en de jongens die in de oorlog gaan vechten zijn vertrokken.

De teerling is geworpen!

Na de barbecue op Twelve Oaks besluit meester Charles Hamilton dat hij juffrouw Honey Wilkes minder lief vindt dan juffrouw Scarlett O'Hara, wat niet echt nieuws is, maar iedereen zijn mond valt open als juffrouw Scarlett ja zegt!

De meeste lui denken dat ze trouwt omdat de jongens naar de oorlog gaan en de jonge meisjes haast hebben om te trouwen.

Ik denk het niet. Ik denk dat het juffrouw Scarlett niks kan schelen, die hele oorlog niet, en die dappere jongemannen ook niet. Juffrouw Scarlett doet alleen iets als juffrouw Scarlett er zelf baat bij heeft!

Op de dag van de barbecue, de dag dat ik meester Rhett Butler leer kennen, kondigt president Lincoln aan dat de zuidelijke staten die zich niet hebben afgescheiden troepen moeten leveren om de staten aan te vallen die zich wel hebben afgescheiden. De lui in de Upcountry hebben overal in het zuiden familie, en als ze nog niet wisten of ze moesten gaan vechten dan weten ze het nu wel.

De oorlog heeft ons gevonden. De judasboom en de valse christusdoorn staan in bloei langs de kant van de weg, de koeien grazen, de varkens eten hun spoeling, de melkkoeien loeien als ze gemolken willen worden, de oude lui klagen en de jongens en meisjes worden verliefd, maar alles is nu anders. De oorlog heeft ons gevonden.

Op Tara is het een drukte van jewelste omdat juffrouw Scarlett gaat trouwen. Zelfs juffrouw Ellen weet niet wat ze moet beginnen. Door de verwarring vergeet ze steeds wat ze wil zeggen en laat ze van alles vallen. Juffrouw Scarlett draagt de trouwjapon van juffrouw Ellen. Als ze aan de arm van haar papa naar beneden komt, moet ik een traantje laten. Ik ben niet langer de mammy van Katie Scarlett O'Hara.

Die avond help ik haar met uitkleden en doe ik de kaarsen uit voordat Charles binnenkomt. Ik loop naar beneden met het gevoel dat Scarlett wordt geofferd, maar ik weet niet aan wat of wie.

Het is duidelijk dat meester Charles blij en dankbaar is dat hij nou een getrouwd man is, maar juffrouw Scarlett lijkt verdoofd. Het zal niet de eerste keer zijn dat een bruid ontdekt waarom meisjes niet schrijlings rijden, dus ik denk er niet veel van.

Meester Ashley en juffrouw Melanie trouwen ook.

De jongens gaan naar de oorlog en denken dat ze voor het einde van de zomer wel weer thuis zullen zijn, en iedereen gaat naar het station van Jonesboro om ze uit te zwaaien. Twelve Oaks en Tara en Fairhill, iedereen. Er zit zo veel nevel gemengd door de rook boven de trein vol jongemannen dat ik er bijna niet naar kan kijken.

Als ze weg zijn, loopt Scarlett dagenlang te mokken. Juffrouw Ellen denkt dat ze Charles zo mist en maakt de hele tijd sassafrasthee voor haar. Ik vraag aan juffrouw Scarlett waarover ze heeft gedroomd. Over vis. Dat betekent dat ze het kind van Charles draagt.

Nu meester Gerald de opzichter heeft ontslagen, moet hij zelf opzichter van Tara zijn. De knechten hoeven onder meester Gerald minder hard te werken, maar er wordt wel meer gedaan. Meester Gerald is somber vanwege de oorlog en werkt door tot de zon ondergaat en hij rijdt nooit meer naar Twelve Oaks. Suellen en Carreen en Honey en India komen bij mekaar om sokken voor de soldaten te breien.

Iedereen houdt de adem in. De oude wereld is er niet meer, maar de nieuwe wereld is er ook nog niet. Dat wordt een zware bevalling. Het is heet en vochtig voor zo vroeg in de zomer, en je krijgt niet goed lucht. De vogels stoppen al met zingen voor de dauw van het gras is, en de kolibries gaan van bloem naar bloem.

Ik neem er net mijn gemak van met een glas water op de veranda als juffrouw Ellen naar buiten komt. 'Ga niet weg, mammy. Alsjeblieft.'

Dus ik ga weer zitten. Juffrouw Ellen vraagt waar de meisjes zijn, en ik zeg dat ze naar Twelve Oaks zijn. Juffrouw Scarlett is ook mee.

'Het is goed als Scarlett er even uit is. Ze lijkt zo ongelukkig.'

'Ja, mevrouw.'

Juffrouw Ellen zucht. 'Arm kind. Net een week getrouwd, en nu roept de plicht haar man al weg.'

Ik kan niks terugzeggen omdat Rosa net naar buiten komt met het dienblad met de witte theepot en het blauwe kopje van juffrouw Ellen. Juffrouw Ellen bewaart haar blauwe kopje in de glazen kast in de salon, en verder drinkt er niemand uit.

'Scarlett is meneer O'Hara's lieveling,' zegt juffrouw Ellen.

'Ja, mevrouw.'

'Het laatste kopje van mijn moeder.' Ze houdt het omhoog naar het licht. 'Ik zal het vreselijk vinden als het er niet meer is.'

'Ja, uw mama had die kopjes al op Saint-Domingue. Zij en kapitein Fornier hadden ze uit Frankrijk meegenomen.'

'Hoe oud was je toen?'

'Dat weet ik niet. We hadden niks geen verjaardagen op Saint-Domingue.'

'Kun je je verder nog iets herinneren?'

'Ki kote pitit-la?'

'Frans?'

'Creools. Mijn moeder speelde een spelletje met me. Ik spreek geen creools meer.'

'Je moeder…'

'Ik kan me haar niet herinneren. Alleen dat spelletje.'

'Je hebt toch wel…'

'Ik was nog zo klein, mevrouw, toen kapitein Fornier me vond. Kapitein Fornier is misschien wel mijn eerste herinnering.' Ik ben meer van streek dan ik laat merken. Ik wil het me niet herinneren, nee.

'Kapitein Fornier. Dat duel…'

'Dat was een van die domme dingen die de blanke heren doen!'

'Ruth, eer…'

'"Moet worden hersteld". Dat zeggen de blanke lui altijd. Weet u wat ik denk? Ik denk dat eer 666 is, het beest van de Apocalyps, een en al ogen en tanden en gegrijns!'

'De eer van een heer…'

'Waarom kunnen zwarten wel zonder?'

Juffrouw Ellen heeft het antwoord op haar tong, maar ze laat het niet los. Ze schenkt haar thee in. Het lepeltje rammelt tegen haar blauwe kopje. 'Ik vraag me af of Scarlett gelukkig zal worden.'

Ik drink mijn water.

'Ruth, jij kent mijn dochter het beste.'

'Ja, mevrouw. Ik heb uw moeder gekend, en ik ken u, en ik ken Katie Scarlett, en als Le Bon Dieu het wil, zal ik ook de kinders van juffrouw Scarlett kennen.'

'En?'

Mammy's zeggen niet wat ze weten. Mammy's zeggen nóóit wat ze weten. Maar ik wel. Ik weet niet waarom, maar ik wel. 'Scarlett geeft geen sikkepit om Charles Hamilton. Ze is met hem getrouwd om Ashley Wilkes een hak te zetten.'

Ik hoor juffrouw Ellen haar kopje rammelen tegen het schoteltje. 'Mammy!'

'Ja, mevrouw. Als u wilt dat ik iets anders zeg, doe ik dat.'

'Heb ik ooit iets anders dan de waarheid gezocht?'

Daar denk ik even over na. Daar denk ik eens goed over na. Het duurt zo lang dat juffrouw Ellen ongeduldig wordt: 'Ruth…'

'Ik denk dat u net zo bent als de meeste meesteressen. U weet wat u wilt weten en laat verder alles gaan.'

'Zal mijn dochter gelukkig worden?'

'Charles Hamilton weet wat decorum is en heeft genoeg geld, maar hij kan niet tegen juffrouw Scarlett op. Die Beëlzebub zou meester Charles in een oogwenk hebben gedood. Charles blijft trouwens toch niet lang meer op deze wereld.'

Zoals ik al zei, Ellen weet wat ze moet weten en laat de rest gaan, en wat ik zeg, bevalt haar niet. 'Ah, dus je wéét dat.'

De dwarsigheid komt sterk en vurig in me naar boven, en ik zeg: 'Ik zie dingen, juffrouw Ellen. Dat wil ik niet zien, maar het is zo.'

'Ah,' zegt ze. Ze zegt: 'Het is een prachtige lentemorgen, hè mammy? Ik kan me geen mooiere herinneren.'

Ik kan het gewoon niet loslaten. 'Op een dag komen Scarlett en Rhett Butler bij mekaar,' zeg ik. 'Die zijn twee handen op één buik. Misschien dat ze zullen kibbelen en op mekaar zullen mopperen, maar het zijn twee helften van een gebroken bord. Alleen heel als je het aan mekaar lijmt.'

Ze glimlacht of ik niet goed bij mijn hoofd ben. 'Meester Butler is een schurk, mammy.'

Ik kijk haar recht aan. 'Meester Butler is er net zo een als meester Philippe. Echt niet anders.'

De glimlach glijdt van Ellen haar gezicht, en ze zegt scherp: 'Philippe stierf bij een duel. Hij is in elk geval niet opgehangen.'

Daardoor hap ik naar adem. De ochtend danst om me heen: blauwe hemel, groene aarde, vloer van de veranda die grijs is geschilderd. 'Hoe weet u... Hoe weet u van...'

'Philippe en Jack Ravanel waren vrienden, Ruth. Goede vrienden. Dat kon je niet weten, denk ik. Je kon niet weten dat Philippe bewondering voor je echtgenoot had.'

Ik hap als een vis op het droge.

'Philippe zei dat als het omgekeerd was geweest, hij ook een rebel was geweest, net als Jehu Glen. "Schenk me vrijheid..."'

'"Of de dood." Het was vaker de dood.' Ik ben zo van streek dat ik van alles zeg, zonder te weten wat.

Ellen is ook van streek en zegt na een tijdje alleen: 'Ja.' Haar hand trilt, en ze zet het kopje voorzichtig neer. 'Philippe was een halve Muscogee. In de tijd van zijn grootvader had hij tegen ons gevochten bij Horseshoe Bend.'

Ik knik.

'Voordat hij er klaar voor was, toen hij nog maar een jongen was, ging zijn vader al dood en was Philippe de man van het gezin.' Ellen kijkt naar iets wat ik niet zie. 'Soms word ik aan hem herinnerd: de ongewone vorm van een schaduw, een warme lenteregen, een onverwachte lachbui van een kind. Ik ben onveranderlijk verbaasd en... gekwetst wanneer ik aan Philippe word herinnerd.'

'De geesten blijven bij de lui die van ze houden. Ze zijn ongeduldig en willen dat wij ook komen.'

'Ruth, denk je dat het mogelijk is om van meer dan één man te houden? Kunnen beide helften van een verdeeld hart oprecht zijn?'

'Ik heb maar van één man gehouden. Jehu, hij... hij had zulke mooie handen.'

'Philippe zong wel eens. Gekke liedjes. "Hier komt mijn Ellen, die zal je eens wat vertellen..."'

'Philippe had heel anders kunnen opgroeien. Philippe ging dood voor hij was wat hij kon worden.'

'Kunnen we hopen op wat niet ongedaan kan worden gemaakt?'

'Sommige mannen zijn erg lastig, maar toch houden we van ze. Die mannen geven een vrouw niet veel ruimte.' Nu val ik even stil. 'Philippe en Rhett Butler weten niet wat decorum is.'

Ze glimlacht. 'Philippe? Decorum? Nee. Maar Ruth, dat hebben echt fatsoenlijke mensen ook niet nodig. Die zijn gewoon zo, en God weet dat Philippe fatsoenlijk was.'

'U hebt geld genoeg en macht genoeg en u bent blank, dus misschien hebt u geen decorum nodig. Voor andere lui… is het alles wat ze hebben.'

Ellen staat op en stapt de veranda af om wat onkruid uit de border met bloemen te trekken. Ze schudt de aarde van de wortel. Ze veegt haar handen aan haar zakdoek af. 'Scarlett…'

O, ik knap vandaag bijna uit mekaar. Die oude negerin die niet eens haar naam kan schrijven, die knapt bijna uit mekaar! 'Scarlett komt er wel. Niemand kan haar tegenhouden. Ik zal niet zo dom zijn om dat te proberen.'

Ellen kijkt over het gazon van Tara naar de Flint, die hoog staat en bruin is omdat het lente is.

Toen haar arme mama was heengegaan, heb ik die kleine Ellen vastgehouden. Misschien weet ze dat nog. Ik denk niet dat ze het nog wil weten. Je wilt je niet te vaak dingen van vroeger herinneren. Dat voelt als een steek in je hart.

Ik zeg: 'Ik zie dingen.'

Ze kijkt me aan of we niet meesteres en mammy zijn, maar twee vrouwen die hun eigen gang gaan. 'Dat weet ik,' zegt Ellen. 'Dat heb ik altijd al geweten.'

Ik zeg: 'Ik heb ze allemaal verloren.'

Vriendelijk zegt ze: 'Ze?'

Ik zeg: 'Ki kote pitit-la,' maar ik weet niet waarom ik dat zeg. Ellen laat me nu alles zeggen wat ik maar wil.

Ik zeg: 'Jehu Glen, mijn Martine…'

'Ja.'

'Kapitein Augustin, juffrouw Frances en juffrouw Penny en juffrouw Solange en meester Pierre en Nehemiah. En… alle kleine Geralds.'

'Ja,' zegt Ellen. 'Al die dierbaren.'

Bijna vallen we in mekaars armen, maar omdat je dat dan niet meer terug kunt nemen doen we het niet.

Ik zeg: 'De oorlog wordt erger dan wat Babylon tegen Jeruzalem heb gedaan. Ik zie vuur en bloed. Oorlog, vuur en bloed.'

Ze zegt: 'We kunnen alleen maar bidden. Soms denk ik dat dat alles is…' Dan raakt ze me aan, zachtjes als een mus die neerstrijkt. 'Ik hield van Philippe. Echt waar. Denk je dat dat verkeerd is? We hebben altijd lief met een verdeeld hart. Ik "zie" niets. Daar ben ik blij om. Ik kan alleen de wonden onder mijn handen helen. We kunnen hen niet beschermen, mammy. We moeten ons best doen, maar ze gaan toch hun eigen gang. Hoe we ook proberen, hoe we ook bidden, ze gaan toch hun eigen gang.'

Haar hand trilt als ze de rand van haar theekopje aanraakt. Het is niet sterker dan een eierschaal en het is helemaal uit Frankrijk naar Saint-Domingue gekomen, en daarna naar Savannah, en toen naar Tara.

We hebben al te veel gezegd. Als we nu nog meer zeggen, komen we ergens waarvan we niet meer terug kunnen komen.

Juffrouw Ellen zegt: 'De boekhouding van meneer Wilkerson is een rommeltje.'

Ik sta op. 'Ik moet naar dat pasgeboren kindje van Teena.'

We hebben nog nooit een pasgeborene verloren op Tara. Alleen die van juffrouw Ellen.

Ki kote pitit-la … O, waar zit dat kind?

Nou, mama, hier ben ik. Hier waar ik moet wezen.

Dankwoord

Een oprecht woord van dank aan iedereen wier kennis, vriendelijkheid, vertrouwen en geduld me hielp om mammy tot leven te wekken:

Paul Anderson sr.
Paul Anderson jr.
Peter Borland
Gillian Brown
Susan Brown
Mia Crowley
Kris Dahl
Laurent Dubois
Douglas Egerton
Julia Gaffield
Philippe Girard
Joan Hall
Anne McCaig
Jeremy Popkin
J. Tracy Power
Laura Starratt
Kerly Vincent
John Wiley jr.
The Atlanta History Center
Cathedral of St. John the Baptist
The Davenport House
The Georgia Historical Society
The Hermitage
The Owens-Thomas House
en in het bijzonder Margaret Munnerlyn Mitchell